Tegenspel

Gonzalo Lira
TEGENSPEL

dB

1998 – De Boekerij – Amsterdam

Oorspronkelijke titel: Counterparts (Putnam)
Vertaling: Ingrid Klijnveld
Omslagontwerp: Hesseling Design, Ede

ISBN 90 225 2360 8

Door hun aanleg
voor mythe-
vorming kunnen
de Afrikanen ook
dingen met je doen
waartegen je je niet
kunt verweren en
waaraan je niet
kunt ontkomen. Ze
kunnen je tot een
symbool maken.

Isak Dinesen
(Karen Blixen)
Out of Africa

Misschien hebben
filosofen argu-
menten nodig die
zo krachtig zijn dat
ze blijven
nagalmen in de
hersenen.
Als de persoon
weigert de conclu-
sie te accepteren,
sterft hij.
Is dat geen
krachtig argument?

Robert Nozick,
*Philosophical
Explanations*

voor Amalia Nitu

DEEL I

DRIELUIK

Meer dan alleen een nieuwe ervaring

Margaret Chisholm was speciaal agente bij de FBI. Dat was niet aan haar te zien. Alleen door het feit dat ze als een duivel naar het RFK-stadion reed, het langzamere verkeer voortdurend inhaalde en een magnetisch rood zwaailicht en een sirene op haar bestelwagentje had, werd dat duidelijk. Anders zou ze gewoon lijken op iedere andere overbelaste, gekwelde huisvrouw uit een forenzenplaats in Maryland die op zondagmiddag ergens naartoe moest: misschien een paar boodschappen doen of naar een barbecueparty van de buurt. Maar het ging niet om een huishoudelijke taak of picknick. Ze moest een probleem oplossen.

Rivera's dringende, ietwat wanhopige telefoontje had haar van Robby's voetbalwedstrijd weggehaald. Robby (Robert Everett als ze boos op hem was, wat zelden gebeurde) speelde als middenvelder op de rechtervleugel van zijn schoolelftal, de Tigers. Margaret droeg nog steeds haar 'Hup, Tigers, HUP'-sweatshirt waarop een gestreept tijgertje met een vrolijke arrogante glimlach tegen een hemelsblauwe achtergrond naar een voetbal trapte. De elf- en twaalfjarigen van het elftal, waaronder Robby, hadden de pest aan dat truttige sweatshirt, maar de ouders droegen het met trouwhartige devotie bij elke wedstrijd.

Margaret reed de ringweg af en nam de afslag twee keer zo snel als was toegestaan. Aan haar horloge te zien was de eerste helft bijna ten einde, schatte ze. Ze hoefde er niet op te rekenen vóór het begin van de tweede helft terug te kunnen zijn. Als het een beetje meezat, haalde ze met moeite het laatste deel van de wedstrijd.

Ze probeerde uit alle macht aan de Tigers en hun wedstrijd te denken, hopend dat ze zouden winnen. Maar toen ze in de buurt van het stadion kwam, verdween alles – Robby, de Tigers en zelfs Rivera – uit haar gedachten en rukte het spoedgeval als een kwaadaardige onderstroom aan haar geest. En toen ze een hoek om ging en het stadion in zicht kreeg, hoopte ze vurig dat ze vandaag niet de kans zou krijgen iemand te doden.

Zelfs met dichte autoramen, zelfs op zevenhonderd meter van het stadion, kon ze de menigte horen brullen. De dichterbij komende aanwezigheid van al die mensen zoog de zuurstof op en maakte de atmosfeer in de cabine van het bestelwagentje zwaarder, waardoor de lucht om Chisholm heen aanvoelde als een prettig zittende handschoen die haar lichaam naadloos omhulde, als water. Misschien kwam het door de menigte of door de wetenschap dat er iets opwindends stond te gebeuren, maar terwijl het stadion steeds groter werd, voelde ze het, het oude gevoel dat als een goede bekende omhoog kwam en haar geest schoonwaste. O God, ze haatte dat rotgevoel. Binnen de stadionhekken, aan de achterkant, stopte ze de wagen en stapte uit.

Een SWAT-agente van de FBI, Sherylynn Price, zag als eerste het zilverkleurige bestelwagentje met de namaakhouten zijkanten. Net als de andere SWAT-agenten die hier controledienst hadden, had Price niet al te veel te doen en liepen zij plus de andere vijf agenten in nauwelijks bedwongen wanhoop rond. Dus toen Price zag hoe de bestelwagen stopte en er een vrouw met lang rood krulhaar uit sprong die onder het geel-zwarte band van de afzetting door dook, stortte ze zich op de nieuwaangekomene. Het dreigende gezicht van de roodharige schrok haar enigszins af, maar de uitzichtloze situatie maakte haar brutaal.

'Hé! Daar kunt u niet heen, wegwezen!' Price had haar geweer in de aanslag. Ze ging ervan uit dat de roodharige een van de eerste van de stoet verslaggevers was die de FBI verwachtte. Het zwaailicht op het dak van de bestelwagen had Price niet opgemerkt. 'Achter de afzetting!'

De roodharige griste haar penning uit haar zak en wierp één boosaardige blik op Price. 'Chisholm, FBI. Ik heb nu de leiding. Waar is de verantwoordelijke ter plaatse?'

'Op wiens gezag?'

'Onderdirecteur Rivera.'

'O. O, eh, oké, sorry mevrouw. Agent Dexter heeft de leiding – hierheen graag.'

'Is dat geweer vergrendeld?' vroeg Chisholm, terwijl ze naar de schaduw onder de zitbanken liep.

'Jazeker,' loog Price, en ze richtte haar wapen naar de lucht terwijl ze achter Chisholm aan liep.

'Je liegt,' zei Chisholm, voordat ze zich afwendde. Veiligheid van vuurwapens. Chisholm nam zich voor een memo te schrijven naar het hoofd van de SWAT-afdeling. Het zou niet best zijn als iemand per ongeluk werd neergeschoten door een SWAT-agente. Helemaal niet best.

De andere leden van het SWAT-team keken toe hoe Chisholm zich onder het stadion door een weg baande, met Price in haar kielzog. De omtrekken van een reusachtige revolver waren duidelijk zichtbaar onder de achterkant van haar 'Hup, Tigers, HUP!'-sweatshirt.

Binnen vielen spoortjes licht door de zuilen van het stadion.

Dexter, de verantwoordelijke ter plaatse, was een lange, magere man met een grijs snorretje. Hij was bezig met een streng verhoor van een man die op zijn knieën zat. Zelf zat hij gehurkt om op dezelfde ooghoogte te zijn.

De geknielde man, wiens handen op zijn rug geboeid waren, had klitterig muiskleurig haar en een bril op en hij glimlachte dwaas en rustig. In ieder geval had hij een zekere kalmte. Rond de rotzak schuifelden zeven duidelijk bekommerde SWAT-agenten, drie vrouwen en vier mannen, allen gekleed in zo'n eendelig zwart jumpsuit dat van boven opgepropt zat door hun kogelvrije vest.

13

De scène gaf de indruk dat de Zware Jongens de slechterik in de tang namen. Maar ondanks hun uitrusting, hun donkere kledij en dat gladde uiterlijk, hoefde Chisholm maar één blik op het herenloze geschuifel van de SWAT-agenten te werpen om te weten hoezeer de situatie uit de hand gelopen was.

'Ik heb gewonnen, snap je dat niet?' zei de gek achteloos met een dromerige glimlach. 'Ik heb gewonnen. En daar kun je niets tegen doen.'

Dexter probeerde kalm te blijven. 'Man, ik weet niet waartegen je protesteert, maar al die onschuldige mensen zullen sterven.'

'Geen mens is onschuldig. Het wordt leuk als het zover is, wanneer alle lichamen door de lucht gaan vliegen. Ik vraag me af of het de televisie haalt...'

Chisholm stapte naar voren om zich aan Dexter voor te stellen. 'Chisholm, van Rivera's bureau. Ik heb hier de leiding.'

Dexter had op de beloofde speciale agente zitten wachten als op een reddingsvlot, maar hij was niet bepaald onder de indruk van de vrouw die voor hem stond. Waar was de gemene, op scherp staande menseneter die door Rivera 'Grote Boze Maggie' werd genoemd? Niet hier. Hier stond slechts een vermoeide, fitte maar middelbare vrouw met een achterlijk sweatshirt aan. Ze zag eruit als de voorzitster van de plaatselijke oudercommissie, waardoor Dexter meende dat de verhalen die hij had gehoord over Rivera's beruchte politiehond, sprookjes waren.

'Wat weet je?'

'We hebben hier een ontevreden scheikundig ingenieur, geen strafblad, nooit meer dan een parkeerbon, maar een paar dagen geleden ontslagen, dus omdat zijn collega's enorme Redskinsfans zijn, besluit *hij* om het RFK-stadion op te blazen – een aantal opsporingsteams zoeken de boel af naar springstoffen, maar dit is een heel groot stadion en ik kan niet...'

'Hoeveel minuten.'

'Hij zegt dat de boel aan het eind van de eerste helft de lucht in gaat, dat is over achteneenhalve minuut en we hebben niet de tijd om de bommen te vinden, en ook niet de tijd om de zaak te evacueren, ik bedoel, dit is een *groot* stadion...'

Sinds het bloedbad in Oklahoma City, had de FBI er een gewoonte van gemaakt te grootschalig te reageren op elke bommelding die ze kregen, en de agenten werden er gek van. Chisholm had meer dan haar deel valse meldingen op haar bord gehad, dus vroeg ze een tikje achteloos, een tikje vermoeid, niet overtuigd dat dit serieus was: 'Hoe weet je dat het menens is?'

'Hij is scheikundig ingenieur!' schreeuwde Dexter bijna. 'Hij kan op alle mogelijke manieren aan dat spul komen,' ging hij verder alsof ze achterlijk was.

'Veiligheidsdienst van het stadion?'

'In slaap achter het stuur.'

De gek viel hen in de rede, waardoor Chisholm en Dexter beiden zijn kant op keken: 'Ik heb gewonnen,' zei hij als een laatste punt achter zijn onsamenhangend gepraat, alsof hij afscheid van hen nam. Daarna keek hij de andere kant op en bleef volledig stil. Dexter besloot nog een poging te wagen. 'Stadions opblazen is een ernstig misdrijf. Alleen ermee dreigen is al strafbaar. Dus waarom werk je niet even mee, dan kunnen we misschien iets regelen...'

Chisholm nam de verdachte scherp op terwijl Dexter doorwauwelde. Ze moest hem taxeren. Was hij serieus of niet? Ze staarde naar zijn rechteroog. Dat ging nauwelijks merkbaar heen en weer. *Zenuwen*, dacht Chisholm. De gek glimlachte alsof er niets meer te zeggen was, maar hij was nerveus. Echter, niet vanwege de aandacht van Dexter en zijn mensen. Als hij zich daarover druk zou maken, zou hij op Dexters gekwebbel reageren. De enige reden die Chisholm kon bedenken waarom deze vent zenuwachtig kon zijn, was zijn bezorgdheid dat er iets met zijn bommen kon misgaan. Dan zou zijn oog trillen van zijn eigen onzekerheid en twijfel.

En daarom wist ze dat de gek het serieus meende. Niemand is zenuwachtig als hij de boel in de maling neemt.

'Hé!' zei ze. 'Die kerel is serieus. *Jij* dus ook.' Dexters beheersing was een seconde weg, terwijl hij Chisholm aankeek. 'Wat moet ik nog meer doen, verdomme!'

Alle ogen waren op haar gericht. Dexter en zijn peloton SWAT-agenten keken haar scherp aan met die 'Kom maar op'-blik waar ze de pest aan had. Maar de paniekerige glans in hun ogen zei haar dat ze, ondanks hun minachting, hoopten dat zij het heft in handen zou nemen.

Ze negeerde Dexter en zijn mensen en richtte haar aandacht op de gek.

'Oké,' zei ze, 'zeg waar je die bommen hebt geplaatst.'

'Het spijt me, dat kan ik niet zeggen.'

Chisholm boog haar hoofd. Ze was moe en haar geduld was al jaren geleden opgeraakt. Ze was in de verleiding om die vent gewoon neer te schieten en het erop te wagen.

'Een stel onschuldige mensen zal sterven,' zei ze kalm, terwijl ze de radeloosheid van de SWAT-mensen voelde toenemen en een zekere druk op haar uitoefenen. 'Waarom vertel je me niet gewoon waar die bommen zijn, hè? *Zijn* er wel bommen?'

'O ja,' zei de man, en hij glimlachte gelukzalig, weer met die zweem van nervositeit.

'*Doe* wat, verdomme!' liet Dexter zich ontvallen, even vergetend dat Chisholm ver boven hem op de FBI-loonlijst stond. Hij was woedend en hij reageerde zich af op de gek met nog meer radeloos gesoebat, zonder hem met één vinger aan te raken. Het verhaal in het Hoover-gebouw en in Quantico ging dat Chisholm een gemeen kreng was, niet iemand om mee te spotten, de troubleshooter die alle soorten problemen uit de weg kon ruimen. Maar nu stond ze hier dezelfde tactieken toe te passen waarvoor ze hem net had uitgescholden. Gore Griet, zijn rug op, ze was gewoon zo'n pennenlikkertje met een onverdiende reputatie.

Chisholm negeerde Dexter en alle anderen. Haar blik zwierf de kamer rond, terwijl ze over haar volgende stap nadacht. Toen zag ze de bijl.

God wist waar die bijl voor was, aangezien het hele bouwwerk uit beton was opgetrokken. Om het beton weg te hakken als er brand was? Chisholm dacht van niet, maar als een surfer die peddelt op de deining van wat een grote, kwaadaardige golf ging worden, liep ze langzaam maar trefzeker op de bijl af, eerst behoedzaam, maar opeens wist ze verdomd goed wat ze wilde en wat ze ging doen.

Het SWAT-team keek toe. Nu Chisholm de gek voor serieus had verklaard, werd hun radeloosheid steeds groter. Ze overstelpten de gek met vragen en schimpscheuten om hem aan het praten te krijgen.

'Nou, man, als je hier echt een paar bommen hebt geplaatst, waarom vertel je dan niet waar ze zijn, hè?'

'Vooruit, klerelijer, waar heb je ze gestopt?'

'Kop dicht, Kelly! Of heb je met die bom gedreigd om je foto in de krant te krijgen? Vooruit, we kunnen wel wat regelen.'

'Als je je mond niet opendoet, schiet ik je lek, *nu meteen!*' schreeuwde een van de SWAT-agentes, en ze schoof met angstaanjagende doelbewustheid een lading kogels in haar geweer.

Maar zij noch Dexter, niemand was van plan wie dan ook lek te schieten. Dat was het – niemand durfde en de gek wist dat. Hij bleef opgewekt glimlachen, maar zijn rechteroog trilde nog steeds.

Chisholm staarde naar de bijl, terwijl de golf in haar binnenste ging aanzwellen. Rivera zou haar hiervoor levend villen. O ja. Zoals het een goede baas betaamde, liet hij haar de vrije hand en strafte haar af en toe voor de problemen die ze hem bezorgde. Maar aan de autotelefoon had hij expliciet gezegd dat hij deze zaak opgelost wilde hebben. 'Opruimen, regel die handel, zorg dat dit probleem uit de wereld komt. Jij bent onze troubleshooter, Maggie. Ruim deze trouble uit de weg.'

Chisholm had een erg grote revolver, een .45 met een extra lange loop. De kolf vond ze prettig. De veiligheid van wapens was een van Chisholms zorgen geweest vanaf het begin van haar loopbaan bij de FBI, direct na haar rechtenstudie. Als ze met lichtere wapens moest werken, was ze bang te vergeten dat ze met een vuurwapen bezig was, en die belachelijke zorg verstoorde haar concentratie. Maar met haar dikke zware revolver van bijna dertig centimeter vergat ze nooit dat ze een vuurwapen in haar handen had. Dus nu greep ze haar revolver bij de loop en sloeg kordaat het glas vóór de bijl kapot met de kolf.

Niemand zag Chisholm het glas voor de bijl kapotslaan, maar allen hoorden het. Ze draaiden zich naar haar om terwijl ze één keer op het glas sloeg om het te breken en drie keer om het weg te tikken.

Het was dun glas, bedoeld om in kleine, ongevaarlijke, stompe stukjes te breken waaraan niemand zich kon snijden. Iemand bij de FBI noemde haar Rivera's scherprechter. Vandaag was ze dat echt. Al vier jaar ging ze daarheen waar Rivera haar stuurde, deed ze wat hij zei en dat vond ze best. Haar baan was het eindpunt waar het haar carrière betrof, dat wist iedereen. Daarna, in de niet al te verre toekomst, kon ze heel misschien nog lesgeven in Quantico. Verder zou ze nooit komen. Maar *nu...* Ze stopte haar revolver terug en trok de brandbijl uit de haken.

'Maak zijn handboeien los,' zei ze, terwijl ze zich naar de groep omdraaide. 'Handboeien los en druk zijn hand op de grond.'

Dexter en de zeven andere SWAT-mensen gaapten Chisholm aan. De gek fronste, de verstandigste van allemaal, en zijn ogen richtten zich ten slotte beweginloos op de naderende Chisholm. Ze zag niemand. Het enige wat ze zag, was het nu rustige oog. En het enige waaraan ze dacht, waren vingers.

'Ik zei: maak zijn handboeien los,' herhaalde ze, ietwat geprikkeld.

'Speciaal-agente Chisholm, wat bent u van plan?' vroeg Dexter, niet al te blij dat de geest die hij had opgeroepen, nu eindelijk uit de fles was.

'Agent Dexter, ik werk op gezag van onderdirecteur Rivera. Maak zijn boeien los.'

Eerst deed hij het niet. Hij bleef stil zitten in de hoop deze bureau-agente te kunnen intimideren met zijn omvang en zijn blik. Maar dat lukte niet, want ze keek hem niet aan. Ze keek naar het roerloze oog. Dexter ging op zijn knieën zitten en maakte de handboeien van de gek los.

'En nu?'

'Spreid de vingers van zijn rechterhand op de vloer.'

'Wat bent u...'

'Als je mijn gezag nog één keer in twijfel trekt, zul je er maandagochtend van lusten. Heb je zin om tot je pensioen dierenmishandeling te onderzoeken in South Dakota? Spreid zijn vingers op de grond.'

Dexter gaf toe. Hij deed wat hem werd gezegd. Wat ze ook van plan was, Chisholm zou het op haar boterham krijgen.

Chisholm had slechts oog voor de gek, terwijl ze de bijl met beide handen ophief. Die voelde goed aan. Zwaar, maar niet te zwaar. Ze zwaaide ermee rond met beide armen en voelde haar spieren prettig strekken door het gewicht. Chisholm had haar portie hout gehakt tijdens de winterse weekends in Maryland voordat Robby oud genoeg was om het te doen. Alleen al door de aanraking kon ze voelen dat deze steel niet zou breken bij een verkeerde klap. Ze deed een paar stappen naar links en kwam rechts naast de gek te staan, terwijl Dexter zijn pols omlaaghield.

Toen hij de hand van de gek stevig met de handpalm plat op de grond had, keek Dexter omhoog. *Mijn God, ze gaat het echt doen,* dacht hij ongerijmd toen hij besefte dat Chisholms impliciete dreigement sinds ze het glas had kapotgeslagen, geen loos dreigement was. *Die vrouw is krankzinnig!*

De gek, die nu besefte wat er ging gebeuren, probeerde uit alle macht door zijn hoornen bril Chisholm strak aan te kijken, maar die roodharige vrouw met haar bruine ogen staarde hem afwezig aan. Geen spoor van angst, onrust of aarzeling. Het griezelige was dat er niets was te zien – alleen ondoordringbare pupillen, zwarte poelen, volkomen onverschillig. Niets om contact mee te maken.

'Dat kun je niet maken, dat is inbreuk op mijn rechten!' gilde hij. Zijn zelfbeheersing was voor het eerst doorbroken.

Heen en weer geslingerd tussen de blijdschap over het spoedige einde van de uitzichtloze situatie en een allesomvattende angst, zei Dexter: 'Mevrouw, ik vind dat hij gelijk heeft.'

'O ja?'

Het geheim van houthakken is niet dat je op het houtblok mikt – je moet op het onderstuk van het hakblok mikken. Chisholm wendde traag haar blik van de gek af en mikte automatisch op een punt dat veertig centimeter onder het beton lag, onder de vingers die ze op het punt stond af te hakken. De nagels waren merkwaardig genoeg gemanicuurd en onberispelijk. Pianistenvingers. En terwijl ze haar armen achterover trok en de bijl boven haar hoofd hief, hield ze zichzelf voor dat ze haar armen recht moest houden, zoals bij golfen – hoe rechter de armen, hoe completer de slag, hoe meer kracht er vrij kwam. Toen ze de bijl naar achteren zwaaide, spanden de spieren bij haar schouderbladen zich en zwollen op onder haar 'Hup, Tiger, HUP'-sweatshirt. De gek keek hulpeloos in de ogen van de voetballende tijger.

Ze liet de bijl omlaagsuizen.

Het geluid was afschuwelijk. Het klonk als een knie die hard tegen de rand van een bureau stoot. Er kwam een schreeuw uit de mond van de gek, een geluid dat alleen uit zijn hoofd kwam, zo snel en scherp dat het bijna supersonisch werd en de kreun uit Chisholms borst en de zuchten van Dexter en zijn team overstemde.

Maar al die geluiden werden gemaskeerd door het brullen van de onzichtbare menigte boven hen, koortsachtig gebrul – een spel dat de toeschouwers in het stadion genot en de kijkers thuis eindeloze herhalingen moest hebben verschaft.

Dexter en de andere SWAT-agenten konden hun ogen niet van de afgehakte vingers afhouden. Ze *bewogen* nog een fractie van een seconde voor ze ten slotte volkomen roerloos waren. Dexter dacht dat hij nog nooit zoiets had gezien. *Wormen*, dacht hij.

Ondertussen stond Chisholm geleund op de steel van de bijl die nog steeds met zijn scherpe rand op het beton stond, tussen de hand en de vingers. Ze stak haar glimlachende gezicht recht in het geschreeuw van de man.

'Wil je me nu vertellen waar die bommen zitten, anders pak ik je rimpelige piemeltje. Waar zijn de bommen, hoe zitten de ontstekingen in elkaar, nu zeggen, anders zing je van nu af aan sopraan.'

Voor het eerst sinds hij zijn vingers kwijt was, keek de gek – die nog steeds schreeuwde van pijn en verbijstering – naar de vrouw die tegen hem sprak. Ze was kalm. Ze was *in haar sas*. Ze vond dit leuk. Haar huid was glad, zijdeachtig en had geen sproeten en heel weinig kraaienpootjes, zelfs als ze glimlachte. Eén druppel bloed – het zijne – was op haar linkerwang gespat, de enige smet die haar gladde huid ontsierde. Op het eerste gezicht leek de druppel op een moedervlek.

'Zullen we je andere hand doen of doen we je piemeltje? Mij kan het niet schelen, ik vind dit leuk.'

'Nee, *alsjeblieft*, nee, *neeeeeeee…*'

'Dexter, pak zijn andere hand.'

Dexter deed niets, maar staarde angstig, stokstijf bij het zien van de afgehakte vingers.

'Dexter, wakker worden, bewusteloos kan ik je niet gebruiken.'

'Zijn… zijn linkerhand?'

'Ja, zijn linkerhand, kom bij je positieven, wil je Dexter?' zei ze, nog eens glimlachend. God, ze genoot hiervan! Op de golf, zwevend in haar eentje – de besluiten genomen, consequenties zo ver weg dat ze niet leken te bestaan, alleen een alom aanwezig, eindeloos Nu. Kon ze haar hele leven maar leven zoals nu, zwevend, voor eeuwig.

Dwars door het geschreeuw van de man sprekend, het negerend, zei Chisholm: 'Dat over zijn piemel was maar een grapje. Daarvoor heb ik een mes nodig. We doen zijn linkerhand om te kijken of we zó iets uit hem kunnen krijgen. Als het met de linkervingers niet lukt, moeten we volgens mij de tenen proberen. Wat denk jij, Dexter? Was dit niet wat je wilde zien?'

Dexter dacht niets. Dit was inderdaad wat hij had willen zien, maar nu het gebeurde, vond hij het niet te geloven. Zelfs toen de bijl neersuisde, had hij niet gedacht dat ze het echt zou doen – hij had gedacht dat ze 'per ongeluk' mis zou slaan om die gek bang te maken. Hij meende mooie vonken te hebben gezien toen de bijl het lege beton raakte. Dat was niet zo. De verwachte vonken waren uitgebleven, omdat het bloed van de vingers alles had overspoeld. Het enige wat Dexter had gezien, was bloed – veel bloed dat uit de vingers van de gek spoot en grotendeels op diens hemd spatte. Een paar spetters waren op Dexter en die waanzinnige vrouw terechtgekomen. Hij was bang, en daarom dacht hij niets. Hij keek naar Chisholm.

'Wat?' vroeg hij.

'Ik zei – verdomme, pak zijn linkerhand, begrepen? Leg zijn linkerhand plat op het beton en ga opzij, dan hak ik nog een keer.' Bij die woorden trok Chisholm de bijl over het beton naar zich toe, het geluid leek op... op dat van de scherpe rand van een bijl die over beton schraapte. Het hield op toen Chisholm de bijl nog een keer ophief. De kop van de bijl, die rood geverfd was tot aan de snede, waar het staal geslepen en ongeverfd was, had nu een egale kleur rood, vol bloed. Op ooghoogte schudde Chisholm, bijna gedachteloos, het overtollige bloed eraf. Het zou niet prettig zijn als er bloeddruppels in haar haar vielen als ze de bijl nog een keer boven haar hoofd tilde. Ze keek rond.

Ze was niet ongeduldig. Nu ze volledig op de golf dreef, kon het haar niet zoveel schelen waar de bommen waren. Alleen het zien van Dexter en zijn zeven sukkels hield haar bij het besef van de situatie. Maar met of zonder hen, Chisholm wist wie ze was en wat ze deed. En ze vond het verdomd lekker.

Dexter legde de hand van de gek klaar.

'Nee, nee, nee, ik zal het zeggen, ik zal het zeggen, ze zitten op de achterkant van de zuilen twaalf, dertien, zeven, acht en eh... eh... eh... één, op twee meter hoogte, ja, ja, verscholen in de schaduw.'

Zodra hij dat hoorde, liet Dexter de hand van de gek los om het zijn manschappen te melden. De gek, gestoord maar niet achterlijk, rukte zijn linkerhand terug voordat Chisholm nog meer vingers kon afhakken. En toen kwam het opzetten – totaal: een woede zo zuiver en witheet dat ze er misselijk van werd.

'Eenheden vier, vijf, zeven en acht, de achterzijde van de steunzuilen controleren op ongeveer twee meter hoogte, de zuilen twaalf, dertien, zeven, acht en een, nu meteen...' Dexter draaide zich om en keek recht naar Chisholm en wat hij zag, schrikte hem nog meer af dan het afhakken van de vingers.

Woede, pure woede. Het huisvrouwtje uit de forenzenplaats met het kinderachtige sweatshirt was zo kwaad dat ze letterlijk geen woord kon uitbrengen en naar de lege plek staarde waar de linkerhand van de gek had moeten zijn en ze slechts beton, bloed en vingertoppen zag. Er waren geen vingers meer af te hakken. En toen ze opkeek naar Dexter, was de enige gedachte die door hem heen schoot: ze had liever de andere hand van die vent afgehakt dan de bommen gevonden.

'Misschien ben ik nog niet met hem klaar,' zei ze. 'Waarschijnlijk liegt hij. Ik zal je nodig hebben om zijn hand weer vast te houden.'

'Agent Chisholm, dat kan ik niet doen,' zei Dexter bang, *echt* bang – de mogelijkheid dat het stadion de lucht in zou vliegen leek een betere dan deze vrouw te moeten gehoorzamen. Dexters rechterarm kroop stilletjes naar achteren om zeker te weten dat hij zijn geweer nog had, terwijl hij Chisholm recht in de ogen bleef kijken.

'Chef,' kwaakte de open zender met een iel geluid. 'We hebben ze allemaal gevonden. Alles onder controle.'

Het brak de golfstroom niet af. De golfstroom schakelde gewoon met een klap uit. Met zijn blik nog steeds op Chisholm gericht, greep Dexter de zender en sprak.

'Alle ladingen?'

'Allemaal, precies waar u zei. We controleren de andere zuilen, maar we hebben verder niets gevonden.'

'Goed, ga daarmee verder. Dexter uit.' Hij keek naar Chisholm. Daar stond gewoon een huisvrouw uit een forenzenplaats in het niets te kijken. Ze had de bijl laten vallen alsof ze die gewoon even had bekeken.

'Mooi zo. Niet nog meer troep,' zei ze. Ze bekeek zichzelf van borst tot voeten en wreef over haar gezicht, waardoor ze de bloeddruppel over haar gezicht uitsmeerde als Nivea. Het gaf haar wang meer kleur. Ze keek rond.

Chisholm zou nooit meer met een van deze SWAT-mensen kunnen praten. Als ze hen ergens zag, pakweg bij het Hoover-gebouw of in Quantico, zouden ze beleefd mompelend groeten en zo snel als angsthazen weglopen.

'Vier ontbrekende vingers of een stel dode burgers,' zei ze tegen niemand in het bijzonder. Maar ze wilde niet met alle geweld haar acties rechtvaardigen. Ooit zou ze hebben geprobeerd zich te rechtvaardigen voor wat ze had gedaan, maar dat was lang geleden. Het was iets waar ze zich niet meer druk om maakte. Tenslotte was het juist om haar vermogen moeilijke, keiharde beslissingen te nemen dat Rivera haar voor dit soort karweitjes uitzocht. Ze konden op haar neerkijken wat ze wilden. Ze konden een stap opzij gaan. Maar elk SWAT-team had af en toe een Chisholm nodig.

Chisholm wendde zich af van de nog huilende gek en ging, door iedereen nagestaard, terug naar haar bestelbusje. Daar bleef ze staan en draaide zich om. Terwijl ze dat deed, realiseerde ze zich hoe graag ze hun gezicht tot moes wilde slaan, stuk voor stuk. De gezichten zeiden alle hetzelfde – het initiatief lag nog steeds bij Chisholm. Dus nam ze het. Met een gemene grijns op haar gezicht verhief ze haar stem tot glashelder.

'Vergeet zijn vingertoppen niet. Anders kun je geen vingerafdrukken nemen.'

De rit naar huis verliep grotendeels zonder incidenten. Margaret wist dat ze het einde van Robby's wedstrijd nooit zou kunnen halen.

Ze vond het leuk om Robby en zijn vrienden te zien spelen. Dat was iets belangrijks. Ze hield ervan om toe te kijken als ze in hun lichtblauw met witte tenue speelden en daarna met hen naar een eettent te rijden voor een hapje na de wedstrijd. Er waren moeders die probeerden erbij te horen, maar Margaret was een stuk verstandiger. Ze liet Robby en zijn vrienden doen alsof ze haar niet kenden. Dan hield ze hen vanuit de verte terloops in de gaten en zorgde ervoor dat ze geen moment uit haar blikveld verdwenen waren.

Ze hadden een geheime, vreemde handdruk. Ze luisterden verrukt naar kakofonische, geestdodende muziek. Margaret zag elk detail, alle nuances van hun immer veranderende bondgenootschappen: wie was het dikst met wie.

Robby met oorlogsstrepen van bloed op zijn gezicht, afgerukte armen en benen, stervend op een groen voetbalveld, terwijl het bloed van haar zoon het gras rood kleurde en zijn hersens geel en grijs in de middagzon glommen.

Dat visioen overviel haar zo dat ze de wagen stopte, uitstapte en

23

langs de kant van de weg overgaf. Ze had die dag niet veel gegeten, dus het enige dat naar boven kwam, was ziekelijke geelbruine gal dat op de wegrand spetterde terwijl ze op de rechterspiegel van haar bestelbusje steunde en de voorbijrazende onzichtbare auto's verkoelende vlagen wind haar kant op wierpen.

Een auto stopte voor haar geparkeerde bestelbusje, een witte sportauto met vouwdak. Een man van middelbare leeftijd stapte uit en liep op Margaret af.

'Alles oké?' vroeg hij, oprecht bezorgd.

Margaret keek op. Wat ging ze deze vreemde man vertellen? Dat ze zich goed voelde, omdat ze een paar vingers van een zielige klootzak had afgehakt? Of dat ze er misselijk van was? 'Ja, alleen een beetje misselijk.'

'Wilt u dat ik iets of iemand bel? Ik heb telefoon in mijn auto.'

'Erg aardig van u, maar ik heb zelf ook een draagbare telefoon.'

'O, nou, goed dan. Weet u zeker dat u oké bent?'

'Ja. Maar evengoed hartelijk bedankt.'

De man liep terug naar zijn sportauto, zwaaide toen hij instapte en reed weg. Margaret knikte naar de verdwijnende auto en probeerde kalm te worden. Weldra was ze kalm genoeg om verder te rijden.

Margaret en Robby waren beiden nogal veeleisend wat betreft hun levensstijl, dus was hun huis in Silver Springs, Maryland, altijd keurig opgeruimd. Maar Margaret was de hele middag bezig het nog keuriger te maken: kleren wassen, stoffige borden uit de kasten schoonmaken, en zelfs in het afnemende licht de heg wat bijknippen, hoewel dat technisch gesproken Robby's taak was. Ze vond het prettig zich te verliezen in de eenvoud van alledaags huishoudelijk werk.

Het huis had twee verdiepingen. Op de eerste verdieping waren drie kamers, een voor Margaret, een voor Robby en een gastenkamer waarin geen van beiden ooit echt een voet zette, maar ze praatten er al eeuwig over dat ze er een televisiekamer van wilden maken. Voorlopig keken Margaret en haar zoon televisie in de keuken als ze samen zaten te eten.

Robby was een goed, intelligent kind, dus hadden ze niet zozeer een ouder-kindrelatie als wel een van twee huisgenoten. Hij deed zijn huiswerk en zijn karweitjes in huis zonder dat ze hoefde aan te dringen. Altijd liet hij haar weten waar hij was. Hij leek nooit enige problemen te hebben en soms maakte dat Margaret nerveus, die bedaardheid van haar twaalfjarige.

Robby had een boodschap op het antwoordapparaat achtergelaten, dat hij na de wedstrijd met zijn vriendjes naar het winkelcentrum was gegaan, dat hij haar die avond wel zou spreken en dat hij tegen zevenen terugkwam.

Het was tien over zeven. Margaret zat al in angst. Ze was even na vieren thuisgekomen en had een dringende behoefte om met iemand te praten, wie dan ook. Niet gewoon praten maar Praten. Praten over… nou ja – *dingen*. Maar nu er niemand thuis was, kon ze alleen maar karweitjes opknappen, een goed verdovingsmiddel dat haar behoefte om te spuien wat er was gebeurd en wat er in haar hoofd speelde, alleen maar uitstelde. Maar nu de karweitjes klaar waren, kon ze alleen maar zitten wachten en over haar zondagmiddag nadenken.

Heel graag had ze Robby in de buurt willen hebben, hem stevig vast willen houden.

In een opwelling zette ze de keukentelevisie op tijd aan voor een nieuwsitem over een gestoorde man in Oregon die drie tienerjongens had verkracht en gewurgd en ze zette hem weer uit, terwijl ze bedacht dat er televisiecensuur moest komen voor de gemoedsrust van *ouders*. Ze had de afgewassen borden al allemaal afgedroogd en het was te donker om buiten te gaan kijken of er nog meer te doen was, dus maakte Margaret een blikje Coca-Cola open en ging in gedachten alle mogelijke pedofielen in Maryland na.

Gruwelijke en misselijkmakende beelden probeerden om het hardst een bruggenhoofd in haar geest te vormen, maar ze hield ze op een afstand. En dan waren er de beelden die niet zo irreëel waren, de beelden van die middag. Als ze die kon spuien, zouden ze stoppen. Maar er was niemand tegen wie ze ze kon spuien, in ieder geval niet zolang Robby niet was thuisgekomen. Dus liep ze door het huis om de ronde te doen, alsof die beelden er zielloos en dood van konden worden, en hield een scherp wakend oog op de duisternis buiten die ze over de ramen zag vallen, een kwaadaardige, kwalijk ruikende nachtelijke last. Het was kwart over zeven en Robby was nog steeds niet thuis.

Robby kwam in zijn eentje binnen en sloeg de voordeur achter zich dicht. Hij droeg een papieren tas met cd's en fantasy-paper-backs waarin hij al zijn geld stak.

'Hoi, mam,' zei hij vrolijk. Margaret schoot op hem af.

'Robert Everett, waar heb je gezeten!' schreeuwde ze, terwijl ze van de keuken naar de woonkamer stoof en woest naar Robby staarde, die naar zijn gekke moeder stond te kijken.

Robby sloeg zijn ogen ten hemel. 'Ik was in het winkelcentrum! Mitch' vader heeft ons gebracht en hij kwam ons een beetje laat ophalen.'

Hij was nog steeds niet in de lengte doorgeschoten en ongeveer een meter vijftig lang, iets waarover Margaret zich een beetje zorgen maakte, hoewel het een voordeel bleek te zijn nu ze hem bij zijn schouders pakte en zich vooroverboog om met hem te praten.

'Weet je wel hoe erg ik in angst heb gezeten? Je had kunnen bellen! Op het nieuws hadden ze een verhaal over een... een... *slechte man* in Oregon...'

'O ja,' onderbrak Robby haar geïnteresseerd, 'die vent die een stel jongetjes verkracht en gewurgd heeft? Walgelijk, hè?'

Margaret trok Robby naar zich toe en duwde hem weer weg. 'De volgende keer *bel* je me als het wat later wordt.'

Weer sloeg hij zijn ogen ten hemel en heel even wilde ze hem ter plekke een klap in zijn gezicht geven. 'O, mam,' zei hij, maar stopte halverwege zijn schouderophalen en keek op, verbaasd dat hij niets rook. 'Wat eten we?'

Ze had het avondeten helemaal vergeten. Ze liepen naar de keuken waar Robby een aanval deed op de koelkast en dikke klonten roomkaas op een paar selderiestengels smeerde, terwijl Margaret varkenskarbonaden en bruine rijst klaarmaakte.

Terwijl het eten op stond, aten zij hun selderiestengels. Robby ging op de keukentafel zitten en keek zijn zak met cd's en fantasy-boeken door, die hem enigszins fascineerden en hij praatte erover in kalmerende ritmes. Zijn lijf was slank en klein en... zwak. Zwakke, smalle schouders, een zwakke, magere hals, een kleine, knobbelige borst die Margaret, zo wist ze zeker, nog steeds met één hand kon omvatten. Een kleine jongen die te zwak was om steun te geven... aan wie dan ook.

Niet zwak, dacht ze. *Gewoon klein, erg klein. Nog maar een kind – nog wel. God zij dank. God helpe me.*

Behoedzaam pakte Margaret in gedachten alle beelden van de

afgelopen middag bij elkaar en stopte ze zorgvuldig weg, uit het zicht van haar zoon, beschaamd over wat ze van hem had gewild.

Ze praatten een beetje over hun plannen voor de eerstkomende dagen. Margaret gaf Rob een sterk beknotte versie van wat ze had gedaan en vertelde het op zo'n manier en met zo weinig details dat hij geen aandacht schonk aan haar verhaal. Van zijn kant gaf Rob haar een even beknotte versie wat wat *hij* had gedaan. In het winkelcentrum waren zijn vriendjes en hij officieel naar een lachfilm gaan kijken over een dikke man en zijn wezelachtige makker. Maar zodra ze binnen het bioscoopcomplex waren, hadden ze stiekem een heel andere film gezien, een film over een bloedmooie psychotische vrouw die tekenfilmseks had met haar achtervolgers en zakenpartners alvorens die op gruwelijke wijze om te brengen. Het was prachtig geweest.

'En hoe hebben jullie het tegen de Buffaloes gedaan?' vroeg ze, refererend aan het elftal dat tegen de Tigers had gespeeld, waarmee ze het beeld van de sexy psychopate uit Robby's gedachten blies en hem terugbracht naar de werkelijkheid, wat hij niet erg leuk vond, zo'n voortdurend verliezend elftal.

'Verloren,' zei hij kortaf en hij keek naar de grond tussen zijn bungelende voeten. Margaret sloeg haar arm om zijn schouders, zonder naar de eindstand te durven vragen of iets te zeggen dat hij als 'moederlijk' kon opvatten. Ze wachtte alleen maar... en wachtte... en wachtte. En vanwege de moeite die ze deed, liet hij merken dat hij het erg vond.

En zij? Zij liet het toe dat hij haar nodig had zonder er iets voor terug te vragen of te verlangen.

TWEE De man met de haaienglimlach

Het was een geweldig diner en Denton vermaakte zich fantastisch.

Er zaten negen mensen aan tafel, waaronder Denton, de enige die alleen was gekomen en waarschijnlijk de jongste van de aanwezigen. Tussen de gesprekken door kon hij fragmenten uit *Idomeneo* horen, met name de 'Balletmuziek'. Een beetje kitscherige muziek, die echter wel goed paste bij de intelligente, geanimeerde gesprekken.

Aan het ene eind zat Keith Lehrer, Dentons baas. Aan de andere kant, links naast Denton, zat mevrouw Lehrer, goed geconserveerd en rond de zestig. Ze praatte met Denton over zijn nieuwste roman en gaf zich over aan het tikje verliefdheid dat ze voor hem voelde.

'Ik vond het prachtig, met name al die dubbele bodems en dat dubbelspel. Gaat het er echt zo aan toe, Nicky?'

Denton glimlachte. Hij was slank, had donkerblond haar, zachtblauwe ogen en een bleke huid, maar wat die duistere glimlach verhulde was onmogelijk te raden, een glimlach als van een haai, met regelmatige en zo te zien scherpe tanden. Mensen die met deze glimlach oppervlakkig in aanraking kwamen, herinnerden zich Denton als een paar tinten donkerder dan hij in werkelijkheid was en bezwoeren dat hij donkerbruine ogen en donkerbruin haar had, wel waar, wel waar, niet waar – het kwam allemaal door die glimlach. Nicholas Denton wendde zich tot mevrouw Lehrer met die glimlach en zei: 'Ik ben gewoon een lagere CIA-bureaucraat, mevrouw Lehrer. Was mijn leven maar zo opwindend als mijn boeken.'

'Dat zeg je om te prikkelen,' flirtte ze lichtzinnig.

'Zit je weer met mijn vrouw te flirten?' riep Lehrer over de tafel met een glimlach naar Denton die hem prompt antwoord gaf.

'Baas, ze zegt dat ze er met me vandoor wil, maar ik vertel haar al maanden dat ik haar onwaardig ben.'

Iedereen lachte om de domme, saaie grap. Denton had iets over zich, een onstuimig gevoel voor humor verborgen achter een ijzige façade, waardoor zelfs een triviale opmerking geestig werd, alsof de wereld op zich al een monsterlijke grap was. Het maakte Denton een welkom en populair lid van het cocktailcircuit in Georgetown, waarop hij eindeloos inspeelde.

Amalia Bersi, een van Dentons assistenten, kwam de afgesloten eetruimte binnen. Ze was een kleine muisachtige vrouw die zich conservatief en onopvallend kleedde en vrijwel onopgemerkt bleef toen ze binnenkwam en iets in Dentons oor fluisterde. Denton glimlachte naar alle kanten, excuseerde zich en liep met Amalia Bersi op zijn hielen de eetzaal uit naar een verder gelegen hal.

Denton kende Lehrers huis op zijn duimpje. Tenslotte was hij bijna twee jaar diens rechterhand. Amalia liep met hem mee het huis door, niet als gids, maar om te zorgen dat niemand op luisterafstand was als hij de telefoon oppakte. Toen hij in de hal kwam waar de telefoon lag, verdween Amalia naar de achtergrond en liet haar baas alleen.

'Met Denton. Ja. Ja, ik begrijp het. Juist. Jammer. Goed, ik wil het volgende: wat betreft onderwerp A, geef haar vijftien procent opslag en tegelijk een bonus, laten we zeggen vijftienduizend. Prijs haar royaal, ze leeft ervoor, doe het overdadig. Wat betreft onderwerp B, spoorloos maken. Ja, zelfs geen overlijdensbericht in de *Winnetka Gezinsbode*. Kan me niet schelen, als je het niet doet, zet ik Amalia in jullie team. Ben ik niet van onder de indruk. Juist. Ja. Vast wel. *Uiteraard* is deze telefoon veilig – ik ben de man die hem laat aftappen. Heel goed. Tot ziens.'

Hij hing op en rukte een klein zwart boekje uit zijn binnenzak. Het zwarte boekje was Dentons waardevolste bezit. Daarin schreef hij alle interessante zinnen die hij op een dag hoorde of verzon, uitdrukkingen en zinswendingen die hij in zijn romans gebruikte. Hij sloeg het boek open en schreef de woorden op terwijl hij ze geluidloos uitsprak. 'Zelfs geen overlijdensbericht in de *Winnetka Gezinsbode*.' Klonk goed.

Hij draaide zich om en liep terug naar de eetzaal. Amalia Bersi kwam rechts achter hem lopen en bleef bij de deur staan toen Denton de eetzaal weer in liep.

Terwijl hij weer ging zitten, een en al glimlach voor de anderen, vroeg hij zich af hoe hij de moord die hij zojuist had besteld, zou afwikkelen. Het raakte hem niet rechtstreeks, maar Denton wilde altijd voorbereid zijn, dus begon hij een plausibele reactie op de moord te bedenken, toen mevrouw Lehrer zich naar hem toe draaide en haar verliefderige gedoe weer oppakte.

'Geheime missies aan het plannen?' vroeg ze plagerig.

'Niet bepaald.' Denton lachte. 'Alleen een personeelsprobleempje geregeld.'

Waarna hij met een haaienglimlach rondkeek. Het leven was goed.

Denton was oud-lid van een groep CIA-mannen en -vrouwen die halverwege de jaren tachtig en begin jaren negentig bekendstonden als Tiggermanns puppy's, en niet omdat ze schattige knuffeldieren waren.

Roman 'Tiggy' Tiggermann, nu uit de picture, was bij de CIA loonslaaf en af en toe ombudsman geweest. Hij was kogelrond, een beetje te welbespraakt voor beleefd gezelschap, had een prijswinnende slechte smaak voor kleren, een soort apengezicht achter zo'n onmodieuze vierkante bril en zijn ogen puilden een heel klein beetje uit. Tot overmaat van ramp had hij de misselijkmakende gewoonte om zijn spaarzame haren over zijn kale schedel te kammen, alsof dat enig mens zou misleiden. Gedurende zijn zeventien jaar bij de CIA had hij de reputatie verworven erg intelligent maar sloom te zijn, wat de reden was waarom hij werd genegeerd als een onbenul die naar het ombudsmankantoor was afgeschoven om daar zijn tijd tot zijn pensioen uit te zitten.

Maar opeens in 1985, op zijn achtenveertigste, werd Tiggermann wakker.

De eerste aanwijzing dat Tiggy Tiggermann ontwaakt was, kwam in de vorm van een operatie die algauw de geschiedenis inging als 'De Voorjaarsschoonmaak'. De Voorjaarsschoonmaak had een massa arrestaties, totale chaos bij de Mossad en de GROE, een aantal opmerkingen van de inlichtingencommissie van de Senaat en een nieuwe man op de vroegere parkeerplaats van Tiggy Tiggermann tot gevolg.

Na de Israëlische coup gebruikte Tiggermann het kantoor van de CIA-ombudsman om zijn eigen kleine winkel binnen de CIA te beginnen. Een van de mensen die begin '85 smeekte om in die Brownie Troop te komen, was een jonge analyticus die twee jaar daarvoor van Dartmouth af was gekomen: Nicholas Andrew Denton III.

Bij hun eerste kennismaking toonde Tiggy zijn apenglimlach aan Denton, boog zich voorover in zijn stoel alsof hij degene was die om iets kwam vragen van de kalme, beheerste jonge Denton. Maar wat Tiggy zei, klonk niet als een verzoek: 'Al drie weken lang heb ik tien keer per dag je gezeur moeten verdragen. Goed, je krijgt een kans: kom voor de dag met iets dat je kunt of hou op mijn tijd te verknoeien.'

Denton, die toen vierentwintig was, deed het voor één keer net als andere stervelingen in zijn broek, voor de allerlaatste keer. Maar al scheet hij knikkers, lef had hij nog steeds. Hij leunde achterover en stak een sigaret op, hoewel Tiggermann hem uitdrukkelijk had gezegd niet te roken in zijn kantoor.

'Of u neemt me in uw team of het heeft geen zin om iemand als ik bij de CIA te hebben.'

'Neem ontslag, wat kan mij het schelen,' lachte Tiggy met te snelle gebaren waardoor hij zo onzeker leek, zijn grote wapen in zijn nieuwe gedaante. 'Ik ben gewoon een eenzame ombudsman die gezelschap zoekt.'

'Ik kan analyseren...'

'Analytici heb ik al,' viel Tiggy hem lachend in de rede.

31

'Ik kan plannen…'

'Planners heb ik ook. Kom met iets verrassends, jochie. Wat kun jij dat ik echt *nodig* heb. Wat maakt het de moeite waard om jou in te huren?'

Denton zweeg, dacht na, maar kon niets bedenken. Maar toen, schijnbaar uit eigener beweging, glimlachte zijn mond, ging open en kwam met het enige dat Tiggy echt wilde horen: 'Ik kan mensen zo te grazen nemen dat ze me nooit meer zullen naaien.'

'Je bent aangenomen.'

En hij nam ze te grazen, zat tot aan zijn nek in de Voorjaarsschoonmaak en overleefde het. Daarna runden Tiggy en zijn puppy's hun eigen privé-onderneming binnen de CIA, waar ze uitsluitend van Tiggermann orders aannamen en operaties deden die zo geheim waren dat alleen mensen met röntgen-ogen konden zien wat er gaande was. Maar in beginsel was Tiggy's winkeltje eigenlijk tamelijk simpel. Het enige noodzakelijke was dat het geld in de juiste kolommen stond. Aangezien Tiggy de ombudsman was, was dat altijd het geval.

'Tiggy, ben ik mijn baan kwijt?' vroeg Paula Baker op een dag in 1988, met drieëntwintig jaar het jongste en absoluut meest sexy lid van het team, een struise accountant uit Wisconsin, de enige die alle financiële machinaties van haar baas vagelijk kon volgen. 'Ik heb bij mijn laatste honorarium een ontslagbrief gekregen.'

'Nee!' Tiggy lachte en kuste Paula op haar voorhoofd, klokkend als een moederkloek. 'Over drie maanden word je weer aangenomen. Het is alleen maar om de cijfers te laten kloppen.'

'O!' zei Paula blij, gerustgesteld. Drie maanden later was ze er weer, officieel aangenomen, technisch gesproken om te werken voor een man die Ron McDonald heette. Met zijn ontwaken had Tiggy een zonderling gevoel voor humor ontwikkeld, dat zijn puppy's uit alle macht trachtten te evenaren.

Al zag Tiggermann eruit als een oud aftands werkpaard, en al liet hij hetzelfde goedkope meubilair van vóór zijn ontwaken in de niet-chique souterrainkantoren staan, vanaf het moment dat hij ontwaakte, was Tiggermann overal waar wat te beleven was, overal waar alle intelligente jonge agenten van die generatie wilden zijn en het Rusland-bureau kon de pot op. In 1987 zei Tiggy tegen hen dat het Oostblok door een financiële binnenbrand zou instorten en twee jaar lang opereerden de puppy's vanuit de opvatting dat precies dát ging gebeuren. Toen 1989 voorbijging en Tiggy en de puppy's behoorlijk helderziende leken, kregen ze directe toegang tot die oude CIA-makker, George Bush, die iets goeds in één oogopslag wist te herkennen.

De pers merkte op hoe een weifelmoedige president als Bush zo'n onkarakteristieke vastberadenheid aan de dag had gelegd ten aanzien van Saddam Husseins invasie van Koeweit in augustus 1990. De bovenverdiepingen van Langley, het hoofdkantoor van de CIA, wisten wel beter en sloegen hun ogen neer naar het souterrain van het gebouw en de glimlachende Boeddha-gestalte van Tiggy, omgeven door zijn puppy's. Toen Tiggy 'voorstelde' dat een van zijn jongens, Kenneth Whipple, de ideale keuze zou zijn om het bureau Midden-Oosten over te nemen, waardoor hij het jongste sectiehoofd in de geschiedenis van de CIA zou worden, ging niemand ertegenin. Niemand kon het zich veroorloven, omdat Tiggy zijn puppy's onder zijn vleugels had en de puppy's solidair waren. Had je het met één aan de stok, kreeg je ze allemaal over je heen.

De directeur van de CIA ontdekte dat in 1991.

'Tiggermann,' zei hij die zomer tegen de oude man, 'ik vind het tijd worden dat je pensioen neemt als ombudsman.' *En dus ophoudt al die macht uit te oefenen,* was de gedachte die erachter zat. Iedereen werd er zenuwachtig van dat Tiggy niet alleen gehoor bij de President vond, maar dat hij zich ook had omgeven met een stel melkmuilen die god weet wat deden. Dus begon de directeur druk op Tiggy uit te oefenen.

Tiggy deed niets. Hij liet het aan de puppy's over.

'Ze weten heel goed dat je nog steeds relatief jong bent, dat je nog tien of vijftien jaar mee kunt,' zei Denton. 'Je eigen fout, Tiggy, je had dit moeten voorzien vóór het zover was. Nu moeten we er een troep van maken.' Alleen Denton kon zoiets recht in Tiggermanns gezicht zeggen.

'Misschien wel, Nick. Maar ik wil dat jullie deze zaak opknappen,' zei hij op de woensdagochtendvergadering tegen hen. 'Hoe je het oplost, wil ik niet weten, als je het maar oplost.'

Tiggy ging vroeg van kantoor weg. Hij was oprecht nieuwsgierig te zien hoe de puppy's dit zouden spelen, dus door weg te gaan zou hij ontdekken waartoe ze in staat waren als ze op zichzelf waren aangewezen.

De puppy's speelden met allerlei ideeën en vertrouwden op hun kracht. Ken Whipple was voor psychologische spelletjes. Arthur Atmajian wilde graag het kantoor van de directeur afluisteren, maar dat vonden alle anderen stom. Paula Baker stelde een paar belangrijke financiële manipulaties voor, wat voor de anderen te mistig klonk. Het was een besloten vergadering, dus na tien minuten begonnen de ideeën, tot ieders genoegen, krankzinnig te worden.

'We nemen Scheetkop [dat wil zeggen de directeur] mee naar Adam Morgans en laten foto's van hem maken terwijl iemand hem kontneukt!'

'Gelul, we vervalsen een brief waarin zijn lidmaatschap van de golfclub wordt opgezegd.

'Boe!'

'We dreigen zijn kinderen naar openbare scholen te sturen!'

'*Ja!*'

Ze waren jong. Ze vermaakten zich kostelijk. Maar na een uur van dit soort onzin, werden ze moe en besloten dat het menens moest worden met oude Scheetkop.

Denton was degene die met iets goeds op de proppen kwam: het idee om de directeur van de CIA te chanteren.

Dat was niet ongewoon. Denton was dé chantagespecialist van Tiggermanns ploeg geworden. Maar *hoe* Denton de directeur van de CIA zou gaan chanteren was waarschijnlijk iets dat alleen Denton kon bedenken. Het was waanzinnig en het was volkomen veilig.

Ze moesten wachten op een dag met weinig nieuws. Die woensdagavond was niet goed, een vliegtuigongeluk in Minnesota was het belangrijkste item. Donderdag en vrijdag was er Bosnië. Zaterdag overleed er een acteur. Maar zondagochtend was er niets belangrijks in het verschiet. Dus besloten ze dat zondag de dag zou zijn, en ze baden allemaal dat er niets bijzonders zou gebeuren vóór zondag 19.00 uur oostelijke standaardtijd, de deadline voor de drukkers.

Denton nam contact op met een reporter van *The Washington Post* op een manier die zó uit een avonturenroman kon komen. Met gebruikmaking van een stemvervormer belde hij de man rond twaalf uur 's middags. Een afspraak in de Georgetown Gallery? Prima, zei de reporter.

In het winkelcentrum was Denton met een zonnebril op en een oorzender het prototype van de geheime agent. De zender werkte niet, maar droeg bij aan het effect, zo wist Denton. Hij speelde de zenuwachtige man zo goed dat de reporter zijn opnameapparaat niet één maar twéé keer liet vallen. Terwijl ze door het drukke winkelcentrum liepen, waren ze zo opvallend dat Denton zeker wist dat ze tegen de lamp zouden lopen als het een echte operatie was geweest. Het merendeel van de puppy's hing anoniem in de buurt van Denton en de reporter rond en amuseerde zich buitengewoon tijdens de voorstelling.

Om te beginnen identificeerde Denton zich als authentiek CIA-man door zijn zeegroene parkeerpas te voorschijn te halen, die alleen aan hoger geplaatsten met overdekte parkeerplaats werden uitgereikt. Daarna vertelde hij de reporter dat de directeur de ombudsman wilde wegwerken vanwege vermeende onregelmatigheden die Tiggermann in de boeken van de directeur had ontdekt.

Denton zwaaide naar de reporter met een paar vervalste documenten die zo authentiek leken als het maar kon, maar overhandigde ze niet. Daarbij bleef Denton als een bang konijn het winkelcentrum rondkijken. Denton zei tegen de reporter te weten dat hij werd gevolgd en dat er levens op het spel stonden. Denton was er *zeker* van dat zijn familie gevaar liep; ze hadden telefoontjes gehad en elke keer als hij zijn kinderen ging ophalen, stond er een donkere auto bij de stoeprand...

Toen, zonder enige waarschuwing, kwam Paula Baker, ook met een zonnebril op, vanachter een struik gesprongen en klikte een paar foto's van Denton en de reporter.

'Waarom heb je niet "Boe!" geroepen, als je toch bezig was?' klaagde Denton later.

'Het had geen haartje gescheeld,' zei ze, terwijl ze achteloos achteroverleunde, waarbij haar volmaakte borsten bijna onmerkbaar onder haar blouse bewogen. God, Paula Baker was sexy!

Toen ze van achter de bosjes kwam springen, rende Denton weg alsof de duivel hem op de hielen zat, maar niet voordat hij iets gezegd had over 'buitenlandse bankrekeningen'. De reporter rende ook weg en Arthur Atmajian plus een paar van zijn dwergen hadden veel plezier toen ze hem naar de kantoren van *The Washington Post* volgden.

'Die lul bleef maar omwegen maken om achtervolgers af te schudden. Ik bedoel, hoe langer hij erover deed om naar zijn kantoor te komen, hoe meer gelegenheid hij me gaf om hem te grijpen, als ik dat had gewild. Wat een stomme zak.'

Binnen de twee uur werden de meeste puppy's die officieel nog onder Tiggermann werkten, thuis opgebeld door de reporter van *The Washington Post.* Alle puppy's verklaarden geen commentaar te hebben, maar iedereen liet zijn 'geen commentaar' klinken alsof de reporter de juiste feiten had. En ze boften, want er was die dag weinig opzienbarend nieuws.

De volgende dag, maandag, leek het in Langley alsof er een neutronenbom in een ventilatieschacht van het gebouw was gegooid. Al het werk lag stil, iedereen zat naar CNN te kijken en las tegelijkertijd dwangmatig de frontpagina-artikelen in *The Washington Post* en *The New York Times.*

'De *Post* en de *Times*? Waarom laten jullie geen mediakermis voor de poort zetten?' vroeg Tiggy de volgende dag in een poging om kwaad te zijn op Denton, maar het eigenlijk niet kon.

'Wat kan ik zeggen?' zei Denton achteloos, die een sigaret zat te roken en verbrande magnetronpopcorn in de mond van Wenger en Caruther gooide. 'Het artikel van de *Post* was te verwachten. Het verhaal van de *Times* en CNN? Tja, we hebben geboft, dat is alles.'

Het kostte de directeur drie weken bij de Inlichtingencommissie van de Senaat om het idee uit de wereld te helpen dat er enige druk op de ombudsman werd uitgeoefend. De directeur herhaalde telkens weer dat het zo prima ging met ombudsman Tiggermann. Hem vervangen? Hoe komt u erbij? En Tiggermann van zijn kant bezwoer dat hij, de ombudsman, niets onregelmatigs in de boeken van de directeur had gevonden – met een uiterst glad maar hoorbaar 'en toch' bij die verklaring.

'Jongens,' zei Tiggy tijdens de volgende woensdagochtendvergadering, 'jullie zijn heel erg stout geweest.' Ze vierden het met een fles Apple-Zapple die iemand voor een speciale dag had bewaard.

Het was Denton echter, die met de door hem uitgedokterde operatie de graad van perfectie bereikte: een soort 'krijg de pest' aan het adres van de directeur.

Tijdens zijn gesprek met de reporter van *The Washington Post* had Denton iets laten vallen over 'gevarengeld', waarover niets stond in de persberichten, maar dat was opgenomen in de twaalfde en dertiende alinea van het *Post*-artikel van die maandag. Voor buitenstaanders klonk het allemaal erg verwarrend. Maar voor de directie was het een duidelijk signaal – gevarengeld was de naam die werd gegeven aan werk dat buiten de boeken werd gehouden, werk dat technisch gesproken illegaal was, aangezien het niet werd gecontroleerd door de inlichtingencommissie van de Senaat. Gevarengeld was werk dat rechtstreeks onder de supervisie viel van de directeur. Weinig mensen bij de CIA hadden zelfs maar van gevarengeld *gehoord*. Erover praten was een duidelijk signaal dat iemand die heel erg goed geïnformeerd was, tegen de *Post* uit de school had geklapt. Het zei tegen iedereen die het begreep: 'We hebben tanden, dus geen grappen meer met ons, anders gaan we tot het einde door.' De directeur besloot wijselijk zich gedeisd te houden en de puppy's in het souterrain gooiden vrolijk verbrande popcorn naar elkaar.

In de grote jaren Tachtig beleefden ze geweldige tijden waarin met het grote geld en de grote projecten werd gespeeld. Maar het was de tijd zelf die een eind maakte aan het souterrain. Eind 1992 kreeg Tiggermann een ernstige hersenbloeding, wat hem tot pensionering dwong, maar niet voordat het hem gelukt was het merendeel van zijn puppy's erg goed onder te brengen. De rest van de CIA was tegen die tijd bang voor Tiggy, aangezien ze hem niet echt doorhadden, en ze slaakten massaal een reusachtige zucht van verlichting achter een masker van bezorgdheid toen Tiggy zijn beroerte kreeg en bij de CIA wegging.

Als alle bureaucratieën moest de CIA het hebben van consistentie – of je was een klootzak of een heilige of gladjes of grof of iets aan het uitspoken. De CIA had nooit begrepen – en kon ook niet begrijpen – dat een van zijn medewerkers van de ene dag op de andere en ogenschijnlijk zonder enige reden als een ander mens was komen binnenwandelen, zoals Tiggy in 1985 had gedaan.

'Ik begrijp het zelf ook niet,' zei Tiggy tegen Paula Baker en Phyllis Strathmore, die bij hun stervende mentor op bezoek waren. 'Begin 1985 liep ik op een dag Langley binnen en opeens was het alsof ik alles veel duidelijker kon zien dan ooit tevoren.'

'Mmm,' zei Phyllis, een van de weinige puppy's die bij de CIA waren weggegaan. Ze was van top tot teen in bankiersgrijs gekleed, opgemaakt, had een peperduur kapsel en zag eruit alsof ze al op weg was multimiljonaire te worden. Zachtjes en onopvallend veegde ze het kwijl uit de verlamde kant van Tiggy's mond. Ze had kunnen volstaan met Tiggy te bellen; een reisje van New York naar Tiggy's appartement in Maryland kostte een hele dag. Maar ze kwam, zoals allemaal behalve Arthur Atmajian. Atta-boy, de puppy die nu koppensneller was, kon zich er – tot ieders leedwezen – niet toe zetten om Tiggermann op te zoeken, wat Tiggy en alle anderen begrepen; moordenaars waren daarin vaak wat zonderling.

'We hebben mooie tijden gehad,' zei Phyllis zonder enige reden nadenkend tegen Tiggy.

'Niet met mij,' plaagde Tiggermann hitsig. De overrompelde Phyllis barstte in tranen uit.

Tiggy werd begraven in die stille week tussen Kerstmis 1993 en nieuwjaarsdag 1994, nog geen zevenenvijftig jaar oud. Maar Tiggy veranderde de CIA, hoewel de CIA het zelf niet wist.

Het bestaan van de puppy's deed het hem – een soort CIA binnen de CIA, gevormd met de meest talentvolle jonge agenten. In het souterrain was geruzied en waren er bondgenoot- en vijandschappen gesloten, zoals overal elders in de CIA. Strathmore en Denton, bijvoorbeeld, hadden bijna het hele jaar '87 geprobeerd tegen elkaar op te bieden. Maar zodra er buitenstaanders bij waren, vormden de puppy's één front in een bizarre relatie: broederschap, huwelijk en een pact met de duivel, alles in één. Uiteindelijk waren ze door Tiggy *uitgezocht*, dat was het hem. Uitgezocht door Tiggy toen ze allemaal jong en nog niet erg doortrapt waren. Nu, als Denton met Phyllis of Whipple praatte, zag hij geen Wall Street-belegger of het hoofd van de sectie Midden-Oosten – dan zag hij een stel popelende branieschoppers, en zo zagen *zij hem*, wat de reden was waarom ze allemaal vrienden waren: ze waren niet bang voor elkaar.

Toen de jaren tachtig overgingen in de jaren negentig en alle puppy's hun vleugels uitsloegen, nam iedereen behalve Denton een zware frontliniebaan. Strathmore verliet de CIA, Jayne Caruthers nam de West-Europese secties over, Wenger nam, pervers genoeg, een baan in het veld. Onder de dekmantel van een correspondentschap voor de Associated Press smokkelde hij bijna iedereen Oost-Europa uit. Paula Baker werd, verrassend genoeg, hoofd van Geheime Financiën. Atmajian had de leiding over het merendeel van de koppensnellers van het Speciale Directoraat. Kortom, alle puppy's baarden veel opzien buiten het souterrain. Behalve Denton.

'Ik? Och, ik heb besloten bij de schaduwclub te gaan,' zei hij in een bar, en iedereen keek verrast op. De chantagespecialist glimlachte met die glimlach van hem, wees alle frontliniebanen die hem werden aangeboden van de hand, ging regelrecht naar de schaduwclub en niemand wist waarom.

De schaduwclub was de wereld van de administratieve staf, mannen en vrouwen, zonder het talent of de motivatie of neiging om het te brengen tot de frontliniebanen die alle andere puppy's hadden aangenomen. Hun werk bestond uit mensen adviseren, gegevens analyseren, de monumentale papierbergen van de frontlinie verwerken, op de achtergrond blijven, in de schaduw van het echte CIA-werk. Niemand die de rauwe macht van het frontliniewerk had geproefd, ging vrijwillig bij de schaduwclub – behalve Nicholas Denton, Tiggy's ogenschijnlijke erfgenaam, de enige puppy die naar die eigenaardige papierwereld was gegaan.

'Hij weet wat hij doet,' zei Tiggy tegen Paula Baker, die, net als alle andere vrouwen in het souterrain, het zwaar te pakken had van Denton. 'Sorry dat ik het zeg, maar Nicky is de intelligentste van het hele stel,' zei hij tegen haar in het najaar voor zijn dood.

Baker, die nooit zin had om te twisten met Tiggermann die ze als haar vader beschouwde, nam wat hij zei voor waar aan. Maar toen de maanden en daarna de jaren voorbijgingen, begonnen de andere puppy's en zij zich af te vragen wat Denton aan het doen was.

Het werk werd slecht betaald, de mensen werden voortdurend uitgebuit en daar kwam nog bij dat er geen echte macht te behalen was. En aangezien het bekend was dat Denton een van de puppy's was geweest, vroeg iedereen zich uiteraard af waarom zo'n talentvolle agent bij de schaduwclub werkte. Bij het verstrijken der jaren leek Denton steeds fatteriger te worden, zich meer bezig te houden met zijn uiterlijk dan met resultaten, het omgekeerde dus van de puppy-mentaliteit. Spanningen werden merkbaar, de andere puppy's raakten bezorgd en teleurgesteld over Denton terwijl hij zich bij de CIA de reputatie verwierf een lichtgewicht te zijn over wie je je niet druk hoefde te maken. Na een tijdje begonnen de mensen te vergeten dat hij ooit Tiggermanns gouden wonderjongen was geweest.

'Het enige wat jij doet, is rondlummelen,' zei Arthur Atmajian op een dag tegen hem, toen hij hem 'per ongeluk' tegenkwam in een gang van Langley. Bij Atta-boy was alles altijd 'per ongeluk'.

Dentons onlogische reactie: 'Heb je mijn laatste roman gelezen?', maakte Atmajian woedend. Atta-boy en de rest van de puppy's waren werkelijk geschokt dat Denton zijn tijd had verknoeid als hobbyschrijver van romans. Het feit dat hij boeken schreef was niet zo bijzonder; Kenny Whipple van de sectie Midden-Oosten had een verzameling goed ontvangen gedichten gepubliceerd, een bron van schertsende spotternij maar stille trots onder de puppy's. Maar daarnaast had Kenny het Midden-Oosten in zijn zak als een achteloze goochelaar. Denton kleedde zich duur en verdeed zijn tijd met cocktailparty's en diners.

'De pot op met je roman! Je carrière gaat naar de kloten! Je bent een nul aan het worden, verdomme!'

Denton manoeuvreerde het gesprek terug naar zijn uitgeversproblemen, doof voor Atmajians woede. Toen ze uitgepraat waren, dacht Atta-boy dat Denton een tweederangs mannetje was, een fat die niet meer leek op wat hij had uitgestraald toen hij voor Tiggy werkte. Atta-boy en de rest van de puppy's sloten Denton niet echt buiten, maar ze besteedden niet veel aandacht aan hem tijdens het begin van de jaren negentig.

Toen verscheen op een dag Carl Roper op het toneel en werd Dentons nieuwe incarnatie volkomen duidelijk.

Carl Roper werd hoofd van de Noord-Amerikaanse contraspionage, belast met het aan de kaak stellen en zo mogelijk controleren van buitenlands bezit op Amerikaans en Canadees grondgebied.

'Eerst hun bek dicht, daarna hun zaak dicht!' zei hij vlak na zijn benoeming tegen Denton. Roper was een van die mannen die zo naïef zijn te denken dat het inlichtingenwerk zoiets is als de goede jongens tegen de slechte. 'Ik ben iemand die geen enkele buitenlandse bezitting op *mijn* terrein toestaat.'

Ook was hij een rotzak die terecht de reputatie bezat slordig te zijn. Toen Denton achter Roper begon aan te lopen in de hoop een baan bij hem te krijgen, werd hij door de puppy's vrijwel afgeschreven.

'The Peter Principle,' zei Makepeace Oates tegen Paula tijdens de lunch. 'Denton heeft geen ballen. Hij wil voor zo'n stomme zak als Roper werken om een pennenlikker zonder verantwoordelijkheden te worden en daarom zonder macht.' En daarover waren ze het allemaal eens. Atta-boy, de koppensneller van de puppy's en Nicholas Dentons beste vriend, was de enige die niet deed alsof. Hoezeer hij ook op Denton gesteld was, hij maakte duidelijk dat hij niet meer met Denton wilde omgaan, zelfs niet buiten werktijd. Alle anderen schreven Denton af als een tweederangs figuur, een mislukkeling.

Maar Denton... tja, Denton vond dat allemaal amusant.

Natuurlijk nam Carl Roper Denton aan en natuurlijk maakte Carl Roper er een troep van bij de Noord-Amerikaanse contraspionage en trok hij de aandacht. Maar elke keer als Roper er een rotzooi van maakte, leek het alsof Denton met een nieuw contact kwam of hier en daar de rommel opruimde. Paula Baker was de eerste die iets opving van wat er gaande was toen Denton op een dag onaangekondigd haar kantoor binnenkwam.

'Ik heb een vergadering met de controlecommissie,' zei Paula koel. Buiten kantoortijd was ze bereid met Denton om te gaan, maar ze had weinig zin om tijdens het werk tijd aan hem te besteden.

'Dit móet je horen,' zei Denton, waarna hij Paula's deur dichtdeed en haar vertelde dat Ropers counterpartgroep voor Latijns-Amerika – een groep die ver buiten Dentons verantwoordelijkheden lag – gebruikt werd om gelden over te hevelen voor een onafhankelijke geheime groep even buiten Estland, een groep waarover Baker zelf iets had moeten weten, maar nog nooit van gehoord had.

Dat was de zomer van 1995, bijna drie jaar nadat Denton bij de schaduwclub was gegaan en nu begon het zijn vruchten af te werpen. Hij draaide een verhaal over de Latijns-Amerikaanse eenheid en haar eigen financiële groep af, zo achteloos gedetailleerd en goed geïnformeerd, dat Paula heel even het gevoel had in een bijzonder onwerkelijke aflevering van *The Twilight Zone* terecht te zijn gekomen – Nicky Denton, de fatterige koning van het cocktailcircuit in Georgetown, wist zo te horen meer over het functioneren van haar eigen groep dan zijzelf.

'Hoe heb je die informatie te pakken kunnen krijgen?' vroeg ze, niet zo'n klein beetje bang.

41

'Papieren, papieren, papieren, Paula. De schaduwclub is gebouwd op papier.'

Papieren. Het ging allemaal om papieren, aangezien alles bij de CIA wordt opgeschreven en gedateerd. De schaduwclub wordt zo genoemd omdat het papier een schaduw werpt die gewoonweg niet ontkend kan worden. Het enige probleem is dat de schaduwclub op *zoveel* papier is gebouwd, dat het letterlijk onmogelijk is om er iets nuttigs uit te halen. Het had hem drie jaar gekost, maar Denton was er uiteindelijk in geslaagd het monster te temmen, had Ropers slordigheid als de perfecte dekmantel gebruikt en Ropers gebrek aan supervisie had Denton in staat gesteld de schaduwclub binnen te gaan zonder zich zorgen te hoeven maken over politiecontrole.

'En als je wordt gepakt?' vroeg de verbijsterde Paula Baker, die de werkelijke macht van de schaduwclub begon te zien.

'Terug te leiden naar Roper, voorlopig. En áls ik word gepakt, wat dan nog? Uiteindelijk zit ik niet in een frontliniebaan – ik zit bij de administratie. Er wordt van mij *verwacht* dat ik door de schaduwclub zwerf. Het is niet *mijn* schuld als ik iets spannends tegenkom.'

In Langley zijn er zoveel vertrouwelijke documenten dat er een strikte procedure is om ze te vernietigen. Ze worden onder bewaking naar een centraal vergaarpunt gebracht waar ze eerst en masse worden versnipperd, daarna tot pulp vermalen dat gerecycled wordt (de CIA is tenslotte een milieuvriendelijke bureaucratie). In november 1995 belde Denton de van hem vervreemde Atta-boy en haalde hem over iets te doen dat gelijkstond aan heiligschennis bij de CIA – een pijplijn creëren om de papieren die naar de vernietiging gingen te onderscheppen en een schaduwarchief op te zetten in een kantoorgebouw in Alexandria waar Denton letterlijk tonnen papier deponeerde, allemaal zorgvuldig geordend en gecatalogiseerd.

'Je bent weer *terug*!' schreeuwde Atta-boy blij toen de documentenpijplijn functioneerde en er serieuze informatie begon door te komen.

'Ik ben nooit *weg* geweest!' lachte Denton.

'Je bent de grootste,' hield Atta-boy vol, zoals zijn gewoonte was. Paula Baker vermoedde dat Arthur opgewondener was over de terugkomst van Denton dan over de operatie die hij zo koel had afgehandeld.

Het plan om het papier te onderscheppen was het eerste geheime onderdeel dat Denton had uitgedokterd sinds hij vier jaar tevoren bij Tiggy's ploeg had gezeten. Maar Denton zag het nooit als een geheime operatie. In wezen beschouwde Denton het schaduwarchief als een reusachtig researchproject. Maar het was het meest ambitieuze researchproject dat wie dan ook waar dan ook was begonnen, waarbij alle geheimen van Langley in Dentons kantoor in Alexandria en ten slotte op microfilm terechtkwamen.

Het schaduwarchief zeefde alle informatie, het heilige bezinksel dat de blinden zou doen zien. Informatie gaf inzichten en een kijkje op wat er in de grotere wereld erachter gebeurde, maar het waren wisselvallige kijkgaatjes die altijd werden dichtgesmeten. Het schaduwarchief was echter geen op zichzelf staand wisselvallig raam of verzameling ramen – het was een superraam dat niet slechts een paar stukjes liet zien, maar *alle* stukjes tegelijk. De macht van het schaduwarchief was dat het een raam kon bieden op echte, volledige kennis. En kennis, zo luidt het gezegde, is de enige macht die er bestaat.

Het geld om de operatie te leiden kwam uit fondsen die Paula Baker blokkeerde van het overgehevelde geld van Latijns-Amerika. Daarom had Denton het probleem aangesneden – hij had geheim geld nodig om zijn researchproject te financieren. Als nevenproject nam Denton een deel van die gelden voor het bemannen van het schaduwarchief, wat een belangrijke pijler werd voor Dentons macht, vooral omdat alleen Baker en Atmajian van het bestaan ervan afwisten. Atta-boy en Paula hadden uiteraard het eerste recht op al die zich opstapelende informatie, in ruil voor hun bescherming van het schaduwarchief.

'Kunnen ze de mensen die bij het schaduwarchief werken traceren?' vroeg Paula Baker aan Atmajian tijdens hun eerste gesprek over de logistiek van Dentons researchproject.

'Kunnen ze het geld traceren dat jij overhevelt?'

'Nou zeg, een beetje vertrouwen, graag.'

'Precies.'

Een dubbelblinde geheime eenheid – dat wil zeggen een eenheid die niet weet wat ze doet of voor wie ze werkt – werd begin '96 opgezet om systematisch alle documenten uit het centrale archief in Langley te analyseren en kopieën te maken voor het schaduwarchief. Halverwege 1996 waren er zevenentwintig personen

betrokken bij het schaduwarchief, georganiseerd volgens een val-
luiksysteem van interconnectie, waarbij geen mens in de eenheid
wist wat twee andere mensen deden.

Maar het schaduwarchief, hoe belangrijk ook, was maar één
van Dentons pijlers. De andere was louter lef.

Tegen het midden van de jaren negentig had Roper zoveel
mensen tegen zich in het harnas gejaagd dat zijn dagen geteld waren. Niet dat hij dat zelf inzag. Ook merkte hij niet dat een van zijn
ondergeschikten heel subtiel bezig was een reputatie op te bouwen.

Een van de mensen wier blik op Denton viel, was Ropers baas,
de onderdirecteur van de CIA voor contraspionage, Keith Lehrer.

Lehrer was van Tiggermanns generatie en net als bijna alle anderen had hij Tiggy afgedaan als een loonslaaf. Tenslotte had Tiggermann bij de schaduwclub gewerkt. Gelukkig voor Lehrer had
hij in Engeland gezeten toen Tiggy ontwaakte, dus had hij geen
van de puppy's op stang gejaagd toen Tiggy Langley in zijn greep
begon te krijgen en zijn positie verstevigde onder de dekmantel
van de ombudsman die de 'welig tierende corruptie' rond de CIA
uitroeide. Tegen de tijd dat Lehrer weer terugkwam in Virginia,
had Tiggy zijn eigen winkeltje en was al veel machtiger dan de ladder opklimmende Lehrer.

Maar Lehrer was geen eendagsvlieg, dus toen Lehrer met Denton belde, wist Denton hoe het zat.

'Als Roper eruit is, geven ze vermoedelijk iemand anders het
commando over jou,' opende Lehrer slim, waarmee hij het enige
voor Denton nuttige aspect gevoelig aansneed – dat wil zeggen
diens vrijheid.

'Ik vind het niet erg om onder wie dan ook te werken,' zei Denton. Beiden zaten in hun respectievelijke kantoor met alleen een
veilige telefoonlijn tussen hen in.

'Wat zou je ervan vinden om wat meer eigen speelruimte te
krijgen?' ging Lehrer een stap verder toen ze elkaar ontmoetten
voor een tweede gesprek, deze keer een anoniem steakhouse in
Potomac, niet al te ver van Dentons huis.

'Speelruimte?' vroeg Denton, het toonbeeld van onschuld. 'Ik
heb genoeg speelruimte, waarom zou ik meer nodig hebben?' Hij
zag er inderdaad *zo* onschuldig uit dat Lehrer heel even meende
dat Denton misschien echt *niet* meer speelruimte nodig had. De
gesprekken werden afgebroken.

Intussen zoemde het schaduwarchief als een goed afgestelde motor en leverde elke week informatie. Denton besloot dat de tijd was gekomen om Roper te lozen en de positie die hij wilde, te verstevigen. Lehrer was Dentons treinkaartje, maar hij moest zachtzinnig te werk gaan, anders ging het mis. Denton besloot zich te wenden tot de veiligheidskluis.

De veiligheidskluis was in een bank vlak bij DuPont Circle. In de kluis zat een Apple Macintosh PowerBook in een magnetisch verzegelde beschermtas, waarin letterlijk miljoenen pagina's informatie konden worden opgeslagen. Drie mensen wisten van het bestaan van de kluis: Denton, Atmajian en Paula Baker, en ze waren er allemaal beducht voor, want het bevatte de gedestilleerde informatie die het schaduwarchief had vergaard, absoluut explosief spul.

Paula en Atta-boy kregen een eerste blik op de ruwe informatie uit het schaduwarchief in Alexandria, net als Denton. Nuttige en/of belangrijke informatie die niet duidelijk meteen noodzakelijk was, werd in de Macintosh opgeslagen, een doos van Pandora vol met de meest uiteenlopende geheimen. Sommige geheimen waren triviaal in het grote geheel, andere wereldschokkend en in staat regeringen te doen vallen. Maar het gemeenschappelijke element van alle opgeslagen informatie was, dat het perfect chantagemateriaal was, Dentons vakgebied.

Denton deed een beroep op de Macintosh computer, 'Moonshine', voor een paar ideeën om Roper weg te krijgen, en wat hij tegenkwam, was perfect. Perfect omdat er maar één persoon was die besmeurd zou worden en perfect omdat de informatie niet te traceren was. Er zou zelfs geen zijdelingse blik op Denton vallen. Het zou langzaam gaan, maar het zou op rolletjes lopen.

Denton belde Lehrer vanuit de bank. 'Weet u, Roper is nog steeds mijn baas, dus denk ik dat onze gesprekken interessant maar theoretisch waren.'

'Juist,' antwoordde Lehrer.

'Maar zelfs als Roper ontslag zou nemen, zou ik zijn baan niet willen. Ik houd van mijn werk. Ik zou het niet erg vinden om voor de rest van mijn loopbaan een baan te hebben zoals ik nu heb, gelijk aan de baan die ik nu heb, *analoog* zo u wilt.'

'Juist...'

'Ik moet nu weg.'

Lehrer vond dat Denton zich een beetje eigenaardig gedroeg toen hij ophing, maar schonk er geen aandacht aan. Kennelijk had hij zich in Denton vergist – hij *was* een lichtgewicht, zoals hij altijd dat stomme zwarte boek te voorschijn rukte om interessante zinswendingen en zinnen op te schrijven en altijd over zijn boeken praatte. Leuke gast aan tafel, maar niet iemand om serieus te nemen. Zijn boeken waren niet eens erg goed, naar Lehrers mening. Hij zette Denton uit zijn gedachten.

Zes weken later, op een vrijdagavond, legde Lehrer de laatste hand aan nog wat zaken op kantoor en maakte zich op om naar huis te gaan, toen hij een pakje openmaakte dat met de eigen postdienst was gekomen. Het was een videocassette zonder opschrift. Lehrer klikte hem in zijn recorder, drukte op 'play' en zag iets op het televisiescherm dat hem kippenvel bezorgde.

Het was een zwarte man met een grijze baard in een pak met een das – Ed Bradley, de wreker van de pr-afdeling van de CIA. 'O *Jezus*, dacht Lehrer, *alweer zo'n exposé van* "60 Minutes".' En hij sloeg de spijker op zijn kop, want dat was het, compleet met interviews met 'CIA-medewerkers' die feitelijk net iets hoger stonden dan kantoorjongens in de gewone wereld.

De video verhaalde in details dat de Fransen, nota bene, een paar bezittingen hadden in Seattle, waar ze voor Boeing aan de een of andere maffe radarapparatuur werkten. Maar *60 Minutes* behandelde dit onbelangrijke geval alsof het met atoomgeheimen te maken had en slaagde er zeer goed in Ropers naam te bezoedelen door te beweren dat het hoofd van de Noord-Amerikaanse contraspionage herhaaldelijk waarschuwingen, dat de mensen in Seattle een veiligheidsrisico waren, naast zich had neergelegd. Lehrer zette zich schrap voor de mep die ze aan *hem* zouden uitdelen. Tenslotte werkte Roper voor *hem*.

Maar het viel mee.

'Het opmerkelijke,' dreunde Bradley verder in een redelijke imitatie van onpartijdigheid, 'is dat Carl Ropers superieuren in Langley niets afwisten van zijn opzettelijk negeren van de bewijzen tegen die Franse spionnen.'

Lehrer voelde zich draaierig. Hij keek geboeid naar de rest van de band, waar het stuk zich ontvouwde als een Shakespeare-drama en alle vuil regelrecht op Roper viel. Lehrer was zo gefascineerd dat hij de cassette nog een keer opzette en niet eens merkte

dat de telefoon al een vijftal keren was overgegaan. Hij nam op.
'Ja!'
Een heldere lachende stem zei: 'Leuke video?'
Het was Denton. Het zou boffen zijn als Roper aanstaande maandagmorgen de Langley-hekken nog binnenkwam. Als de video zondagavond op de nationale televisie werd uitgezonden, zou het schandaal erna net zo abrupt een einde aan Ropers carrière maken als de val van een guillotinebijl. En nu belde Denton...

Denton, die er op de een of andere manier in was geslaagd het einde van Roper te bewerkstelligen. Het *lef* om de nationale pers op die manier te manipuleren en te verwachten er straffeloos mee weg te komen! En het angstaanjagende was dat Lehrer wist dat Denton er inderdaad straffeloos mee weg zou komen. Maar hij liet niets merken.

Met vaste en ietwat verveelde stem zei hij: 'Ik ben hier bijna klaar, maar ik heb een minuut, als je echt wilt praten.'

'Dank u, maar vanavond kan ik niet. Maandagochtend misschien?'

'Prima, prima.'

'Tot maandag dan. O, tussen haakjes, weet u wat er zo amusant is? Uw naam?'

'Pardon?'

' "Keith Lehrer". U hebt dezelfde naam als de beroemde filosoof. Hij heeft een erg invloedrijk boek over epistemologie geschreven, dat *Wetenschap* heet. Keith Lehrer de filosoof is een erg bekend scepticus. Is dat niet amusant?'

'Het zal wel...'

'Tot maandag dan. Goedenavond.'

Denton hing op voordat Lehrer daarop iets kon zeggen. Een week later kreeg Denton de baan van hoofdassistent van Keith Lehrer, dezelfde positie die Denton onder Roper had gehad, alleen twee rangen hoger. Denton was nu assistent van de onderdirecteur van de CIA – op twee na de hoogste man van de CIA. De positie die hij al die tijd op het oog had gehad.

Dat was twee jaar geleden. Nu zaten Lehrer en Denton in Lehrers werkkamer te roken en over de afgelopen avond na te denken. De werkkamer was klein en gezellig. Een reusachtig bureau vormde een tegenhanger van een even reusachtige open haard, de enige lichtbron in de kamer. Twee leunstoelen stonden tegenover het vuur en daarin zaten de twee mannen te staren en lieten de tijd voorbijgaan.

'Interessante mensen, vanavond,' zei Denton. Hij had hun namen al opgeschreven op een paar kaartjes die hij altijd bij zich had, plus een kort overzicht van hoe ze waren geweest en wat ze hadden gedaan.

'Ja...' zei Lehrer dromerig, hardop denkend. 'Sepsis...?'

'Wat is er met hem?'

'Hoever ben je?'

Denton drong niet aan om te weten waarom Lehrer dat vroeg, aangezien hij had geleerd dat Lehrer eerst vroeg en daarna uitlegde. 'Hij is in het land. Dat staat vast. Drie dagen geleden over de Canadese grens gekomen. Er is iets gaande. Ik denk dat we op korte of iets langere termijn wel ergens achter komen. Maar we weten op dit punt niet precies wat er gaande is.'

'Zoek dat uit.'

'Ben ik mee bezig.'

Denton stond op om andere muziek op te zetten. De muziek die nu draaide, was Griegs *Peer Gynt* in de versie van Von Karajan, een stuk dat Denton mooi vond, maar ongeschikt achtte voor dit gesprek. Lehrer had geen smaak wat betreft klassieke muziek, dus gaf Denton zijn baas klassieke cd's voor diens verjaardag en met Kerstmis zodat hij, Denton, naar iets fatsoenlijks kon luisteren als hij op bezoek was. Nu wierp dat zijn vruchten af, toen hij Debussy's *Nocturnes* koos, gedirigeerd door Solti. Zo'n schitterende dirigent, fijnzinnig zonder ooit volgzaam of al te eerbiedig te zijn.

'Wilt u een gewone eliminatie of omkopen?'

'Dat weet ik niet,' antwoordde Lehrer ten slotte, waarmee hij de deur opende voor Dentons voorstellen.

'Omkopen zal kostbaar maar mogelijk zijn. Hij *is* uiteindelijk gewoon een wapen dat te huur is.'

'Een huurbom,' zei Lehrer dromerig, een zin die onmiddellijk Dentons verbeeldingskracht raakte. Hij rukte zijn zwarte boekje te voorschijn en schreef het op.

'Ja... ja, interessante uitdrukking, "een huurbom". Mooi.' Hij stopte zijn boekje terug in zijn Huntsman-pak en staarde weer in het vuur. 'Als hij in de Verenigde Staten is, heeft hij een reden en die zal ons niet ten goede komen. Het beste is volgens mij dat we Sepsis van het toneel laten verdwijnen.'

'Niets overhaasten. Eerst uitzoeken, daarna beslissen we... De directeur heeft me alweer uitgekafferd over "jet-set terroristen", in de trant van Carlos,' zei Lehrer, terwijl hij zich naar Denton omdraaide.

'O ja, de Kaiser Söze van de beroepsmoordenaars. Ik hoorde dat de vent die ze een paar jaar geleden hebben opgepakt, niet de echte Carlos was, dat de echte Carlos is ontsnapt,' zei Denton.

'Carlos? Ja, de man die ze hebben opgepakt was gewoon een sukkel. De echte Carlos is stil gaan leven. Maar Sepsis is actief. De directeur wil iets spectaculairs aan de inlichtingencommissie van de Senaat laten zien.'

'Sepsis zou ideaal zijn,' zei Denton, en hij meende het. Sepsis was een spectaculaire – zij het absoluut duistere – huurmoordenaar.

'Ja... Maar Sepsis is nuttig. Hij is geen klungel. Zoek het eerst uit en daarna beslissen we of we hem omkopen of omleggen.'

'Goed.'

Het eerste deel van de Debussy-muziek maakte plaats voor het fellere 'Fêtes' en dat vond Denton al heel wat.

DRIE | Een leven van gemak en van vermaak

Ze leefde nog omdat ze te laat was.

Zuster Marianne hoorde bij de Opus Dei, een strenge rooms-katholieke orde met zorgvuldig afgebakende grenzen voor wat nonnen konden doen. Niet iedereen was er geschikt voor. Het was een moeilijk leven, gebaseerd op orde en structuur, totalitair in de eisen aan de nonnen. Bepaalde boeken mochten niet worden gelezen, handelingen waarover andere katholieken hun wenkbrauwen zouden optrekken, waren ten strengste verboden.

Maar net als bepaalde andere professionele vrouwen van haar leeftijd (ze was zesendertig), maakte zuster Marianne zich niet druk over de limieten in haar leven – ze vond bevrediging in het doen van alle dingen die de vrijheid van dit leven haar toestond. Want ze was *vrij*: hoewel de restricties van haar religieuze leven voor de meeste mensen onmogelijk zouden zijn, bevonden al haar genoegens en emoties zich veilig binnen de gestelde grenzen. De dingen die ze die ochtend zou doen, waren geen uitzondering.

Chronische slapeloosheid had haar weer vroeg uit bed gedreven. Om er het beste van te maken had ze zes kilometer gejogd, op haar gemak, om niet vermoeid te zijn voordat het licht werd. Daarna, terwijl ze zich douchte en aankleedde, richtte ze haar intense aandacht op het indelen van haar ochtend. Het was nog geen vijf uur en de mis begon om zeven uur, dus tijdens de twee uur die ze nog had, ging ze aantekeningen maken voor haar leerlingen, persoonlijke brieven beantwoorden, een paar punten van haar lezing voorbereiden en als ze de tijd had – als en uitsluitend *als* ze tijd had – kon ze zich overgeven aan de voorbereiding voor haar project.

Aangekleed en klaar voor de dag liep ze naar haar kantoor in het hoofdgebouw van het klooster. De stilte was uitnodigend. Zoals ze in de donkere ochtend door de gang liep, leek ze op een vrome versie van een forens. Het habijt van zuster Marianne was gesteven en gestreken, een discreet kruis hing om haar hals, haar linkerhand omvatte stevig een gehavende aktetas, terwijl haar rechterhand haar ochtendthee vasthield met een broodje dat wankel op de rand van de beker balanceerde. Geen communie voor haar die ochtend, ze had al twee dagen niet gebiecht.

De laatste tijd leken haar biechten hetzelfde ritme te hebben, dezelfde structuur van haar smeekbeden om absolutie.

'Vergeef me, eerwaarde, want ik heb gezondigd, mijn laatste biecht was drie dagen geleden.'

'Wat voor zonden heb je te biechten?'

'Ik heb hardvochtige gedachten over zuster Elizabeth en zuster Danielle gehad. Ik ben te streng tegen een leerling opgetreden. Ik kon me niet in toom houden. Het laatste kwartaal is slopend geweest. God zij dank is het bijna voorbij.'

'En…?'

'En ik heb de naam van de Heer ijdel gebruikt.' Marianne kromp ineen. 'Twee keer.'

'Marianne, we hebben het daarover al een paar keer gehad. Dat is een vreselijke gewoonte, waarmee je gewoon *moet* breken. Het is niet simpelweg een gewoonte, het is een zonde.'

'Dat weet ik, eerwaarde, dat weet ik. Maar oude gewoonten slijten moeilijk. Ik rook niet.'

'Moeten we dankbaar zijn voor een klein wonder? *Denk na*, Marianne... Je hebt gebeden?'

'Ik heb gebeden voor mijn kind. Voor die arme mensen in dat gebouw in Atlanta dat is afgebrand, voor die soldaten in die helikopter, zo erg voor hun familie...'

Zo zou het gaan, maar dat zou alles zijn. Haar belijdenissen, of haar celibaat, armoede, gehoorzaamheid of nederigheid – dat alles leek een geringe prijs voor de vrede en het gevoel een plek voor zichzelf te hebben in haar klooster in New Hampshire, zo veilig en comfortabel als een luis in een tapijt. Geen enkele opoffering in haar leven leek een opoffering. Soms, na de biecht, de laatste tijd vaker, voelde ze zich niet vergeven maar onbehaaglijk; beschaamd dat ze voor zo weinig zoveel had gekregen.

Ze kwam bij haar kantoor en deed de deur open, die uiteraard niet op slot zat.

Twee kantoren hebben was moeilijk. Ze had er een op Carpenter Hall waar ze probeerde uitsluitend het materiaal voor haar leerlingen te bewaren. Haar kantoor in het klooster hoorde uitsluitend voor onderzoek te dienen. Maar niets was ooit zoals het hoorde te zijn, haar schoolkantoor puilde uit van het onderzoekmateriaal en haar kloosterbureau kreunde onder het gewicht van de schriften van de leerlingen en hun gevoelige diepe gedachten. En als ze in het ene kantoor was, miste ze altijd zaken die in het andere lagen.

Ze zette haar aktetas op haar bureau en begon de nieuwe dag door te nemen: naar de mis tot halfacht, tegen achten naar Hanover rijden, haar post ophalen tegen kwart voor negen. Het lesuur was om tien voor tien afgelopen, dus zou ze tot tien uur met de leerlingen praten, pauze nemen tot kwart over tien en de rest van de ochtend besteden aan de voorbereiding van haar seminar voor de eerstejaars. Daarna – een lichtpuntje van haar dag – moest Marlene Heck van de geschiedenisafdeling haar van haar kantoor afhalen en zouden ze met Marlenes echtgenoot lunchen in EBA's, of misschien in de Sweet Tomato in Lebanon. Terwijl ze haar tas openmaakte en het werk voor die ochtend klaarlegde, besloot ze zich te buiten te gaan en zichzelf een vol uur toe te staan om te lunchen met Marlene en Kevin.

Uiterlijk om één uur veertig moest ze terug zijn in haar kantoor op Carpenter Hall. Ze moest haar aantekeningen klaar hebben vóór haar ouderejaarsseminar om twee uur vijftig. Kwart over vier zou ze met haar spreekuur beginnen, dat waarschijnlijk tot na zessen zou duren als die arme Dugan-jongen zou komen, wat volgens haar zeker zou gebeuren. Maar Dugan-jongen of geen Dugan-jongen, Marianne zou om kwart over zes naar het klooster terugrijden, wat er ook gebeurde. Haar favoriete nichtje, in feite haar enige nichtje, de kleine Marianne, werd morgen vijf en de grote Marianne was vast van plan haar op te bellen in Kyoto om haar als eerste te feliciteren. Ze had haar cadeautje al opgestuurd, een Malibu Dream-Girl Barbie waarover kleine Marianne geen al te subtiele hints had gegeven.

Zuster Marianne ging achter haar papieren zitten. Ze pakte een geel blocnote uit een van de onderste laden, sloeg de twee eerste bladzijden over zonder ze te beschrijven en begon aan haar aantekeningen, één vel per leerling. Ze had de hele nacht aan haar ouderejaars gedacht en nu probeerde ze uit alle macht haar korte conclusies op papier te zetten. Als het meezat, zou ze hun een paar aanwijzingen geven die hen verder konden helpen. Ze bad dat het zou lukken.

Ze begon langzaam, maar toen nam haar hand het over en schreef ze moeiteloos. Het was alsof al haar gedachten die nacht op een rijtje waren gezet. Maar toen kwam ze bij die arme Duganjongen aan.

De Dugan-jongen baarde haar zorgen. Hij was te eenzaam, concludeerde Marianne, en meer dan goed was bereid om al zijn tijd te besteden aan het werken voor haar les. Ze wilde dat hij wat tijd nam om te genieten van zijn laatste jaar en er niet zo hard aan zou trekken. Als hij naar haar spreekuur kwam, had ze altijd het vreemde gevoel dat ze tegen een collega praatte in plaats van tegen een leerling. Dat bracht haar van haar stuk. Wat voor soort leven kon zo'n jongen leiden? En wat haar nog nerveuzer maakte, was dat de Dugan-jongen een briljante leerling was – hij kon het zich veroorloven de tijd te nemen om andere dingen te doen. Maar dat deed hij niet en hij offerde al die andere dingen die belangrijker konden zijn aan zijn studie op. Marianne vond hem niet oud genoeg om zijn leven zo drastisch in te perken, zich te specialiseren in kunstgeschiedenis en al het andere te negeren. Het baarde haar zorgen en ze wist niet wat ze moest doen.

Voor ze zichzelf kon afremmen, bedacht zuster Marianne dat

wat de Dugan-jongen nodig had, met een vrouw naar bed gaan was. Ze schoof het idee terzijde, maar stond wel in de verleiding om het op te schrijven: 'Dugan – met een vrouw naar bed.' Zuster Marianne lachte hardop.

Een andere zorg was een jonge vrouw in diezelfde eindexamenklas, die Packair heette, Jenny Packair. Ze... deed haar best niet.

'Bedoel je dat ze de boel bezwendelt?' vroeg Marlene toen Marianne het probleem ter sprake bracht.

'Nee! Ze zwendelt niet. Alleen, de ideeën in haar proefwerken lijken sterk op die van Edmund Gettier...'

'Lijkt het taalgebruik ook "sterk op" dat van Edmund Gettier?'

'Tja, tot op zekere hoogte, misschien, ik weet het niet goed...'

Edmund Gettier, de adviseur bij haar proefschrift en een eminentie in het vak, las een van de proefwerken die Marianne hem had gestuurd en had haar diezelfde avond teruggebeld. 'Dat meisje licht de boel op! Ze heeft een aantal van mijn beste dingen gestolen. Dit is net als toen ik in '71 in Hamburg lesgaf,' kreunde hij, en hij praatte verder over zijn tijd als leraar in Europa, toen hij een zwervende docent was voor hij aan het begin van de jaren tachtig een vaste leerstoel in Harvard aannam. 'Ze blijft pikken, als je haar niet onmiddellijk stopt! Doe er iets aan!'

Maar dat kon Marianne niet. De afgelopen twee weken, vanaf het moment waarop ze de... – onwettige toe-eigening, bij gebrek aan een betere uitdrukking – had ontdekt, had ze geprobeerd het probleem op te lossen zoals het hoorde. Maar het leek erop dat hoe meer ze bad, hoe minder wilskracht ze had. Dat gaf haar een ellendig gevoel.

Als een junkie die naar zijn volgende shot uitkijkt, bleef Marianne naar haar computer turen terwijl ze geen steek verder kwam met het Packair-probleem. De computer zoemde zacht en er vlogen stippels over het scherm. Ten slotte kon ze geen weerstand meer bieden, schoof haar aantekeningen opzij en begon te werken aan het project dat binnenkort van start zou gaan.

Ze had tonnen aantekeningen, nauwkeurig gerangschikt. Dit waren de researchaantekeningen over vorige restauratiepogingen, dit waren de veldberekeningen die Edmund afgelopen februari had gemaakt. In een ander bestand had ze een werkschema uitgewerkt voor de achttien maanden waarin ze aan het project zou werken. Elke week was zorgvuldig gepland, met pijltjes bij wat haar team en zij zouden doen als ze op het schema achter- of voorliepen. Ze wist dat ze eigenlijk brieven moest schrijven in plaats van aan haar project te werken – ze zou niet als Dugan moeten zijn. Maar de geest is willig en het vlees zwak. Zuster Marianne begon aan haar aantekeningen te werken.

Het was nog geen zes uur toen ze weer aan het project was begonnen te denken, maar het was tien minuten over zeven toen zuster Rose haar kantoor kwam binnenvallen.

'Marianne!'

'Hè?' vroeg ze, en ze keek zo schuldig alsof ze was betrapt met een naald in haar hand en een rubberband om haar arm geknoopt. Ze werd knalrood.

'Je gaat *alweer* te laat komen!' zei zuster Rose voor ze wegstoof, aangezien ze zelf al te laat was voor de vroegmis.

Ik ben te laat omdat ik verstrooid ben; jij bent te laat omdat je zo lang sláápt, zei ze bij zichzelf, en voelde zich onmiddellijk schuldig over zo'n gemene gedachte. Nog meer te biechten vanavond, dacht ze, en snel savede ze wat ze had gedaan. Ze begon haar aantekeningen voor de ochtendles te printen.

Terwijl de printer die vage ozongeur afgaf en langzaam haar les begon te printen, pakte zuster Marianne haar aktetas. Ze liep naar de printer bij het raam en bleef erboven staan kijken en wenste dat hij sneller ging. Dat deed hij niet. Ze zuchtte en keek op.

Buiten, door het raam, kon ze zuster Rose naar de kapel zien rennen die vijftig meter verderop lag. Zuster Rose liep de vooringang in op het moment waarop er een man in een Rotor-Rooter-overall uit de dienstingang aan de achterkant kwam. Het was een magere, donkerharige jonge man met een nonchalant allemansgezicht. Iets merkwaardigs om zeven uur 's ochtends, maar zuster Marianne schonk er geen aandacht aan terwijl de printer haar aantekeningen ophoestte. De afgelopen winter waren er bijna elke dag Rotor-Rooter-mannen uit die ingang gekomen en vlak langs Mariannes raam gelopen om te proberen 'aan te pakken wat niet te vatten is', zoals een van de mannen die aan de boiler werkten het zo gedenkwaardig had gezegd. Marianne zwaaide naar de jonge man, die op dat moment nog geen tien meter van haar kantoor af was, maar hij zag haar niet. Het weerspiegelende zonlicht op het raam maakte Marianne onzichtbaar voor alle mensen buiten.

Ze stond op het punt het raam open te doen om de jonge man te roepen toen de printer klaar was met haar aantekeningen en dat met piepjes te kennen gaf. Ze pakte de geprinte vellen op en tikte tegen de randen om een keurig stapeltje te vormen, terwijl ze rondkeek naar een bruine map. Toen ze opkeek, was de jonge man in het Rotor-Rooter-pak verdwenen. Ze zette haar aktetas op de vensterbank en borg haastig haar aantekeningen op, in het besef te laat te zijn voor de mis, wat ze niet leuk vond omdat het al de tweede keer die week was. Ze knipte haar aktetas dicht en toen ontplofte de kapel.

De ontploffing ging eerst naar buiten en daarna naar binnen. Geen vuur, maar grijszwarte puinbrokken vlogen uit de ramen van de kapel, terwijl het gebrandschilderde glas aan diggelen sloeg door de kracht van de explosie. Het dak, dat met shingles was bedekt, steeg op en leek daar te blijven hangen alsof het zweefde en overwoog wat het verder zou gaan doen.

De kapel was van natuursteen en cement gebouwd, stevig spul, alleen het dak en de ramen waren minder solide. Dus toen de boel ontplofte en het dak omhoogging, vlogen er lichamen – lichamen van nonnen in zwarte kleren en bloeddoorweekt – uit de ramen en het dak, alsof de hele kapel een pan was die met één klap aan de kook was geraakt en overkookte. Maar er kwam geen scheurtje in de muren.

Lichamen vielen op het omliggende gras, brandend, verminkt, opengereten, gebroken, dood. Zuster Marianne keek niet-begrijpend en met een leeg bewustzijn toe hoe het dak terugviel op zijn plaats en in de kapel stortte. Toen kwam haar bewustzijn terug.

Ze rende haar kantoor uit, alles achterlatend. Ze vloog de kloosterzalen door, schoot de voordeur uit naar de ruïne van de kapel, en trok al rennend haar zwarte habijt uit tot ze bij haar brandende zusters aankwam. Met haar overkleren, zo groot als dekens, probeerde ze de vlammen te doven die sommige nonnen rond de kapel verbrandden, zonder te herkennen welke non wie was.

Er was vreemd genoeg geen geluid. Geen schreeuw, geen klap, geen scheurend lawaai. Alleen het geluid van een grote ballon die knapt en daarna het geluid alsof er een reusachtig stuk papier werd verfrommeld tussen twee grote handen toen het dak instortte. Geen enkel ongewoon geluid.

En de aanblik van de ontploffing was zonderling genoeg gewoon, zelfs zoals je het verwacht. Een paar pollen gras stonden in brand, het keurige gazon om de kapel was tien meter in de rondte zwartgeblakerd. De kapel zelf – de stevige muren stonden nog, maar de rest was verwoest – zag er heel gewoon uit, zozeer deed het gebouw denken aan gebouwen gezien in een oorlog of na een verschrikkelijk oproer. En zelfs de aanblik van de lichamen was als verwacht. Marianne had ze allemaal al een keer gezien, talloze malen, op televisie, in films, op foto's. Het beeld was al genoeg cliché geworden om normaal te zijn.

Maar schokkend was de gewaarwording. Marianne voelde haar voeten verschroeien, zelfs door de dikke zolen van haar schoenen heen. De lucht was vochtig maar koud, een sterke wind waaide naar de kapel alsof daar een zwart gat was dat de lucht van de wereld opzoog. En de lichamen van de nonnen die zuster Marianne aanraakte... ze hadden de consistentie van warme was.

Terwijl ze de vlammen van de brandende nonnen uitsloeg, leken haar handen in de lichamen te zakken, alsof die eerst haar armen wilden opzuigen en ze daarna van haar schouders rukken. De kapotte lichamen van haar zusters waren zwarte logge massa's boetseerklei, het soort plasticine dat zuster Marianne vorig jaar aan haar nichtje had gegeven, het soort dat ze nu aanraakte.

Marianne sloeg de vlammen van een van de nonnen uit en liep daarna naar de volgende in een poging te zorgen dat ze niet verbrandden, en als het alleen maar de warmte en de wasachtige weekheid was geweest, was dat al genoeg geweest – erg genoeg, maar genoeg. Er was echter meer.

Sommige lichamen voelden niet aan als warme was. Sommige lichamen waren hard en stijf en ze gaven niet mee. En *die* lichamen... schilferden af. Ze schilferden stukken vlees.

Zuster Marianne keek weg van het lichaam waarvan ze de vlammen probeerde neer te slaan, het lichaam van zuster Danielle dat akelig smeulde en elk moment weer vlam kon vatten. Marianne had haar ogen dichtgedaan toen ze wegkeek en toen ze ze weer opendeed, zag ze nauwelijks twee meter verderop het middel, de geslachtsdelen en benen van een non, naakt, haar kleren van haar lijf geblazen. Er zat geen romp aan dit onderlijf.

De laatste restjes van zuster Mariannes bewustzijn zakten barmhartig weg. Ze functioneerde, maar God was goed en stelde haar niet langer in staat om waar te nemen.

Rotor-Rooter-man met een wapen. Sirenes. Er klonken sirenes. En biefstukken. Er werden biefstukken gebakken. En toen waren er mannen en vrouwen in vuilgele jassen en met helmen op en ze bleven staan en bedekten hen en duwden hen opzij en toen waren er fel brandende platte lichten en toen was er geluid en toen was er duisternis en toen was er stilte en toen was er niets, niets, helemaal niets.

Chisholm zat achter haar bureau op de ochtend waarop de kapel ontplofte. Het toeval wilde dat ze aan een project werkte dat Aartsengel heette.

Die naam had geen betekenis. FBI-naspeuringen krijgen altijd willekeurige namen, niet alleen om de omvang van het onderzoek te maskeren maar ook om te zorgen dat de agenten ze onthielden. Vanaf het moment waarop Rivera haar tot zijn troubleshooter had gemaakt, was Chisholms eenheid begonnen aan zevenentwintig onderzoeken, vanaf Amabile (illegale immigranten die de grenswacht in New Mexico omkochten) tot Zijlijn (oneigenlijk gebruik van de fotokopieermachines in het Hoover-gebouw, o, o, o). Maar de zevenentwintigste zaak, Aartsengel, was ongewoon.

'Sanders,' riep Chisholm, terwijl ze een paar ondervragingen doorkeek die op haar bureau lagen uitgespreid. 'Haal even dat verslag van de verhoren inzake Robert Hughes.' Er verscheen geen Sanders, dus keek Chisholm op.

'Sanders? Sanders!'

Howie Sanders stond tussen een stel agenten van Chisholm, die allemaal naar de televisie aan de muur keken. Het rotkereltje – of liever gezegd de monsterlijke massieve rotkerel met zijn goedkope broek en witte overhemd en zijn dienstrevolver in zijn schouderholster – had haar niet gehoord, zozeer werden ze allemaal in beslag genomen door wat de televisie liet zien.

'Sanders, godverdomme, kom je hier of niet?'

Sanders draaide zich om, zag hoe zijn baas keek en voelde zich ietwat zenuwachtig. Pratend stapte hij op Margaret Chisholm af. 'Maggie, je zult niet geloven wat er is gebeurd – ze hebben een nonnenklooster in New Hampshire opgeblazen.'

'Wie?' vroeg ze ongeïnteresseerd.

'Ze, niemand weet het. Waarom zou iemand een stel nonnen willen doden?'

'Geen idee waarom ze een stel pinguïns koud willen maken, maar ik weet wél waarom ik een van mijn assistenten koud wil maken – Aartsengel. Weet je nog, dat zaakje waar we al twee maanden aan werken? En dat geen resultaten oplevert omdat mijn agenten het te druk hebben met tv-kijken?' zei ze geringschattend, terwijl ze naar het groepje bij de televisie keek. Ze deden alsof ze haar niet hoorden, maar gingen toch weer aan hun respectievelijke werk. Moraal, dacht Margaret. Niet goed wanneer een grote zaak geen resultaten oplevert.

'Maar Maggie...'

'Aartsengel, Sanders. *Aartsengel.* Vandaag.'

Howie Sanders sjokte weg om het verslag van Hughes te zoeken. Aartsengel was de afgelopen drie weken op een dood spoor gekomen en de druk was zichtbaar. Zonder nieuwe aanwijzingen had Chisholm de gewoonte om uit de buurt te blijven bij Rivera, die niet blij was met wat hij kreeg, namelijk niets. *Elke dag kan de bijl neerkomen.* Het beeld deed haar denken aan het afgelopen weekend, dus schoof ze het opzij, zwoegde door de dossiers en veldrapporten, maar niet voordat ze een glimp van de televisie had opgevangen. Het was op CNN, live. De cameraman maakte een zwenk en stelde scherp op een vrouw met kort, kastanjebruin haar, gekleed in wat eruitzag als een onderjurk of nachthemd. Ze zat op de treeplank van een brandweerauto. Daaroverheen dreunde de stem van een onzichtbare reporter almaar door. De brandweerman probeerde de cameraman weg te jagen, maar die ging gewoon verder. De vrouw in het witte nachthemd zag er totaal verloren uit. Daarna kwam er nog wat eerder gefilmd materiaal.

'...was als eerste ter plaatse, de beelden zijn, zoals u ziet, schokkend en...'

Op de achtergrond was de verwoeste, opgeblazen kapel duidelijk zichtbaar. Op de voorgrond lagen geblakerde massa's, verbrande lichamen overal verspreid en dezelfde vrouw in het witte nachthemd rende rond met een zwarte cape en leek, bizar genoeg, op een matador. Maar de vrouw was niet bezig een dier uit te lokken – ze gebruikte de zwarte cape om de verkoolde lijken te doven, waarvan sommige echt in brand stonden, terwijl andere alleen maar smeulden.

Zuster Marianne was zich op dat moment niet bewust van wat ze deed. Op de film was duidelijk te zien dat ze er geen erg in had dat ze werd gefilmd. Maar de cameraman van het televisiestation, die voor het een of andere tomatenfestival in New Hampshire was, vond het geweldig dat hij dit kon draaien, en zijn producer ook. Geen van beiden dacht eraan de non te helpen. De producer dacht aan het aspect 'menselijk drama' van het verhaal. De cameraman hoopte dat hij genoeg videotape had om het allemaal op te nemen.

'...U kunt zich geen voorstelling maken van de menselijke tragedie van het gebeurde. De lijken van de nonnen liggen overal rond dit vredige klooster in New Hampshire...'

Op het beeldscherm arriveerde de eerste brandweerman met een grote wagen, waarachter twee andere wagens raasden over een weg die om de achterzijde van het klooster boog. Een paar brandweerlieden uit de eerste wagen, een man en een vrouw, grepen zuster Marianne om haar van de lijken weg te voeren, terwijl de andere brandweerlieden zich opmaakten om de rest van de brand te blussen en de verbrande nonnen te helpen. Maar dat was niet echt nodig, en dat wisten de brandweermannen, die allemaal geschokt en gelaten keken terwijl de camera maar doordraaide.

De video ging over naar een live shot van een reporter met de ontplofte kapel vlak boven zijn schouder. Daarna zwenkte de camera nogmaals naar Marianne terwijl drie mensen, een superieur van de New Hampshire-politie en een paar rechercheurs, op de non af liepen en het beeld van de camera blokkeerden.

Marianne was verloren. Stukje bij beetje keerde haar waarnemingsvermogen terug, kwam ze druppelsgewijs weer bij bewustzijn, een teil die volliep met gegevens, emoties en daarna afschuwelijke, vaststaande wetenschap. Ze keek op en zag een man en een vrouw, Colby en McKenna, die bij haar op hun knieën zaten en de politieman die erachter stond.

'Zuster?' vroeg de vrouw. 'Ik ben agent Georgina Colby van de FBI. We moeten u een paar vragen stellen.'

'Wat?' vroeg Marianne. Ze had de woorden duidelijk gehoord, maar ze zeiden haar absoluut niets.

McKenna keek naar Colby en daarna de andere kant op. De non had hem te veel doen denken aan zijn moeder, Clara, en haar Alzheimer.

Colby drong aan. 'We moeten u een paar vragen stellen. Misschien zou het een goed idee zijn om een paar kleren voor u te halen. Hebt u kleren?'

'In mijn cel,' zei Marianne afwezig, waardoor Colby dacht: *Is ze non of strafgevangene*, voordat ze zich realiseerde wat de zuster bedoelde.

'Goed, die laten we halen. Laat u ons even zien waar ze zijn? Waar is uw cel?'

Zuster Marianne stond op en wierp een blik op de kapel. Toen begon ze te beven, heel erg te beven. Maar de camera's zagen dat niet. De politieman was voor één keer blij dat hij te dik was. Hij was zo groot en zo corpulent dat hij het beeld van de camera's blokkeerde.

Edmund Gettier was als eerste ter plaatse. Tijdens zijn ochtendlijke wandeltocht naar zijn kantoor in Cambridge, schakelde zijn radiowalkman zoals altijd over naar het nieuws, en er kwam een speciale reportage over een Opus Dei-klooster in New Hampshire dat in de lucht was geblazen. Hij wist dat het Mariannes klooster moest zijn, ten noorden van Massachusetts stond er in heel New England geen enkel ander klooster. Hij rende dus naar de dichtstbijzijnde betaalautomaat, haalde er zoveel geld uit als het ding hem wilde geven, riep een taxi aan, sprong erin en zei met zijn eigenaardige afgebeten accent: 'Ik wed om vijftig dollar dat je niet binnen de tien minuten naar Logan Airport kunt rijden.'

'Aangenomen, makker.'

Hij merkte nauwelijks op dat hij de weddenschap verloor, zozeer was hij bezig met het bericht dat hij had gehoord. De vlucht naar Lebanon, het dichtstbijzijnde vliegveld bij het klooster, duurde vijfendertig minuten, tien minuten sneller dan gemiddeld, op het oog een record, maar tijdens de vlucht draaide hij zijn radio van het ene station naar het andere, op zoek naar meer nieuws en hij besteedde meer aandacht aan wat hij hoorde dan aan de vlucht of de razende rit met de taxi die hem van Lebanon Airport naar het politiebureau van Lyme bracht.

Dus tegen halfnegen, precies een uur nadat hij het nieuws had gehoord, zette hij eindelijk zijn koptelefoon af, stopte zijn radio in zijn zak en liep op het politiebureau af. Het krioelde er van de persmensen.

Het politiebureau van Lyme was niet gewend aan al die aandacht. Tenslotte was het maar een klein stadje. Bij de balie in de hal bestookten reporters – zowel plaatselijke als landelijke – de dienstdoende brigadier in de hoop iets los te krijgen dat ze konden opschrijven, wat dan ook. De brigadier had eerst nog geprobeerd beleefd en behulpzaam te zijn, maar had zijn buik al vol van de journalisten. Vriendelijkheid leek hun totaal koud te laten – ze wilden citaten, verhalen, iets waarmee ze wat konden. Tot Edmund Gettiers opluchting waren er hier geen camera's, alleen zwermen reporters met recorders, die op de brigadier (die wel wat beters had te doen) afstoven en daarna in de hal roezemoesden. Iedereen wist heel goed dat het *echte* verhaal op de plaats van de explosie was.

De bomaanslag zou zeker het nationale nieuws halen... als het een bomaanslag *was*. Zo niet, zo hadden de nieuwsproducers al bedacht, dan konden ze het brengen als de ironie van Gods toorn die op een kapel vol nonnen neerdaalt, een morbide soort geestigheid die ze leuk vonden zolang het ten koste van iemand anders was. Dus als het de 'toorn van God' werd, zouden de reporters zoveel mogelijk 'human interest'-verhalen nodig hebben om het verhaal een paar keer uit te melken – vandaar de reporters hier op het politiebureau.

De professor baande zich door de menigte journalisten een weg naar de brigadier, die hem negeerde. 'Ik ben Edmund Gettier,' zei hij beschaafd articulerend tegen de brigadier.

'U ziet er niet uit als de paus en zelfs dan komt u nog niet binnen,' zei de man, veel grover dan hij ooit had gedacht te kunnen zijn.

'Ik ben de vader van een van de zusters,' zei Gettier, een enorme fout van hem. De brigadier kreeg serieuzere aandacht voor hem, maar dat gold ook voor alle reporters, die zich onmiddellijk op hem stortten als op vers vlees.

'Welke non?'

'Verdomme, waar is godverdomme een camera?'

'Wat voelt u nu u niet weet of uw dochter dood is?'

'Denkt u dat uw dochter door een bom is gedood?'

'Hebt u iets te zeggen over die bomaanslag?'

'Denkt u dat een pro-abortusgroep verantwoordelijk is voor de aanslag op uw dochters klooster?'

'Denkt u dat dit een anti-katholieke reactionaire actie is?'

Terwijl de brigadier hem naar achteren leidde en tegelijkertijd de reporters wegmepte, bleef die laatste zin in Gettiers hoofd hangen, 'reactionaire actie'. *Wat is dat voor een uitdrukking?* dacht hij onbenullig, te verrast om logisch na te denken over wat hij zojuist had gezien.

De deur aan de achterkant van de hal werd open gezoemd en Gettier en de brigadier liepen een lange witte gang door, een beeld dat een van de reporters deed denken aan Abbott en Costello – de Europees klinkende lange, elegante man met vlinderdas en de gewapende brigadier als een kleine, dikke, schommelende Emmet. Ze verdwenen uit het zicht omdat de deur dichtging.

'Wedden dat deze zaak iets te maken heeft met die brandstichtingen in die kerken in het Zuiden?'

De reporters hitsten elkaar op.

Gettier werd via een gang naar de deur van een verhoorkamer gebracht, waar hem werd verzocht te wachten. Even later kwam Colby naar buiten en stelde zich voor.

'Bent u de vader van een van de nonnen?'

'Een leugen om bestwil,' zei hij. 'Ik ben een collega van een van de nonnen, zuster Marianne. We kennen elkaar goed, we hebben samen boeken geschreven. Is ze ongedeerd? Het nieuws zei niets over overlevenden.'

'En uw naam is...?'

'Edmund Gettier. Is ze ongedeerd?' vroeg hij met iets meer kracht en wanhoop.

'Mag ik een identiteitsbewijs zien?'

'Natuurlijk.' Gettier haalde zijn bibliotheekkaart van Harvard te voorschijn, de enige identificatie met foto die hij die ochtend bij zich had, aangezien hij niet kon rijden. Colby onderwierp de kaart aan een nauwkeurig onderzoek alvorens die terug te geven.

'Neem me niet kwalijk, maar een heleboel reporters hebben geprobeerd binnen te komen,' zei ze, en Gettier slaakte een diepe zucht van opluchting.

'Hij haalde nog een keer diep adem en zei: 'Kan ik Marianne zien?'

'Hoe wist u dat ze ongedeerd was?'

Gettier fronste zijn wenkbrauwen en keek op agente Colby neer. 'U kijkt niet alsof er iets ernstigs met haar is gebeurd.'

'Wat een observatievermogen. Het gaat goed met haar,' zei ze. 'Ze was te laat voor de ochtendmis in de kapel waar de ontploffing heeft plaatsgehad.'

'De boiler, hè?'

'Pardon?'

'Ik zei de boiler. De afgelopen winter waren er voortdurend problemen met de boiler, die nooit helemaal zijn opgelost.'

'Ja, ja. De boiler,' zei ze... en nu wist ze hoe ze de pers ging aanpakken. 'Wilt u de zuster zien?'

'Erg graag.'

Colby deed de deur open voor Gettier en zag dat de non hem onmiddellijk herkende. Dus deed Colby de deur dicht om hen alleen te laten en liep naar de reporters om hun een eerste informatie te verschaffen: kennelijk een defecte boiler, geen bom.

Gettier, alleen met zuster Marianne, trok haar tegen zich aan. Ondersteunde haar, zo realiseerde hij zich – haar benen hadden het begeven.

Tegen elf uur was ze uitgesproken. Het privilege en de vloek van een geschoolde geest is dat woorden lijken als een kist gereedschap, gereedschap dat gebruikt dient te worden om elk moment, elk gevoel, elke gewaarwording en emotie terug te halen tot de machine weer werkt en klaar is voor zijn missie vol kwelling en herhaling. Dat was wat haar woorden in het begin voor haar deden – ze herhaalden de explosie en gingen telkens weer terug. Maar net als bij een tikkende klok en een stel schroevendraaiers, of als bij een lopende motor en een moersleutel, konden taal en woorden de machine uit elkaar halen en stopzetten en nutteloos of onschadelijk maken. En dat is wat ze deed: ze bleef doorgaan met alle woorden in haar gereedschapskist, werkte dwangmatig aan de machine en stopte niet voordat alle discrete onderdelen uitgespreid op haar werkbank lagen. De woordenstroom droogde pas op toen de machine eindelijk totaal stilstond. Voorlopig.

Edmund Gettier luisterde naar dat alles. Hij wist niet wat hij anders kon doen. Hij bleef zitten luisteren en masseerde haar schouders, oud genoeg om zich niet schuldig te voelen dat hij niets anders deed, oud genoeg om te beseffen dat hij niets anders *kon* doen. Hij liet haar gewoon door zijn opluchting om het feit dat ze ongedeerd was, heen praten. Marianne sprak door tot er niets meer te zeggen was.

Rond elf uur kwam Colby weer even binnen om te vragen of ze Gettier een ogenblik kon spreken. Gettier liep weg na een klopje op Mariannes hand en een droevige glimlach.

'Ik ben zo terug,' zei hij. Marianne knikte, te moe om iets te zeggen. Een politieagente in uniform, Trish, kwam de verhoorkamer binnen en ging op enige afstand van Marianne op de bank zitten. Een klein deel van Marianne besefte dat de vrouw er was om te verhinderen dat ze zichzelf iets aandeed. Ze kon de energie niet opbrengen om dat amusant te vinden. In plaats daarvan keek ze uit het raam en staarde naar een kleine richel in de verte, groen en licht bebost maar zonder mensen.

Gettier en Colby liepen de gang door naar een andere verhoorkamer: hier was het kouder, een verhoorkamer voor verdachten en misdadigers. Ze gingen aan een tafeltje tegenover elkaar zitten. Colby haalde een stenoblok en een kleine zakrecorder te voorschijn.

'Dank u. Dit is officieel,' begon ze, terwijl ze de recorder aanklikte en op tafel zette. 'Ik wil u vragen naar enige achtergrondinformatie over zuster Marianne en haar klooster. Volgens de regels moet ik u zeggen dat u er een advocaat bij mag hebben.'

'Dat zal niet nodig zijn.'

'Gelukkig. Sommige mensen denken dat, omdat je vragen stelt, je hen van iets beschuldigt,' zei ze glimlachend in een poging het ijs te breken. Maar Gettier reageerde niet, dus werd Colby serieus.

'Goed, dit vraaggesprek is officieel: uw naam en relatie tot de getuige, alstublieft.'

'Mijn naam is Edmund Gettier. Ik ben hoogleraar kunstgeschiedenis aan de universiteit van Harvard. Zuster Marianne was een studente van me. Ze geeft nu les op Dartmouth,' zei hij met enigszins arrogante, koele stem. Maar verdorie, Colby werd niet verondersteld de man aardig te vinden, alleen uit te horen.

'Maar u blijft contact houden.'

'Natuurlijk,' zei hij, terwijl McKenna, Colby's partner, de verhoorkamer binnenkwam en bij de deur bleef staan.

'Zuster Mariannes echte naam is Faith Crenshaw, klopt dat?'

'Ja.'

'Dus u bent goed met haar bevriend?'

'Het feit dat ik haar naam ken, maakt me nog niet "goed bevriend". Maar het klopt, ja.'

Gettier zei verder niets, zodat Colby zich voorover moest buigen en met haar hand gebaren. 'Ja, u...?'

'Ja, ik wat?' vroeg Gettier, die haar ernstig aankeek.

Colby fronste. 'U komt niet uit dit land,' verklaarde ze, in de hoop dat de slechte communicatie een taalprobleem was. Dat was het niet.

'Klopt,' zei hij afstandelijk. Colby zuchtte. Ze had gedacht dat dit gemakkelijk zou zijn. Maar nu zij iets van Gettier wilde in plaats van omgekeerd, realiseerde ze zich dat hij haar alleen iets zou zeggen als ze er specifiek naar vroeg. Ze had de pest aan dat soort getuigen.

'Sinds wanneer en onder welke omstandigheden hebt u zuster Marianne gekend?' vroeg ze zonder enige intonatie.

'Ik ken haar nu vijftien jaar, vanaf de tijd vlak nadat ze haar gelofte had afgelegd en non werd, vlak nadat ik op Harvard begon te doceren. Ik heb haar doctoraalscriptie over renaissance-architectuur begeleid.'

McKenna liep naar een van de lege stoelen tegenover Gettier en ging zitten terwijl hij vroeg: 'Weet u iets van haar achtergrond af?'

'Een beetje,' zei hij, het daarbij latend.

'En?' vroeg McKenna.

Gettier zuchtte neerbuigend. 'Haar familie woont in New York, uiterst prominente bankiers, naar ik heb begrepen. Ze heeft een oudere broer die getrouwd is en in Japan woont.'

'Hoe zit het met haar werk?' vroeg Colby.

'Op haar vakgebied is ze zeer gerespecteerd. Ze heeft vorig jaar zelfs een behoorlijke opschudding teweeggebracht.'

Misschien een aanwijzing. 'O ja?'

Gettier glimlachte om McKenna's interesse en keek hem terloops aan, als van ver weg. 'Op haar vakgebied. Ze heeft een uiterst controversieel boek over de bouw tijdens de renaissance gepubliceerd.'

'O.'

Colby onderdrukte een glimlach en ging door met schrijven in haar blocnote, en zei zonder Gettier aan te kijken: 'Wat weet u van haar orde af? Ze is van Opus Dei, klopt dat?'

'Onmiskenbaar,' zei hij, met de natuurlijke, neerbuigende stem van een geboren docent, 'aangezien het klooster een Opus Dei-klooster was.'

Colby's glimlach trok weg. Een onaardige vent, die Gettier. 'Weet u iets van hen af?'

'Eerlijk gezegd erg weinig. Nu ik erover nadenk, hebben Marianne en ik nooit over haar orde gesproken.'

'We hebben gehoord dat ze nogal controversieel zijn,' kwam McKenna ertussen. 'U hebt zeker geen idee waarom iemand hun kwaad zou willen berokkenen, hè?'

'Ik dacht dat het de boiler was,' zei Gettier, die aandachtig naar Colby keek. Colby had haar partner kunnen wurgen. Ze kromp ineen toen hij verderging.

'Maar als dit opzet was, kent u dan iemand die erachter kan zitten?'

Gettier verlegde zijn hooghartige, afstandelijke blik naar McKenna en pauzeerde even voor het effect. 'Nee, geen idee. Voorzover ik weet, is Gods toorn zonder een enkele reden op hen neergedaald.'

In de prettig gemeubileerde verhoorkamer stond Marianne op om rond te lopen. Trish, de vrouwelijke politieagent, hield haar scherp maar onopvallend in de gaten. Ze was een grote, zware vrouw en als die non iets ging proberen... ze ging niets proberen.

Marianne liep verloren de ruimte rond, raakte alle dingen gedachteloos aan en richtte haar aandacht op het raam, terwijl ze haar hand plat op het glas legde en naar de verre richel keek.

Ze zag iets, in de verte, onduidelijk. Maar ze had scherpe ogen. Op ongeveer honderd, honderdtien meter zag zuster Marianne het gezicht van die anonieme jonge man weer, de man in het Rotor-Rooter-pak van die ochtend, boven de richel uitsteken en haar recht aanstaren. Hij keek naar haar door een telescopisch vizier.

De kogels reten het glas open, kleine scherfjes sprongen weg en hagelden op zuster Marianne neer, terwijl de stevige Trish uit haar stoel sprong, de non teckelde en op de grond wierp. Dat deed ze met zoveel kracht dat ze bijna een van Mariannes ribben brak.

De kamer regende vol met nog meer stukken glas, maar Trish wist dat ze veilig waren, onder de hoek van de baan van de kogels. Ze rukte haar mobilofoon te voorschijn om hulp in te roepen en onderzocht instinctief Marianne op kogels. Trish wist dat glas versplinterde. Ze wist niet dat kogelvrij glas dat ook deed.

DEEL 2

HET TRILLENDE OOG

VIER

Zaak C
(bruggen slaan)

Z e bekeken het op video, die moderne getuige met de onaan-
tastbare reputatie.

Rivera en Chisholm zaten alleen in de middelgrote vergaderzaal aan een ovale tafel, die groot genoeg was voor twaalf mensen.

Mario Rivera, lang, dik, levend in de wereld van goedkope ka-
toenen pakken en nog goedkopere bedrukte dassen, zat aan het
hoofd van de tafel en leek veeleer op een onbelangrijke Bostonse
politieman dan op een onderdirecteur van de FBI. In zijn mollige,
weke handen draaide rusteloos een zwarte afstandsbediening,
terwijl hij naar de televisie in de wandkast naar de video staarde.

'Dit is Zaak C,' gromde hij zonder naar Chisholm te kijken.
'Die behandelen wij.'

Chisholm reageerde niet. Gekleed in een discreet mantelpak
zat ze rechts van Rivera achterover in haar stoel en keek slechts

naar flarden van de video alvorens naar het dikke bruine tapijt te staren. De video maakte haar misselijk.

Noch Rivera, noch Chisholm had veel vertrouwen in de videoband. Alles wat buiten het kader van de lens lag – de motieven, de verklaringen, de waarheid, dat alles bleef verborgen en daarom onbekend. Maar desondanks keken ze, als door een raam, en probeerden te bedenken wat er vlak achter dat gezichtsveld lag.

Dit filmmateriaal zou het avondnieuws niet halen. Het was meer dan schokkend. Het toonde de overblijfselen van de kloosterkapel.

Geblakerde lichamen met afgerukte ledematen lagen op het groene gras. Verscheidene stukken van het geschoren gazon waren beroet en rookten, op andere plekken was het kennelijk nodig geweest om er de brandspuit op te zetten. Alle lichamen smeulden. Er lag een geblakerde homp op het ongerepte gras, met iets zwarts erachteraan. Nieuwsgierig naderde de cameraman met vaste hand, daarna slingerde het beeld even en werd weer onbeweeglijk. De homp ter grootte van een basketbal was het hoofd van een non, haar habijt bedekte haar haar en waaierde uit over het groene gras. Ze had zwart haar gehad dat bij de slapen grijs werd. Uitgesloten dat dit ooit op de buis kwam.

'Tweeëntwintig dode nonnen, op een haar na drieëntwintig,' zei Rivera, die gefascineerd naar het scherm staarde. 'De enige overlevende is ene zuster Marianne en die is bijna neergeknald op het plaatselijke politiebureau. Als er geen kogelvrij glas in het raam had gezeten, zou ook zij dood zijn.'

'Kun je dit afzetten?'

Rivera wierp een blik naar Chisholm en klikte per ongeluk de televisie uit in plaats van de videorecorder, wat ook prima was. Nu het scherm opeens zwart was, kon Chisholm doen alsof ze zich alles wat ze daar had gezien, had verbeeld.

'We hebben een stel agenten ter plaatse, Colby en McKenna. Die zuster Marianne zegt dat ze vlak voor de ontploffing een man in Rotor-Rooter-kleren uit de kapel heeft zien komen. Ze zegt dat het dezelfde man was die op haar geschoten heeft. We hebben een tekenaar in Burlington en die praat momenteel met haar. Labrapporten zijn gistermiddag binnengekomen en let op: gewone ouderwetse kwikontstekingen en een goedkope draadloze starter, maar een cellulose omhulsel.'

Chisholm floot. Haar ogen waren leeg, stonden op automatisch. Chisholm wist dat ze die nacht heftige nachtmerries over haar zoon zou hebben.

'Ja, daar mag je om fluiten. Echte slechte jongens. Echte in- en inslechte jongens. Door vergelijkbare zaken die we via Interpol hebben binnengekregen, weten we dat het spoor naar Sepsis leidt.'

Dat was genoeg om haar af te leiden van wat ze had gezien. Chisholm keek voor de eerste keer sinds de start van de video naar Rivera en ging in gedachten na wat ze over Sepsis wist.

Hij was de nieuwe Carlos, een uiterst kwaadaardige huurmoordenaar. Zes of zeven jaar geleden was hij op het toneel verschenen en hij was geen persoon om mee te sollen, zeker niet als er geen foto's van hem waren, geen sporen naar hem liepen en al helemaal niet als er geen informanten waren om hem uit zijn hol te jagen.

In politiefilms en nieuwsprogramma's is de kit altijd slim en intelligent, maar dat is slechts televisie. Het gewone politiewerk, op welk niveau dan ook en in welke situatie dan ook, leunt veel meer op de verklikkers dan op speurders, omdat er om wat voor redenen dan ook – morele, praktische of psychologische – gewoon erg weinig mensen op deze aarde zijn die in hun eentje een moord kunnen beramen en uitvoeren zonder tegen de lamp te lopen. Iemand in de omgeving van de moordenaar weet wie het heeft gedaan en die iemand praat uiteindelijk altijd zijn mond voorbij.

Maar een man die wél zonder medeplichtigen een moord kon plegen, had per definitie niemand die hem kon aangeven. Dat is het probleem met seriemoordenaars: ze moorden solo en de geksten onder hen doen het niet eens bewust. Het kost de politie jaren om ze te pakken, niet omdat politiemensen stom zijn, maar omdat er niemand is die hen kan verklikken.

Dus een man die op bestelling kan moorden zonder er medeplichtigen bij te betrekken en zonder enig ander motief te hebben dan geld – zo'n man is onbetaalbaar en bijna niet te grijpen. Niemand kan hem verklikken en aangezien hij het voor geld doet, heeft hij geen motief en dus geen connectie met het slachtoffer. Als hij niet jammerlijk slordig wordt of pech krijgt, zal er geen bewijs op tafel komen om hem te beschuldigen.

Zo'n man was Sepsis, alias Gaston Fremont, alias Guillermo Covarubillas, alias Helmut Vollmann, alias nog een half dozijn schuilnamen. Sepsis was de Carlos van deze tijd, hij moordde foutloos, bijna chirurgisch, meestal zonder bijkomende schade of in ieder geval nooit veel. En anders dan Carlos zat er bij Sepsis niet eens een snufje politieke motivatie bij – hij moordde uitsluitend om het geld.

Hij had zijn naam aan het begin van zijn loopbaan gekregen door een serie autobomaanslagen waarmee een stuk of vijf Zwitserse hoge bankmensen werden gedood voor een Boliviaanse drugskoning, waarbij de auto's 'uit elkaar barstten als openspringende bloedlichaampjes', zoals een politiecommandant in Zürich het had beschreven.

De eerste drie jaar van zijn loopbaan was Sepsis uitsluitend een bommenlegger geweest en had alles opgeblazen. Maar daarna had Sepsis het opeens hoog in zijn bol gekregen en begon veel verfijndere moordmethodes te gebruiken – de moord op een IRA-informant waarvan de Engelsen de schuld kregen, de wurgmoord op een voormalige Oost-Duitse Stasi-man in zijn eigen gevangeniscel, een spectaculaire moord met één kogel op een Canadese politicus op klaarlichte dag en het over een periode van zes dagen stelselmatig uitroeien van de volledige familie van een CIA-informant in Egypte, waaronder het wurgen van het drie maanden oude kind van de man – zonder dat de informant zelf een haar werd gekrenkt.

Sepsis was een moordenaar voor geld. En het gekste aan hem was: hij heette hooguit vierentwintig jaar oud te zijn, waardoor hij, als het waar was (en dat was een grote vraag), veel te jong zou zijn om meer dan een uiterst oppervlakkig, onschadelijk papierspoor achter te laten. Het liet ook de voor de hand liggende vraag open: waar had hij verdomme al die training gehad?

'Zegt de naam Sepsis je iets?'

'Genoeg om te weten dat ik zou moeten passen, Mario.'

'Sorry, maar ik wil dat jij hem voor je rekening neemt.'

Chisholm sloeg haar ogen ten hemel. 'Ik werk aan Aartsengel,' zei ze.

'De pot op met Aartsengel,' snauwde Rivera. 'Daar zit je nu al twee maanden aan en je hebt nog niks. Ik heb heus wel gezien dat je me de laatste tijd uit de weg gaat, dus weet ik dat je geen resultaten hebt geboekt. Aartsengel is een onopgeloste zaak. Dit is belangrijk, Maggie. Die Sepsis-troep heeft al die nonnen heel erg doodgemaakt. Ik wil dat je hem uitschakelt.'

74

'Mario, ik heb mijn handen vol. Ik kan niet nog eens een belangrijk onderzoek beginnen. Neem Willis. Of Jakobson.'

'Jij bent mijn troubleshooter, Maggie. Zet Aartsengel in de ijskast en help dat Sepsis-probleem uit de wereld.'

Ze zuchtte, wetend dat ze zou toegeven. 'Hoe erg heb je dit nodig, Mario. Ik bedoel, hoever kan ik gaan?'

Hij glimlachte en leunde achterover. 'Als jij die klootzak te pakken krijgt, mag je zijn vingers afhakken en dan kus ik je mooie kontje in plaats van ertegen te trappen. Goed genoeg?'

'Goed genoeg,' zei ze en ze legde zich erbij neer dat ze Aartsengel kwijt zou raken.

'Maar je zult niet alleen zijn,' voegde Rivera eraan toe, niet al te opgewekt. Hij zette zich schrap voor Margaret Chisholms woede-uitbarsting.

'Hè?'

'De CIA speelt ook mee,' zei hij, terwijl hij de telefoon greep en erin praatte.

'CIA! CIA! Dit speelt zich op Amerikaanse bodem af! De CIA doet alleen het buitenland, dit is mijn speelveld!' barstte ze uit toen Rivera ophing, opstond, naar de deur van de vergaderzaal liep en heel slecht speelde alsof hij niet hoorde wat hij hoorde. En Rivera wist dat dit voor Margaret nog maar het begin was. De reden waarom hij zijn volgende afspraak onmiddellijk na deze briefing had gezet.

'Nee, uitgesloten,' ging ze verder toen Rivera bij de deur was en die opendeed. 'Ik *weiger* die zaak te doen met een paar viezeriken van de CIA om mijn nek.'

Rivera draaide zich om naar Chisholm, terwijl zijn twee gasten voor de volgende afspraak binnenstapten.

'Margaret, dit zijn Keith Lehrer en Nicholas Denton van de CIA,' zei hij.

'Altijd prettig om gewaardeerd te worden,' zei Denton, terwijl hij binnenkwam met zijn haaienglimlach. Hij was buitengewoon geamuseerd.

Rivera dirigeerde Lehrer en Denton naar een paar stoelen tegenover Chisholm, links van Rivera, liep terug naar het hoofd van de tafel en stelde iedereen aan elkaar voor. 'Agent Margaret Chisholm, dit is onderdirecteur Keith Lehrer en assistent-onderdirecteur Nicholas Denton.'

75

Chisholm nam niet de moeite haar hand uit te steken, waardoor die van Denton in de lucht bleef hangen. 'Aangenaam,' zei ze. Denton glimlachte, hield zijn das tegen zijn buik en ging zitten. Lehrer negeerde Chisholm volkomen.

'Agent Chisholm gaat dit onderzoek voor de FBI doen,' zei Rivera tegen Lehrer en Denton, alvorens met een slim glimlachje een snelle blik op Chisholm te werpen. Hij kon het niet laten. 'Zij is onze scherprechter en ze is alleen verantwoording schuldig aan de directeur en aan mij. Ze heeft ons volledige vertrouwen aangaande dit onderzoek,' eindigde hij ernstig, en hij meende het, wat de reden was waarom Chisholm niet ter plekke wegliep vanwege het grapje over de scherprechter.

Lehrer moest al meteen niets hebben van die Chisholm, dus sprak hij tegen Denton maar zijn woorden waren voor Chisholm bedoeld. 'Onderdirecteur Rivera en ik hebben over die Sepsiszaak gesproken en we realiseerden ons dat we van tegenovergestelde kanten aan dezelfde zaak werkten.'

'Zo,' zei Margaret Chisholm lijzig, op een toon waaruit Rivera niet kon opmaken of ze sarcastisch was of niet. Alleen Chisholm kon het op die manier zeggen. Maar het was Denton en Lehrer duidelijk. Denton nam het woord.

'We proberen al zo'n jaar lang Sepsis te lokaliseren. Zonder succes. We wisten dat hij in het land was, maar we wisten niet waarom. Nu wel.'

Chisholm wierp een blik naar Rivera en boog zich over tafel. 'Denkt u dat hij helemaal uit... waar hij ook maar vandaan kwam, is gekomen...'

'Uit Rome,' zei Denton hulpvaardig. 'Hij heeft de laatste vier maanden in Rome gezeten, voorzover wij weten erg inactief.'

'Uit Rome dan. Denkt u dat hij helemaal hierheen is gekomen om een stel nonnen te doden?'

'Niet gewoon zomaar een stel nonnen,' zei hij met zijn beste diplomatieke stemgeluid. 'Zeer belangrijke nonnen. Ze zaten bij Opus Dei, een conservatieve katholieke orde met een paar indrukwekkende politieke connecties. Opus Dei is in Spanje gevestigd. Deze bomaanslag kan louter politiek zijn, maar waarom is Sepsis dan helemaal naar de Verenigde Staten gekomen als er meer dan genoeg Opus Dei-kloosters in Europa zijn?'

'Slim bedacht,' zei Chisholm, alweer op die toon die niet zo duidelijk was… maar wel duidelijk genoeg om beledigend te zijn. Denton vond haar onmiddellijk aardig, maar Lehrer en Rivera wensten dat Chisholm nog een tikje verderging om een reden te hebben om haar op haar nummer te zetten. Ten slotte keek Lehrer haar recht aan.

'Hoe dan ook, dat is eigenlijk onbelangrijk. Wie hij doodschiet en waarom, dat kan ons geen snars schelen. Wij willen het dossier-Sepsis kunnen sluiten. Voorgoed. En om een brug te slaan tussen onze organisaties, meende ik dat het goed was een soort *joint venture* van dit onderzoek te maken.'

Chisholm staarde naar de twee CIA-mannen alsof er een vieze berg vuilnis voor haar stond. 'Hoe "joint" bedoelt u dat? Ik heb zo'n drie jaar geleden met een stel CIA'ers gewerkt en "joint" betekende voor hen een marihuanasigaret die ze niet met me wilden delen.'

'Meneer Denton zal als verbindingsman met de FBI fungeren.'

'O. Dus *wij* moeten het vuile werk opknappen terwijl Denton aan de kant mag toekijken. Prima geregeld,' zei ze.

Denton voelde dat Lehrer op het punt stond zijn zelfbeheersing te verliezen omdat hij een grote bek kreeg van een onbeduidende FBI-agente, dus kwam hij weer tussenbeide. 'Agent Chisholm, we willen geen oorlog om een territorium. We willen dat Sepsis wordt uitgeschakeld. Als ú dat doet, vinden wij dat prima. Als hij door een vrachtwagen wordt overreden en die hem uit de wereld helpt, vinden we dat ook prima.'

Lehrer verloor zijn kalmte niet, maar een Ivy League-achtige hooghartigheid stroomde als traag bewegende lava uit zijn mond, even beledigend als Chisholms prikken. 'Zoals u de nauwste medewerker van onderdirecteur Rivera bent, zo is meneer Denton mijn rechterhand. Hij heeft de volledige bevoegdheid en alle middelen van de CIA tot zijn beschikking. Mario?'

'Je zuster op een vrachtwagen,' zei Chisholm, waarmee ze op het uiterste randje van de insubordinatie balanceerde. Denton zat zich met een bevroren diplomatieke glimlach op zijn gezicht te verkneukelen, zo spannend vond hij het met zo'n gek persoon als Chisholm te werken. Het was alsof hij Roper voor zich zag. Ze *moest* wel nalatig genoeg zijn om hem zijn gang te laten gaan.

Rivera en Lehrer staarden naar Chisholm en vroegen zich af wat ze moesten zeggen. Maar Denton haalde zijn zwarte boekje te voorschijn en bladerde het door alsof er niets aan de hand was.

'Een uiterst boosaardige moordenaar heeft geprobeerd een non, uitgerekend een non, te doden: dat is een eerste aanwijzing,' zei hij bij zichzelf terwijl hij de keurig beschreven blaadjes omsloeg. 'Wat voor naam geeft u dit onderzoek?' vroeg hij.

'We hebben het net een letter gegeven, we noemen het Zaak C,' zei Rivera.

'Zaak C? Hmm! Een goede naam voor deze operatie zou volgens mij, mmm... "Tegenspel" zijn,' zei hij tegen de andere drie. 'Wat vindt u ervan?'

Chisholm snoof en wierp een blik op Rivera, maar Rivera negeerde haar. 'Klinkt goed,' zei hij.

'Goed,' was het enige dat Denton zich toestond te zeggen. Hij was bang zo breed te glimlachen dat het bovenstuk van zijn hoofd eraf zou vallen. 'Ik ga naar Langley om het materiaal over Sepsis te verzamelen, dan kunt u dat doornemen. Maar wat ik op dit moment het liefst zou willen, is die non erbij halen om te kijken waar zij ons heen brengt.'

'Ze komt overmorgen uit Burlington overgevlogen,' zei Rivera. 'We brengen haar hierheen en dan kunnen we van hieruit aan dit onderzoek, Tegenspel, werken. Akkoord?' vroeg hij aan Lehrer.

'Akkoord.'

Ze stonden allemaal op. Lehrer schudde Mario Rivera de hand, maar nam niet de moeite om Margaret Chisholm zelfs maar aan te kijken. 'We houden contact, Mario.'

Rivera bracht de twee CIA-mannen naar de deur, draaide zich om naar Chisholm, wilde haar berispen maar wist veel te goed dat Maggie de CIA verfoeide.

' "Tegenspel"?' zei Chisholm twijfelend. 'Als de CIA staat te trappelen om ons met deze zaak te helpen, had je het "Tegendraads" moeten noemen. Of wat dacht je van "Dubbelspel"?'

Hij hief hulpeloos zijn handen op. 'Maggie...'

Margaret Chisholm plofte op haar stoel neer. 'Ik *haat* die klootzakken.'

Rivera zuchtte, liep op haar af en wreef over haar schouders. 'Oké, ga naar je kantoor en sluit...'

'Wat?'

'Sluit *tijdelijk* Aartsengel af. Organiseer alles voor Tegenspel.'

'Geef me een basisploeg. Ik heb een aantal verhoren af te werken. Die zou Sanders kunnen doen, terwijl ik aan Tegenspel werk om "bruggen te slaan".'

Rivera zuchtte en hield op met over haar schouders te wrijven. 'Margaret... Maggie, je moet mijn positie begrijpen: de CIA wil die vent heel graag pakken. Hij heeft ze een paar keer te vaak te kakken gezet en mensen als Lehrer en Denton vinden het niet leuk als ze te kakken worden gezet. Er wordt belangrijke druk op me uitgeoefend om mijn beste mensen op die Sepsis-puinhoop te zetten. Weet je, vroeg of laat komt de pers erachter dat dit geen kapotte boiler is geweest. Als ze dat ontdekken en wij hebben geen resultaten, staan we voor schut. Zoek die Sepsis en schakel hem uit. Daarna kun je je naar hartelust met Aartsengel bezighouden.'

'Heb je erover nagedacht wat er gaat gebeuren als die Sepsis het land uitgaat? Ik bedoel, die man is vast al weg.'

'Als we zeker weten dat hij ervandoor is, dan is het een CIA-probleem, als zij de zaak willen voortzetten. Wij sturen ons rapport naar Interpol en laten Europa of de CIA of wie het ook maar wil achter Sepsis aan jagen. Maar zolang we nog niet zeker weten of Sepsis het land uit is, nemen we aan dat hij nog hier is en daarmee onder onze jurisdictie valt.'

Chisholm sloeg haar armen over elkaar en verviel in een ijzig stilzwijgen om hem te laten kronkelen tot ze voor haar gevoel haar zin kon krijgen. 'Dus als ik aan Tegenspel werk, laat jij Aartsengel doorgaan?'

Rivera gaf een grom, liep naar de deur en zei over zijn schouder: 'Voor mij ben je net een hond met een bot.'

'Nou?' vroeg ze, terwijl ze uit haar stoel opstond en zich omdraaide om hem aan te kijken.

'Oké, oké, oké, doe maar wat je wilt wat Aartsengel betreft, maar je doet Tegenspel *eigenhandig* en je doet *niets anders*. Je hebt tot morgen twaalf uur de tijd. Daarna is het uitsluitend Tegenspel.' En hij liep de vergaderzaal uit.

'Wat een stomme naam voor een operatie,' mompelde Chisholm, terwijl ze haar spullen pakte en achter Rivera de deur uit liep.

Lehrer en Denton reden in een dienstauto naar Langley terug. Denton zat aan het stuur en ze spraken over de bijeenkomst. Maar Dentons gedachten waren ver weg. Hij vroeg zich af waar *Lehrer* aan dacht.

Als hoofd van de contraspionage besliste Lehrer welke operaties en/of plannen zouden vallen onder de officiële (en onofficiële) controle van deze CIA-afdeling. Denton kreeg daarna de lijst van de goedgekeurde projecten en verdeelde ze onder de sectiehoofden – Noord-Amerika (Ropers voormalige baan), Midden- en Zuid-Amerika, Midden-Oosten, Europa, enzovoort. Denton werd niet verondersteld een zaak te leiden. Maar nu was hij persoonlijk betrokken bij een onderzoek met een mogelijk gestoorde FBI-agente.

Hij sprak erover met Arthur Atmajian, want Atta-boy was iemand die zou weten waar het op stond. Het stond Atta-boy helemaal niet aan.

'Slecht,' zei hij tegen Denton, de avond nadat Tegenspel in werking was getreden, de avond voordat Chisholm en Denton de non zouden spreken.

'Wat bedoel je met slecht?' vroeg Denton, terwijl ze getweeën in het souterrain van Atmajians huis zaten, omgeven door loodgietersgereedschap en toebehoren, terwijl boven Atmajians acht kinderen met tientallen vrienden door het huis renden. Atmajian streek nadenkend met zijn handen door zijn baard.

'Slecht in de betekenis van tegengesteld aan goed. De onderdirecteur van de CIA voor contraspionage wijst een specifieke zaak aan zijn assistent toe en verwacht dat die er al zijn tijd aan besteedt. Als ik niet beter wist, zou ik zeggen dat je op weg naar beneden, zo niet naar buiten bent,' zei Arthur, en hij keek Denton strak aan alvorens zijn halve glas naar binnen te slaan.

Denton dacht na. 'Ja, dat is waar. Maar hij gaf me alle ruggensteun tijdens die bijeenkomst met de FBI.'

'Dat is wat ik zo raar vind!' barstte Atta-boy uit. 'Hij geeft je alle steun, dus kan het niet zo zijn dat je afzakt of eruit gaat. Het kan ook geen test zijn. Een operatie met zo'n onvoorspelbare uitkomst kan wel maanden, en misschien jaren, duren. Lehrer voert iets in zijn schild, en wat het ook mag zijn, het is niets goeds… Tussen haakjes, ik vond je boek echt goed. Maar waarom heb je die Armeense agent zo dik gemaakt?'

'Omdat je dik *bent*, Atta-boy,' zei Denton lachend en hij sloeg hem op zijn rug.

'Nietwaar,' zei Atmajian verdedigend, en hij begon nijdig met het een of ander stuk loodgietersgereedschap te spelen, gereedschap waarvan Denton niets snapte of niets wilde snappen. Denton was er zeker van dat als de zaken iets anders hadden gelegen, als Atta-boy niet zo intelligent was geweest, hij heel gelukkig was geweest als hij zijn brood had kunnen verdienen met het repareren van andermans toilet. Hij zou in ieder geval meer geld verdiend hebben dan in Langley. Wat hem eraan herinnerde…

'Je moet voor het eind van de week Zenith en Motorola-aandelen kopen,' zei hij.

Atmajian knikte. 'Van het…' zei hij vaag, niet genegen de naam van het schaduwarchief in Alexandria zelfs maar te fluisteren.

'Nee, Phyllis Strathmore en ik hadden vanmorgen een babbeltje. Zij heeft me de tip gegeven.'

'Legaal?'

'Uiteraard.'

'Goed, want de fiscus wil me controleren. Ik zweer je dat die kerels erger zijn dan mijn ploeg.'

'Goed, wat moet ik doen, vind je?'

'Met die lulkoek over dat "bruggen slaan"?'

'Ja.'

'Ik denk dat je de boel goed in de smiezen moet houden, beste vriend.'

Ze praatten nog wat, maar kwamen tot geen intelligentere conclusie.

De eerste dag van Tegenspel was goed verlopen. Chisholm moest absoluut niets van Denton hebben, waarmee hij kon leven, vooral aangezien Chisholm zo veel tijd besteedde aan het afronden van haar andere zaken, waarschijnlijk als een excuus om niets met hem te maken te hebben, nam Denton aan. Maar wat betreft de operatie liepen de zaken niet zoals hij wilde. Eerder die middag had Chisholm dat duidelijk gemaakt.

'Wie zijn die twee?' vroeg Chisholm.

'Dit zijn Amalia Bersi en Matthew Wilson, mijn assistenten,' zei Denton.

Chisholm keek vooral naar Wilson, een kolos van zesentwintig met het gezicht van een massamoordenaar. Hij zag eruit alsof hij zijn geld verdiende met het doden van mensen en dat erg leuk vond. Daarna keek Chisholm, niet onder de indruk, Denton recht aan: 'Stuur die koppensneller weg,' zei ze, en ze wees met haar duim naar Wilson en Bersi. 'En dat lijpe geval ook.'

Bersi en Wilson keken verbaasd naar Denton.

'Dit is een FBI-onderzoek en geen CIA-project. We doen het uitsluitend met FBI-mensen. *Jij*, agent Denton, mag voor spek en bonen meedoen.'

'Ik ben geen agent, ik ben maar een bureauman.'

'Maakt niet uit. Weg met die lui.'

Dus stuurde Denton Amalia en Wilson weg. Ze hadden trouwens toch andere CIA-zaken te doen, dus was het niet zo erg. Maar hij was stilletjes geamuseerd over Chisholms eis.

Een paar uur later was hij echter niet meer zo geamuseerd.

'Wat doet die massamoordenaar eigenlijk voor je?' vroeg ze Denton, terwijl ze rapporten aan het organiseren waren en Chisholms FBI-mensen op pad stuurden voor informatie.

'Wilson? Van alles,' zei Denton beminnelijk.

'Wilson?' zei Chisholm verstrooid, zonder de moeite te nemen hem aan te kijken. 'Die gorilla weet waarschijnlijk niet eens aan welke kant er een kogel uit een pistool komt. Ik heb het over die vrouw, die Bersi.'

Gelukkig verstijfde Denton niet en ging hij door met zijn bezigheden alsof er niets aan de hand was, maar innerlijk duizelde het hem. Amalia Bersi was een van Dentons best bewaarde geheimen, het meisje van wie iedereen bij de CIA dacht dat ze zijn maîtresse was, een indruk die Denton met veel moeite had gecreëerd om te maskeren wat ze in werkelijkheid voor hem deed. Nu grinnikte hij tegen Chisholm en zei: 'Waarom denk je dat uitgerekend Amalia Bersi een koppensneller is, of een koppensnelster in dit geval?'

Chisholm hield op met waar ze mee bezig was en keek Denton alleen maar strak en een beetje minachtend aan. 'Een vernachelaar vernachel je niet. Wat doe jij met een eigen persoonlijke koppensneller? Of koppensnel*ster*, als je de sekses per se uit elkaar wil houden. Ik weet niet veel van jullie werk af, maar ik weet wél dat koppensnellers in hun eigen kennel worden gehouden. Iemand als jij, een bureaumannetje, wordt niet verondersteld mensen voor je te laten werken die vuil werk opknappen, in geen enkel geval.'

Denton trok een ongeïnteresseerd gezicht en liet het onderwerp rusten.

'En hoe is die FBI-vrouw met wie je werkt?' vroeg Paula Baker op de ochtend na zijn gesprek met Atta-boy. Ze zaten in haar kantoor te ontbijten met een peer en koffie.

'Die is gek.'

'Oké,' zei ze glimlachend.

'En ze is een stuk slimmer dan ik dacht. Ze had door wie Bersi is.'

'Zo zo. *Denk* je dat of weet je dat?'

'Ik weet het. Die Chisholm vroeg gewoon recht voor zijn raap wat ik met een koppensnelster in mijn dienst deed.' Denton at zijn peer op en liep achteloos om Paula's bureau heen om het klokhuis naast haar in de prullenbak te gooien en ging op haar bureau zitten. Hij zette zijn charmes in werking. 'Kan ik je een gunst vragen?'

'Wat, wil je het ter plekke met me doen, cowboy? Ik ben getrouwd, weet je wel,' plaagde ze gemaakt.

'Paula!' zei hij op preutse klaagtoon. Ze lachte.

'Oké, maak je geen zorgen, ik doe het,' zei ze, en ze maakte glimlachend een aantekening. 'C-H-I-S-H-O-L-M, hè? Ik kan je vanochtend oppervlakkige informatie geven en overmorgen diepgaande.'

'Zonder sporen na te laten?'

'Dat zal moeilijk zijn, maar ik zal het proberen. Financieel of persoonlijk of allebei?'

'Zoveel mogelijk, maar maak er geen punt van, alles is goed genoeg. Bedankt,' zei hij, en hij deed alsof hij niet zag dat Paula met een verwachtingsvolle glimlach op haar bureau zat te trommelen en hem achteroverleunend aankeek.

'Hmm?' vroeg hij onschuldig glimlachend.

'In ruil voor...?'

'In ruil voor wat?' herhaalde hij opgewekt.

Paula Baker rommelde wat in haar bureau en zei: 'Informatie. Over iets dat... aha! Hier is het... "Lamplicht" heet, iets waarmee ze vanuit de Noord-Amerikaanse contraspionage bezig zijn.'

Denton schreef het in zijn notitieboekje, terwijl hij zonder speciale reden dacht: Margaret Chisholm. Ik denk dat Tiggy haar heel graag in zijn souterrain had willen hebben.

Zuster Marianne was aan het bidden.

Ze was alleen in een hangar, omgeven door de kisten van haar

83

zusters, die stonden te wachten om naar hun respectievelijke thuisplaatsen te worden gevlogen. Alle lichten in de hangar waren aan, maar al waren de deuren dicht, de nacht kwam toch binnensijpelen.

Vijftien uur geleden waren ze allemaal naar de mis gegaan. Nu gingen alle nonnen naar huis. Er waren zoveel kisten dat er in de hangar geen ruimte was voor vliegtuigen, dus stonden die buiten op het asfalt als vriendelijke walvissen en dolfijnen te wachten om de nonnen naar hun diverse bestemmingen te brengen.

Alle nonnen hadden in het onderwijs gewerkt. Ze gaven les op Dartmouth, bij de Seven Sisters, op de beide Phillips-scholen en een van de nonnen, zuster Danielle, had zelfs lesgegeven in een van de gevangenissen van de streek. Dus hadden ze misschien, net zo onzichtbaar als ze les hadden gegeven, de voorkeur gegeven aan zo'n afscheid – 's nachts, alleen, wachtend tot de vliegtuigen hen zonder poespas weg zouden brengen. Het kon onbevredigend zijn voor de levenden, deze afwezigheid van ceremonie, maar alleen zuster Marianne was nog in leven om te rouwen en zij vond het goed zo.

Zuster Marianne was aan het bidden. Ze wist niet wat ze anders moest doen. Maar het was geen bedroefdheid waartegen ze bad. Het was bitterheid.

Achter haar kwam Edmund Gettier aanlopen en bleef op een afstandje van zuster Marianne naar haar staan kijken. Hij hield van haar op zijn eigenaardige, afstandelijke manier. Hij was moe.

Na de schietpartij had Gettier alle mensen tegengehouden die iets van Marianne wilden en dat had hem veel meer energie gekost dan hij had verwacht.

'We willen haar niet verhóren,' zei de dikke, slonzige McKenna tegen Gettier voor de deur van de raamloze verhoorkamer waar Marianne uitrustte, terwijl hij probeerde hem met zijn omvang te imponeren. 'Het enige wat we willen, is haar een paar vragen stellen, dat is alles.'

'Ik zie echt niet in hoe zuster Marianne u kan helpen,' zei Gettier stijfjes tegen hem en Colby. Hij had een hekel aan agent McKenna. Edmund Gettier had principieel bezwaar tegen corpulentie, hoe gering ook. 'Eerst heeft ze gezien hoe al haar zusters werden gedood. Daarna is ze zelf bijna gedood. Ik vermoed dat *u* degene bent die een aantal vragen moet beantwoorden, niet zij.'

'Professor Gettier, we begrijpen...'

'O jaaaaa?' zei Gettier, en hij trok zijn wenkbrauwen omhoog met dat maniertje van hem waardoor zelfs de meest ingebeelde studenten van Cambridge van hun stuk raakten: arrogant en pedant en zo *superieur* dat je je er alleen maar stom bij kon voelen, of er pisnijdig van werd. 'U begrijpt zó veel, hè? U begrijpt alles zo goed dat u nu een non wil brutaliseren, nietwaar?'

'Professor Gettier,' zei Colby ten slotte, die zich stom voelde en daar nijdig over was. 'Als u niet opzij gaat om me met zuster Marianne te laten praten, laat ik u hier weghalen en beschuldigen van belemmering van de rechtsgang.'

'Prima,' zei hij. Hij stapte opzij en wees met een sarcastisch gebaar op de deur. 'En dan ga ik naar buiten en vertel al die wachtende reporters dat de politie hier *niet* achter een fotograaf aan zat die probeerde foto's te maken. Dan vertel ik hun de waarheid: dat de een of andere scherpschutter er bijna in geslaagd is een non hier in dit politiebureau te doden. En dat, hoewel het gebouw vol politiemannen en FBI-agenten was, het die scherpschutter gelukt is te ontkomen.'

Colby en McKenna keken elkaar aan. McKenna zuchtte en draaide Gettier zijn rug toe, maar Colby had meer geduld. 'Wilt u paniek zaaien in dit provinciestadje?' vroeg ze redelijk. 'Een scherpschutter die los rondloopt – wilt u dat alle mensen van de streek hun geweer pakken en per ongeluk gaan schieten op elke passerende vreemdeling of schaduw, omdat ze denken dat het die loslopende scherpschutter is?'

'Laat haar met rust, ze heeft u alles verteld wat ze weet,' zei Gettier. 'Laat haar ten minste slapen.'

Dus lieten ze haar een uur lang of zo met rust om weer terug te komen, waarna ze alle drie hetzelfde spel met enige kleine variaties herhaalden.

Het geval was dat de plaatselijke politie en Colby en McKenna boven hun macht werkten en dat wisten ze. Autodiefstallen, een amateur met een geweer, drugs opsporen – dat was het enige dat ze kenden. Op elke andere dag of bij een ander geval, zou er van Gettier gehakt zijn gemaakt. Maar nu er bommenspecialisten uit Quantico kwamen aanvliegen, er met supermoderne geweren werd geschoten en de nationale pers te woord moest worden gestaan, was het allemaal een beetje te veel voor Colby en McKenna, en ze wachtten op orders van Boven. Dus lieten ze Gettier de non bewaken, te bang om de zaak te verpesten door zich druk te maken over een pedante ouwe lul, die kwaad was omdat ze de non niet lieten slapen.

Maar zuster Marianne sliep helemaal niet. Zelfs in haar gelukkigste, meest ontspannen tijd had zuster Marianne aan slapeloosheid geleden. Ze had moeite om in slaap te vallen en ze werd vroeg wakker, en kon dan niet meer in slaap komen. Nu, met al deze gebeurtenissen, liep ze als een soldaat heen en weer door de raamloze verhoorkamer waar ze haar hadden neergezet. De ruimte was gekozen omdat die midden in het politiebureau lag, maar toch groot genoeg was voor een brits. Ze ijsbeerde zolang dat ze duizelig werd.

'Wat dacht je van een lunch?' vroeg Edmund Gettier, die binnenkwam met een blad met eten. Ze zetten het op tafel en gingen tegenover elkaar zitten. Hij begon te doceren.

'Gisteravond heb ik *Hudson Hawk* gezien. Eenvoudigweg briljant. De eerste film die met Pynchoneske gevoeligheid is gemaakt.' Hij praatte maar door, fladderde met zijn handen en beschreef de ingewikkelde details van zijn analyse, terwijl ze aten.

Zuster Marianne glimlachte tegen Edmund. Ze begreep niets van wat hij zei. De woorden gleden uit haar geest als curlers over ijs, maar ze vond het lief wat hij deed. Edmund Gettier wist niet hoe hij iemand moest troosten. In plaats daarvan was hij aan het onderwijzen en ging hij maar door over zijn favoriete ergernissen en geheime hobby's.

'Weet je wat films als *Six Degrees of Separation* en *The Usual Suspects* voor de film betekent?'

Zuster Marianne schudde haar hoofd, glimlachte, dacht na en besloot zijn grammatica niet te corrigeren.

'Het betekent dat films eindelijk die dwaze lineaire structuur loslaten. We zitten in de gouden eeuw van de film, mijn eed erop. Neem nou bijvoorbeeld *Twelve Monkeys*...' En zo ging hij maar door.

Toen ze klaar waren met eten, was zuster Marianne weer alleen in de verhoorkamer. Ze probeerde te slapen, maar werd overvallen door bitterheid, en schuldgevoel. Vooral schuldgevoel. Tenslotte was zij nog in leven. Maar ook bitterheid.

Nu, in de hangar, omgeven door kisten, kuchte Edmund Gettier beleefd om haar te laten weten dat hij er was. Ze draaide zich om en glimlachte.

'Kom,' zei hij. 'We gaan.'

Marianne knikte zwijgend maar maakte geen aanstalten. Edmund bood haar zijn elleboog aan en Marianne stak haar arm door de zijne. Zo bleven ze staan.

'Het is eindelijk rustig,' zei ze. Ze keek hem in de ogen en daarna naar de kisten om hen heen.

'O?'

'Het is de hele dag zo… lawaaierig geweest. Die explosie. En toen die reporters. En daarna met jou praten. En die geweerschoten. En al die FBI-agenten, die praten en rondlopen. Pas nu is het eindelijk rustig.'

Gettier wist niet wat hij moest zeggen, zelfs niet of hij iets zou *moeten* zeggen, als er al iets bij hem was opgekomen. Toen herinnerde hij zich vol afschuw zijn onderwijzersgedrag tijdens de lunch.

'Het spijt me dat…'

'Niet doen,' zei ze, wetend wat hij wilde zeggen.

Dus bleven ze daar staan tot hij bedacht waarvoor hij hierheen was gekomen.

'Je ouders hebben gebeld, ze willen komen. Morgenochtend, geloof ik.'

'Ik zal ze bellen. Het heeft geen zin dat ze komen. Jij zou terug naar Cambridge moeten.'

'Ik blijf,' zei Gettier eenvoudig en Marianne beloonde hem door even zijn arm te drukken. Toen moest ze aan haar eigen werk denken.

'Wat moet ik met mijn leerlingen doen, ik moet…'

'Maak je over hen geen zorgen, ik heb het geregeld. Ik heb ook met kardinaal Barberi gesproken. Hij wil dat je hem vanavond belt. En aartsbisschop Neri heeft gebeld,' zei hij. 'Ook hij wil dat je hem belt.'

'Hoe gaat het met kardinaal Barberi?' vroeg ze.

'Zo te horen goed. Hij zei dat ze hem net een transfusie hadden gegeven.' Gettier dacht eraan terug en glimlachte. 'Hij noemde zichzelf de eerste vampier-kardinaal in de kerkgeschiedenis.'

Ze lachten er zachtjes om. Dominic, kardinaal Barberi, een oude man van achtenzeventig, leed aan chronische leukemie. Om de paar weken kreeg hij uitgebreide bloedtransfusies om in leven te blijven.

Kardinaal Barberi was het hoofd van het project, wat hem officieel tot zuster Mariannes baas maakte. Maar nu hij zo ziek was, zou in feite Marianne de zaken leiden.

Als hij niets meer in zijn leven had gehad, zou kardinaal Barberi zeker van de behandelingen hebben afgezien. Hij was oud en had een rijk leven gehad. Maar het project hield hem evenzeer in leven als het bloed. Toen de paus hem vijf jaar geleden bevel had gegeven om aan de slag te gaan, was kardinaal Barberi bij zijn weten nog nooit zo gelukkig geweest. Hij voelde zich net een jonge priester die naar zijn eerste parochie wordt gestuurd. De laatste tijd telde hij de dagen tot zijn favoriete leerling in Rome zou arriveren om de zaken te starten – een kwestie van hooguit een paar dagen – en dan scheen hij nog meer tot leven te komen.

Maar toen aartsbisschop Neri naar het ziekenhuis van het Vaticaan kwam om hem het bericht te brengen van de bomaanslag in de Verenigde Staten, voelde kardinaal Barberi voor het eerst sinds jaren oprechte, onvervalste angst.

'We hebben een probleem,' vertelde de Opus Dei-bisschop hem zonder omwegen. 'Het klooster van zuster Marianne is opgeblazen. Alle nonnen behalve zuster Marianne zijn omgekomen.' Daarna keek aartsbisschop Neri opzij, trok zijn jasje recht en snakte naar een sigaret.

'Welke zuster Marianne?' vroeg Barberi verward, terwijl het bloed door zijn aderen werd gepompt.

'*Onze* zuster Marianne,' zei Alberti Neri ongeduldig. 'Ze is niet dood,' herhaalde hij, en hij liep weg als een man die met een moker is bewerkt. Barberi staarde hem na met bange vragen. De oude kardinaal, die in zijn ziekenhuisbed zat met een arm vol slangen, zag de jongere bisschop weglopen en hij realiseerde zich dat hij zojuist weer een stukje had gekregen voor zijn verzameling momenten die zijn leven vorm hadden gegeven.

De bomaanslag mocht kardinaal Barberi dan bang maken, aartsbisschop Neri en het Opus Dei-contingent in Rome raakten ervan in paniek. Met één klap had de dood van de nonnen bijna twintig jaar geduldig, moeizaam werk van Opus Dei vernietigd. Aartsbisschop Neri vroeg zich af hoe ze de schade konden herstellen. Maar nog terwijl hij daarover nadacht, besefte een ander deel van hem, een deel dat tegen zijn christelijke natuur in ging en het zuiver politiek bekeek, dat de bomaanslag een van de beste dingen was die Opus Dei ooit hadden kunnen overkomen – Opus Dei als hulpeloos slachtoffer. Hij vond het erg van zichzelf dat hij zo redeneerde, ook al bedacht hij al manieren om dit voordeel uit te buiten.

Als je in de schakeringen van het katholieke geloof ietwat rechts van Attila de Hun wilt gaan zitten, dan moet je je tenten bij Opus Dei opslaan. Opus Dei, het Werk van God, in 1928 gesticht door de Spaanse monseigneur Escrivá de Balaguer, een man die binnenkort zalig verklaard zal worden voor het creëren van wat naar alle waarschijnlijkheid de meest conservatieve, geschoolde en welgestelde club binnen de katholieke kerk is. Het is een kleine, onafhankelijke groep, maar in de Verenigde Staten hebben ze macht.

Wat Opus Dei in de Verenigde Staten doet, is een van die slinkse praktische samenzweringen, die koren op de molen van paranoïde Amerikanen zou zijn: Opus Dei is eropuit om Amerikaanse katholieken te bekeren tot conservatieve katholieken – en ze hebben succes.

Amerikaans katholicisme is, wat Rome betreft, een van de lastigste problemen, een potentieel ketterse groepering die je met fluwelen handschoenen moet aanpakken. Om de waarheid te zeggen bestaan er buiten de Verenigde Staten weinig katholieken met de instelling van de Amerikaanse katholieken, om de eenvoudige reden dat de Amerikanen inderdaad ketters aan het worden zijn, en de kerk schijnt weinig te kunnen doen om een eventueel schisma te voorkomen. Neem nou *Catholics for Choice.*

Catholics for Choice zijn Amerikaanse katholieken die vóór abortus zijn. Maar in termen van de katholieke doctrine en de katholieke leerstellingen, is Catholics for Choice als groep en als naam net zo'n stijlfiguur als 'Joden voor Jezus'. Catholics for Choice steunen een idee – de abortus – dat regelrecht in gaat tegen dat wat de Kerk gelooft en steunt en dus net zo ketters is als 'Katholieken voor de Verering van de Haan'.

Dus wat moet de kerk aan met een land dat zulke ketterse neigingen heeft als de Verenigde Staten? Dat is waar Opus Dei om de hoek komt kijken, de nieuwe Soldaten van Christus, de stoottroepen van de conservatieve stroming.

Het Opus is klein, dat is waar, maar het is georganiseerd en het weet wat het wel en niet kan. Het was uitgesloten dat Opus de zogeheten 'Baby Boom'-generatie Amerikanen, die geboortegolf van tussen 1946 en 1959, zou kunnen bekeren – een generatie die wordt gekarakteriseerd door algemeen cynisme, ongeremde hysterie en pure arrogantie, gebaseerd op ware onwetendheid. Maar de generaties *erna*... tja, dat is een heel ander verhaal. Dus zette het Opus overal in de Verenigde Staten kleine kloosters en kerken neer om De Weg te prediken, maar niet in grote steden. Ze zetten ze in de buurt van universiteitssteden neer.

Daarom was het klooster van zuster Marianne er gekomen. Dat soort Opus-kloosters werden eerst in New Jersey in de buurt van Princeton University neergezet, en natuurlijk in Washington D.C., bij Georgetown en de katholieke universiteit. Dat Washington een jezuïetenstad was, betekende slechts een onbelangrijk ongerief. Het doel van die kloosters was – en is – om jonge, intelligente katholieken te bekeren tot traditioneel conservatieve doctrines, met name tot De Weg – het bereiken van de Genade via het werk. Uiteindelijk zouden die studenten op die elite-instellingen op een dag vooraanstaande figuren zijn.

Het Opus stuurde wijselijk niet veel priesters naar Amerika. In de afgelopen twintig jaar hebben de Verenigde Staten weer eens een periode van het Grote Ontwaken gehad, die dat grootse land overspoelt. Sinds de zeventiende eeuw raken de Verenigde Staten zo eens in de zeventig jaar in de greep van een intens religieus vuur, wat een enorme godsdienstige impuls geeft die onontkoombaar tot extremisme leidt. De tragedie van de heksenjacht van Salem is daar een voorbeeld van, de dwaze geheelonthouding een andere. Tijdens het Grote Ontwaken aan het eind van de twintigste eeuw heeft het extremisme zich, paradoxaal genoeg, voornamelijk van mannen en met name van priesters meester gemaakt.

Beschuldigingen van seksueel misbruik hebben bijna cataclysmische proporties aangenomen, een hysterie die zover is gegaan dat onder andere de verering van Satan een van de belangrijkste aspecten ervan is. Een aantal gerenommeerde psychologen en therapeuten hebben beweerd dat één op de vier gevallen van misbruik aan de verering van Satan te wijten is.

Maar hysterisch of niet, de huidige paus, Johannes Paulus II, is niet genegen de Amerikaanse katholieken zover te laten wegdrijven dat ze tot ketters verklaard moeten worden, zoals veel kardinalen zeer vertrouwelijk en zeer voorzichtig hebben voorgesteld. Dus heeft Johannes Paulus II het Opus Dei opdracht gegeven om de Amerikaanse katholieken weer in het gareel te brengen.

En daar verscheen aartsbisschop Neri op het toneel.

'Geen priesters sturen,' zei de toen opkomende jonge priester in 1979 tegen zijn superieuren. 'Nonnen sturen – uitsluitend nonnen. Wie zal ooit een non ervan beschuldigen dat ze schooljongens verkracht?'

Dus stuurden ze nonnen, nonnen zoals zuster Marianne. Vóór ze opdracht kreeg om naar Amerika te gaan, doceerde ze in Turijn aan de universiteit, en verwachtte niet anders dan dat ze tot het einde van haar leven in Italië zou blijven. Ze dacht dat ze de Verenigde Staten zelfs nooit meer zou bezoeken.

'Hoe zou je het vinden om naar de Verenigde Staten terug te gaan?' vroeg aartsbisschop Neri haar bij hun eerste onderhoud in 1993. Hij had al besloten dat hij haar wilde sturen en het gesprek was een formaliteit.

'Ik denk niet dat ik dat erg prettig zou vinden,' zei ze. 'Ik ben daar vanaf mijn studietijd niet meer geweest. Ik heb zelfs mijn doctoraalscriptie niet daar gedaan, die heb ik hier in Rome afgemaakt. De Verenigde Staten… het is te pijnlijk om daar weer heen te gaan.'

'Dat begrijp ik. Dus als het aan jou lag, ging je niet.'

'Nee,' zei ze.

'Maar als je daar nodig was, zou je dan gaan?'

'Ja,' zei ze zonder aarzelen, zich voorbereidend op het offer dat dit leven van haar eiste.

'Je bent daar nodig.'

Dus ging ze, aanvankelijk vol vrees, voorbereid op een moeilijke terugkomst vol schuldgevoelens in Amerika. Maar zo was het helemaal niet. Ze was al vijf jaar niet meer in de Verenigde Staten geweest, maar leven en werken in New Hampshire was alsof ze in een ander land verbleef, aangezien de leerlingen even naïef en onbedorven waren als haar studenten in Turijn. Het leek totaal niet op haar tijd in New York of haar eigen studietijd. Het was helemaal geen opoffering geweest om in Amerika les te geven.

Tot vandaag. Nu leken de kisten in de hangar op haaien die als stille aanklachten om haar heen zwommen. Dit, dacht ze, was het offer voor het leven dat ze had geleid en haar innerlijke vrede. En het was... vagelijk... ontoereikend – te weinig. Helemaal geen offer. Schuldgevoel en bitterheid en een droefheid die ze niet kon uiten. Maar geen offer. Tenslotte was ze nog in leven.

'Kom mee,' zei ze tegen Edmund Gettier, en ze drukte zijn arm om hem aan te sporen.

'Er zijn hier een paar nieuwe FBI-agenten,' zei hij, overstappend op Italiaans. 'We hebben niets meer te maken met de dikke buik van agent McKenna. Die nieuwe agenten brengen ons naar een of ander hotel. Of een *motel*, denk ik. Daarna brengen ze ons naar Burlington.'

'Je hoeft niet mee te komen. Ga jij maar terug naar Cambridge.'

Edmund Gettier negeerde het voorstel. 'Ze willen dat we daarna naar Washington vliegen.'

'Waarom?'

'Dat weet ik niet. Maar aartsbisschop Neri zei dat je alles moest doen wat ze vroegen.'

'Akkoord,' zei ze.

Het Four Seasons Hotel in Georgetown had het type al duizenden keren gezien: de hoogopgeleide, uiterst succesvolle jonge zakenman op zakenreis. De man zag er zo nonchalant duur uit – echt een clichébeeld – dat niemand hem opmerkte toen hij door het gedempte gejacht van de lobby op de balie af stapte. Maar de manier waarop hij sprak, trok wel de aandacht. Hij had niet die arrogante, harde toon van de succesjongen. Integendeel, hij sprak zacht en beleefd, met woorden die snel vervaagden als rook.

'Zijn er boodschappen voor kamer twaalf nul drie?'

De receptionist kon zich niet herinneren of hij hem eerder had gezien, maar de man was zo zelfverzekerd en geduldig dat de receptionist niet aarzelde en zijn handen uitstak naar het toetsenbord van de computer om te controleren of er boodschappen waren, maar er was niets voor twaalf nul drie. Toen hij van het scherm opkeek, was het net alsof hij het gezicht nog nooit eerder had gezien. Het was een gezicht dat je je niet kon herinneren.

'Geen boodschappen, meneer Schlemel.'

De man met de nonchalante kleding, die door de inlichtingendiensten over de hele wereld Sepsis werd genoemd, glimlachte fijntjes en liep weg naar de liften. De receptionist vergat zijn gezicht zodra hij weg was, zoals het hoorde – Sepsis had een Zwitserse chirurg zevenentachtigduizend dollar betaald om van zijn gezicht iets te maken dat zo gemakkelijk te vergeten was als medisch mogelijk was.

Het geld voor de operatie was afkomstig geweest van zijn beste klus, de Canadese federalistische politicus, vier jaar geleden. Voor tweehonderdvijftigduizend dollar hadden separatisten uit Quebec hem gecontracteerd om een plaatselijke politicus uit de weg te ruimen. De man vond het een goed idee dat de provincie Quebec een onderdeel van Canada bleef. Wat het gevaarlijk maakte, was dat de man het charisma had om de mensen mee te krijgen. Dus moest hij weg. Het was een moeilijk schot geweest, maar wel een waarop Sepsis altijd trots was gebleven. Hij had de politicus op duizend meter afstand vanaf het dak van een kantoorgebouw koudgemaakt.

Het doelwit zou ongeveer viereneenhalve seconden blootgesteld zijn, had Sepsis in zijn dagboek geschreven, zoals altijd in het Italiaans, de taal van de biecht. *Er zouden geen andere gelegenheden komen, aangezien zijn stoet tussen twee andere gebouwen zou rijden als mijn schot hem zou raken. Die twee andere gebouwen zouden hem dekking geven als ik miste. Maar ze zouden mij dekking geven als ik raak schoot.*

Tot op dat moment was Sepsis altijd een huurmoordenaar geweest – of liever gezegd een huurbom, zoals Keith Lehrer het zo treffend had omschreven. Sepsis had eenvoudig gedaan wat zijn connecties wilden, bijna achteloos links en rechts bomaanslagen gepleegd en nooit echt nagedacht over wat hij deed. Zijn connectie, zijn belangrijkste contactpersoon en de man die hem had geleerd te moorden, vertelde hem welke klussen er beschikbaar waren en kwam met een 'voorstel' over hoe de klus moest worden geklaard. En dat waren altijd bommen, alleen maar bommen, die alles aan stukken bliezen, zo onelegant als een moker.

In die tijd kon het Sepsis echter niet schelen hoe hij zijn karwei opknapte. Het enige dat hem interesseerde was: wie en hoeveel.

Maar op een ochtend, toen hij in Montreal op straat liep om de bom te plaatsen die de Canadese politicus zou doden, was hij plotseling midden op het trottoir blijven staan terwijl de nietsvermoedende voetgangers langs hem heen liepen. Met een pond kneedbommenmateriaal letterlijk onder zijn arm had Sepsis zich twee dingen gerealiseerd.

Ten eerste: zijn connectie had hij niet meer nodig – na drie jaar bomaanslagen kende hij alle contacten van de man, wat zijn connectie, zijn tussenpersoon, overbodig maakte.

En ten tweede: Sepsis realiseerde zich dat hij het zat was om dingen alleen maar op te blazen. Het moest wat meer zijn dan slechts een pond Symtec onder iemands oor te plaatsen.

Zodra hij zich die twee dingen realiseerde, liet hij zijn connectie net zo achteloos vallen als dat pond kneedbommenmateriaal in een afvalbak op dat trottoir in Montreal.

Hij begon ernstig opnieuw over zijn loopbaan na te denken, te beginnen met de Canadese politicus.

De methode was de sleutel, nu hij als moordenaar dit niveau had gehaald. Aangezien het hem niet langer interesseerde een karwei te *doen*, maar het hem veel meer interesseerde *hoe* het karwei werd gedaan, begon hij serieus over de verschillende opties na te denken, volledig helder en voor het eerst onder volledige controle.

Er waren veel manieren om de klus te doen. Een bom in een auto was uiteraard een makkie, succes verzekerd. Maar Sepsis wees de methode vrijwel direct af. Een schot, de moeilijkste manier van doden, was wat hij verkoos. Hij koos die uiterst zorgvuldig en dacht over alle moeilijkheden na. Het is erg moeilijk voor een man met een geweer om weg te komen, laat staan om iemand te doden. Dus werd het een schot met een geweer, de methode was bepaald.

Daarna kwam de plaats. Montreal was niet Riyad of St. Petersburg of Bangkok. Montreal was een open stad, vrij en toegankelijk. Er zou een overvloed aan kansen zijn. Maar het kleine, overvolle Ottawa was heel anders. Ottawa zou moeilijk zijn – moeilijk om de juiste gelegenheid te vinden, moeilijk om te schieten, moeilijk om te vluchten. Dus werd het Ottawa.

Daarna was de enige kwestie die geregeld moest worden, de afstand. Sepsis oefende op een afgelegen terrein in Ontario tot hij de helft van de tijd een bewegend doelwit op duizend meter kon raken. Dus werd het duizend meter.

De dag in Ottawa begon regenachtig en mistig, maar werd prachtig helder toen de wind de lage wolken verjoeg, waardoor die middag de bijeenkomst tegen de afscheiding van Quebec doorging volgens schema. Om twaalf uur verliet Sepsis zijn hotelkamer, gekleed in een pak met das, met een platte leren diplomatenkoffertje waarin hij zijn geweer en zijn lunch had zitten. Hij wandelde naar het gebouw dat hij had uitgezocht, kwam gemakkelijk op het dak en deed zorgvuldig het voorbereidende werk. Toen hij klaar was, at hij wat champignonsoep uit een thermosfles en las daarbij Prousts *Le temps retrouvé* in de oorspronkelijke taal. Frans was zijn moedertaal en Proust had altijd een kalmerende uitwerking op hem.

Tegen drie uur 's middags zat Sepsis twintig verdiepingen hoog op zijn post met zijn vizier en geweer in de aanslag. De stoet van de man was in aantocht tussen de andere deelnemers aan de mars, een gelukkige tijd in de Canadese politiek, een populaire federalistische politicus uit Quebec, een nieuw tijdperk van Canadese eenheid...

Met zijn oog aan het telescopische vizier wachtte Sepsis geduldig af en overdacht de zaken. De gelegenheid die hij had, nauwelijks viereneenhalve seconde lang, betekende dat hij bijna op het moment moest vuren waarop hij de auto van de politicus zag, aangezien de kogel twee komma vierendertig seconden tijd nodig had om de afstand te overbruggen. In de weinige seconden voor hij vuurde, realiseerde Sepsis zich opeens, verrast en verheugd, dat er misschien vijf mensen op deze aarde waren die dit schot konden uitvoeren, dat hij voor zichzelf had uitgedacht.

De politicus verscheen duizend meter verder tussen de twee gebouwen, er stond een sterke wind en de afstand was imponerend. En toen was de man dood en reed zijn open auto nog door alsof er niets aan de hand was, en verdween achter het andere gebouw.

Sepsis bleef onbeweeglijk op het dak liggen. Zijn geest was leeg. Hij wachtte af of hij iets hoorde, maar het was te ver weg. Hij kon niets zien, de gebouwen blokkeerden zijn uitzicht en wat er gebeurde, werd aan zijn gezicht onttrokken. Maar hij wist het.

Terwijl hij de kogel liet vliegen en hem door zijn telescopische vizier zag verdwijnen, had Sepsis een klein zwart gat in de stof van de werkelijkheid voelen slaan, een klein luchtledig gat dat een heel leven kon opzuigen in de verte. Door dat gevoel wist hij dat het hem gelukt was. Een schot vanaf duizend meter met een straffe wind, tussen twee gebouwen op een bewegend doelwit. Er waren misschien vijf mannen op de wereld die zo'n schot hadden kunnen uitvoeren. *Hij* had het gedaan. Uitgesloten dat Carlos een dergelijk schot had kunnen realiseren. *Ik wel.* Sepsis haalde het geweer uit elkaar en borg het in het diplomatenkoffertje. Daarna deed hij zijn das weer om, stopte zijn manchetknopen terug op hun plaats, trok zijn jasje aan en liep naar beneden.

Op straat, teruglopend naar zijn hotel, was Sepsis zo verbaasd over zijn succes, dat hij er niet op lette waar hij heen ging en verdwaalde. De voetgangers om hem heen, die het bericht over de dood van de politicus hadden gehoord, zigzagden deinend de straat af, maar Sepsis glimlachte alleen maar en genoot van het moment.

Het gevoel een onmogelijke opgave te hebben uitgevoerd, schreef Sepsis op de avond na de moord, *is moeilijk onder woorden te brengen. Het is allemaal een zaak van nabijheid. Hoe dichter je bij de gebeurtenis bent, hoe meer je daarvan en van de moeilijkheden afweet, hoe meer je het kunt voelen. Er is geen gevoel zonder weten.*

Hij hield op met schrijven en pakte zijn glas. Alleen in de hotelkamer, met alle lampen aan, zelfs die in de badkamer, drentelde hij rond, bekeek zich voortdurend in de spiegel en keek naar de televisiejournaals die de moord op de politicus eindeloos herhaalden. Natuurlijk was in die films Sepsis op zijn dak niet te zien, hoewel hij diep in zijn binnenste – een ijdel, dwaas deel van hemzelf, zo wist hij – wenste dat ook hij op het scherm was.

Carlos zou zo'n schot nooit hebben kunnen uitvoeren. Sepsis controleerde zijn gezicht in de spiegel, draaide zijn kaaklijn van de ene kant naar de andere en bestudeerde zijn gezicht met de afstandelijkheid als waarmee hij zijn doelwitten bekeek. Carlos zou die obstakels nooit hebben uitgezocht. Alleen hij kon dat – Sepsis.

Het kwam niet omdat Carlos de apparatuur niet had gehad. Het was waar, het geweer dat Sepsis gebruikte, was technologisch onmogelijk in de jaren zestig en zeventig, maar daar ging het niet om. Waar het om ging, was de moeilijkheidsgraad. Elke stommeling kon op een afstand van zeventig meter op een bewegend doelwit schieten, zoals Carlos in Dallas vanaf het grastalud had gedaan. Elke stommeling kon met een zelfmoordcommando overvallen plegen zoals Carlos in het verleden had gedaan. Maar Carlos had nooit het lef gehad, de onverschrokkenheid, om iemand te doden met een zware moeilijkheidsfactor – om contragewichten als stenen aan een zadel te hangen en er toch in te slagen als winnaar door de finish te galopperen. Carlos had gemakkelijke dingen gedaan, en toen tijd en vijanden moeilijk werden, had Carlos zich laf teruggetrokken.

Sepsis kende Carlos goed en hij verachtte hem. Carlos was de opa van alle professionele moordenaars, een bijna apocriefe figuur. Maar hij was echt. Iedereen dacht dat hij ene Iljitsj Ramírez Sánchez was, maar Sepsis wist dat hij anders heette, dat het een schuilnaam was. De echte Carlos was niet eens een echte Zuid-Amerikaan – zijn vader was een Duitser uit Elzas-Lotharingen. Carlos was door de Russen getraind, ja, maar daarna was hij in 1960 in zijn eentje weggegaan, nadat hij zijn geloof in het marxisme had verloren en een soort… tja, Sepsis wist niet goed wat, was geworden. Uit wat hij had gehoord, had hij opgemaakt dat Carlos een soort apolitieke anarchistische revolutionair was met een zwak voor linkse bewegingen. Daarom had hij zoveel karweitjes opgeknapt voor de Rode Brigade, het Japanse Rode Leger en al die andere linkse groepjes. Maar zijn politiek had hem niet verhinderd die Kennedy-klus te doen voor de Amerikaanse Transportvakbond en daarna Jack Ruby – Jimmy Hoffa's vriend – te gebruiken om Carlos' afleidingsmanoeuvre, Oswald, te doden.

Toen Carlos begin jaren tachtig had besloten zich terug te trekken, had hij heel slim toegelaten dat een dwaze Venezolaanse misdadiger zich voor de echte Carlos liet doorgaan, waarna de Syriërs zich over de bedrieger hadden ontfermd alvorens hem aan de Fransen te verkopen. De *echte* Carlos leefde nu heel gelukkig in verborgenheid en vond zichzelf erg verstandig dat hij op het toppunt van zijn loopbaan was gestopt.

Maar Sepsis verachtte hem. Moord was als golf spelen – je scherpte verloor je alleen maar in je hoofd. Carlos was naar het clubhuis teruggelopen, terwijl hij nog relatief jong was, omdat hij het gevaar niet meer leuk vond. Dat zou Sepsis niet overkomen.

Denton zou waardering hebben gehad voor Sepsis' werk. Rond het tijdstip waarop de Canadese politicus door zijn hoofd werd geschoten, werd het hoofd van Carl Roper door *60 minuten* op een schaal geserveerd. Verschillende methodes, maar er zijn vele manieren om mensen te vernietigen. Moord was, naar Sepsis' mening, de smerigste. Dat was de reden waarom hij nu, op zijn vierentwintigste, na zes jaar als beroepsmoordenaar te hebben gewerkt, begon uit te kijken naar een manier om mensen te elimineren zonder ze uit de weg te ruimen – een metamoord.

Het geval George Wallace was een schoolvoorbeeld. In 1968, tijdens zijn verkiezingscampagne als kandidaat voor de presidentsverkiezingen, was de racistische politicus invalide geschoten door een zogenaamde moordenaar. Wallace werd niet gedood, hij was nog heel oud geworden. Maar zodra hij invalide was, was George Wallace geen belangrijke factor meer, zo goed als dood nadat er op hem was geschoten. Dát was wat Sepsis als een metamoord beschouwde, ook al was het niet opzettelijk gebeurd. De man was dood, hoewel hij leefde.

Nu, op zijn weg naar het volgende niveau, probeerde Sepsis hetzelfde effect na te bootsen, maar wel bewust.

Hij had al iets dergelijks gedaan door de gehele familie van een Egyptische CIA-informant te doden. Maar dat was een specifieke bestelling van zijn opdrachtgevers, als een voorbeeld aan eventuele toekomstige overlopers, wat de reden was waarom Sepsis één familielid per dag had gedood, logistiek gezien een erg moeilijke opdracht.

Maar met de non lag het anders: zij was de eerste sport op zijn ladder naar het volgende niveau.

Hij was van plan geweest de non daarbuiten bij de kapel te doden, ongeacht de deal die hij had gesloten. Tenslotte *moest* hij haar doden en op dat moment had hij gedacht haar zo te moeten doden dat het niet duidelijk zou worden dat zij het beoogde doelwit was. Dus had hij de hele kapel opgeblazen in de hoop de non te doden en tegelijk een duidelijke boodschap aan zijn vroegere connectie te sturen. Maar het toeval had ervoor gezorgd dat ze niet in de kapel was toen hij de bom liet ontploffen.

Toen hij haar levend en ongedeerd uit het klooster zag komen rennen, had Sepsis zijn hoofd geschud, was uit zijn Rotor-Rooterwagen gestapt, had zijn pistool getrokken en was klaar geweest om haar neer te schieten. Sepsis had haar van linksachter benaderd, haar blinde vlek, en achteloos toegekeken hoe ze probeerde een brandend lijk te doven, volledig klaar om haar te doden. Hij stond op nauwelijks vijf meter afstand zijn pistool te heffen om haar neer te schieten, toen de non opeens haar gezicht naar hem omdraaide. Haar ogen waren stijf-dicht. Toen ze haar ogen opendeed, was Sepsis er zeker van dat ze regelrecht naar hem en zijn opgeheven pistool zou staren.

Maar in plaats daarvan richtte haar blik zich op het naakte onderlijf van een uiteengereten non en werden haar ogen plotseling leeg, alsof dat wat haar tot mens maakte, was weggevloeid.

Sepsis had zichzelf ervan weerhouden haar op dat moment te doden en had gefascineerd toegekeken. Ze bleef, volkomen onbewust van zijn aanwezigheid, over het terrein om de kapel rondrennen om te proberen haar zusters te redden, maar haar ogen zagen eruit als die van een dode vrouw. Na een paar minuten hoorde hij sirenes naderen, dus liep hij naar zijn Rotor-Rooterwagen en reed weg.

Op zijn kamer in de Hanover Inn dacht hij over de zaken na. Hij besefte dat het er niet echt toe deed of de mensen wisten dat zij het beoogde doelwit was. Het zou zijn plan op geen enkele manier beïnvloeden. Dat was het moment waarop het idee bij hem opkwam – haar gebruiken om op het volgende niveau te komen: de non doden zonder haar te doden.

Dus toen hij haar bij het politiebureau van Lyme in zijn vizier had, had Sepsis zorgvuldig niet op haar hoofd gemikt toen hij het raam waarachter ze stond te kijken, kapotschoot. Tenslotte had hij, als hij haar werkelijk op dat moment had willen doden, speciale kogels kunnen nemen die zich door het glas en door haar schedel hadden geboord.

Na dat lukrake geschiet in Lyme werd de non zo goed beschermd dat alle andere mensen het onmogelijk hadden geacht om bij haar in de buurt te komen. Maar Sepsis was erg dicht in de buurt geweest en had haar gevolgd met zijn gezicht van zevenentachtigduizend dollar en met zijn perfecte Amerikaanse accent (tenslotte was hij intern op St. George's geweest). Hij was erbij toen ze in een verzegelde hangar stapte en afscheid nam van de zusters van haar klooster, een lange rij kisten, zo lang dat het eindeloos leek. En hij was erbij toen ze naar het FBI-bureau in Burlington werd gebracht met een stel agenten die haar dag en nacht bewaakten. En hij zou erbij zijn als ze overmorgen in Washington D.C. zou aankomen.

Een bom in een auto zou voldoende zijn geweest, en dat zou zijn connectie hebben gedaan, de conservatieve sul. Carlos zou een telescopisch geweer hebben gebruikt, op een afstand van zeventig tot honderdzeventig meter, de slappeling.

Maar Sepsis was geen van die twee mannen. Hij reikte naar een nieuw domein, het derde niveau, het nieuwe ideaal. Metamoord, dat hield hem bezig. En hij had al een paar ideeën.

VIJF | Paardenrennen

'Ik wil dat Phil Carter en zijn mannen de pinguïn bewaken,' zei Chisholm tegen Rivera na de eerste bijeenkomst met Denton en Lehrer. 'Ik wil dat *zij* haar van Burlington hierheen brengen.'

'Waarom Phil Carter?' vroeg Rivera ietwat verbijsterd.

'Dan krijgen we geen terugslag.'

Een begeleidend agent zegt iets over de gebeurtenissen waarbij een getuige betrokken was en spuit de een of andere achterlijke theorie of een vermoeden of regelrechte lulkoek die niets met de waarheid te maken heeft. De getuige hoort dat en als de getuige dan echt wordt verhoord, komt die getuige uiteindelijk met het achterlijke idee van die stommeling aanzetten alsof het een heilige tekst is. Dat is terugslag. Jonge agenten, met name verveelde bewakingsagenten, veroorzaken dat altijd, als winden na een maal van bruine bonen. Dus bestond het escorteteam vanuit Burling-

101

ton uit oudere, meer gedisciplineerde agenten die hun mond dichthielden, agenten zoals Phil Carter.

Hij was perfect voor dat werk. Hij was ongetrouwd, van middelbare leeftijd, slechts een generatie verwijderd van de witte armoedzaaiers in de grensstaten, zonder kinderen en wat het belangrijkste was: de FBI was zijn leven. Er lopen trouwens veel mannen als Carter rond bij bureaucratieën als de FBI, het leger, de CIA of de geheime dienst – mannen die op een bepaald moment bewust besluiten hun leven op te offeren voor de bureaucratie.

Over dergelijke mannen wordt weinig gezegd. Ze zijn grijs en anoniem, hard en onaantrekkelijk, niet al te snugger en ze hebben geen duidelijke ambities voor zichzelf. Voor ieders gevoel zijn ze uitwisselbaar. Maar het zijn goede mannen. Wat nog belangrijker is: het zijn fatsoenlijke mannen. Maar toch worden ze zo vaak opzij geschoven en genegeerd in de fervente race naar de top, dat ze net zo onzichtbaar worden als het asfalt op een brede snelweg – essentieel maar onopgemerkt. Iemand die zo met zichzelf bezig was als Margaret Chisholm, zag die mannen niet eens. Een scherpzinnig figuur als Nicholas Denton zag hen als onderwerp voor een geestige opmerking of kleinerend gegrinnik.

Maar zuster Marianne merkte agent Carter en de andere mannen van zijn team wel op. Het was ook moeilijk om ze *niet* op te merken – ze omgaven haar dag en nacht. Carter deed zelf de eerste nachtwacht en stond aan de andere kant van de deur terwijl zij probeerde te slapen. Maar ze zag Carter en zijn mannen op een menselijke manier die Denton niet zou hebben begrepen en waarvoor Chisholm niet de moeite zou nemen.

'Wilt u een stoel?' vroeg zuster Marianne die eerste avond in het Washingtonse hotel waar ze was ondergebracht tot Tegenspel haar niet meer nodig had, en ze keek op naar de kolossale grijze gestalte van Carter. 'U kunt toch niet de hele nacht voor mijn deur staan,' zei ze glimlachend. Ze fronste vragend haar wenkbrauwen. 'Of wel?'

'Nee, mevrouw,' gromde Carter halfslachtig.

Marianne knipperde met haar ogen, een beetje in de war van zijn houding, maar ze raapte haar moed bij elkaar en vroeg: 'Hoeft u geen stoel of blijft u hier niet de hele nacht?'

'Ik hoef geen stoel, mevrouw.'

Ze keek vol twijfel naar hem op en vroeg zich af hoe hij de hele nacht wakker bleef. Voor haar, als slapeloze, leek het een wrede manier om de nacht door te brengen. Dus liep ze haar kamer in en sjouwde toch een stoel naar buiten.

'In ieder geval kunt u gaan zitten zolang u nog hier bent,' zei ze. 'Goedenacht.'

Een paar minuten later kwam ze de gang weer op stappen. 'Waarom zit u niet?'

Dus ging Carter zitten. Marianne ijsbeerde zwijgend, in gepeins verzonken, en liep terug naar haar kamer om te proberen te slapen. Dus ging Carter weer staan. Rond twee uur in de nacht kwam Marianne weer naar buiten om nog wat te ijsberen. Maar voordat ze hem kon betrappen, ging Carter zitten zodat Marianne niet zou merken dat hij had gestaan.

'Is dit niet beter dan de hele nacht staan?' vroeg ze, blij glimlachend.

'Ja, mevrouw,' antwoordde Carter stralend.

Alle grijze mannen van Carters team vonden haar erg aardig. Hoewel ze uit een hogere klasse kwam en non was, zagen ze dat ze een van hen was. Dus toen ze uiteindelijk de relatieve veiligheid van het hotel moesten verlaten om naar het Hoover-gebouw te gaan voor het eerste gesprek met Chisholm en Denton, waren alle mannen van Carters ploeg tot de tanden gewapend en omringden de non alsof ze een duur juweel was, of een zeer geliefd kind.

In de Hoover-kantoren van waaruit Chisholm en Denton Tegenspel leidden, lagen de zaken een beetje anders.

'Is dát alles?' vroeg Denton schertsend toen FBI-mensen op de eerste dag van de operatie vier dozen met documenten binnenbrachten. 'Ik dacht dat jullie informatie zouden hebben, in plaats van een paar papiertjes.'

'Ha, ha, erg leuk,' zei Chisholm. Denton lachte.

Zodra ze al het materiaal vergaard hadden, bekeken ze twee dagen lang elk stukje papier dat te maken had met de aanslagen op zuster Marianne en wat er officieel over Sepsis bekend was.

'Die twee dozen over Sepsis zijn voor jou, deze over de aanslagen en deze hier over Sepsis zijn voor mij. Morgen ruilen we.'

'Jawohl, mein Agent Chisholm,' zei Denton, en hij klikte kundig met zijn hakken.

Maggie Chisholm wierp hem een vernietigende blik toe en ging aan het werk, zonder een woord tegen hem te zeggen gedurende de hele tijd dat ze samen bezig waren, waarmee ze duidelijk te kennen gaf hoezeer ze de pest aan de CIA had.

Ze zat kaarsrecht op haar stoel, gekleed in een witte blouse en een Schotse plooirok, met gekruiste enkels, de ellebogen aan beide kanten van een open dossier geplaatst, haar gezicht parallel aan het tafelblad en haar handen bij haar oren. Dat was de manier waarop Chisholm las. Urenlang bewoog ze nauwelijks.

Denton bewoog wel. Hij bewoog veel. Soms legde hij zijn ene voet op tafel en hing de andere over zijn stoelleuning, al rondjes draaiend, terwijl zijn hele lichaam achteroverhing en zijn handen voortdurend de papieren en dossiers om en om legden alsof hij aan het kaarten was. Soms ging hij op de bank aan de andere kant van de kamer zitten met zijn voeten op de kleine, smaakvolle lage tafel. Hij las niets helemaal door, maar scheen hier een zin te lezen, dan weer daar, en pauzeerde soms om na te denken en een sigaret te roken.

Chisholm las maar door. Soms sloeg ze een bladzijde om. Daardoor wist Denton dat ze niet zat te suffen. Hij pakte weer het dossier dat over zuster Marianne was samengesteld.

'Aha!' zei hij opgetogen. 'Garthwaite – Gene Garthwaite, Gene Garthwaite, Gene Garthwaite.' Blij kijkend richtte hij zijn aandacht op een ander papier. Chisholm negeerde hem.

De volgende dag arriveerde zuster Marianne voor haar eerste gesprek met Chisholm en Denton.

'Faith Crenshaw?' vroeg Chisholm en ze stond op van de vergadertafel terwijl Richard Greene en Howie Sanders, Chisholms ondergeschikten die het graafwerk voor Tegenspel moesten doen, de laatste hand legden aan het installeren van de bandrecorder voor deze eerste ronde.

'Alstublieft, zegt u zuster Marianne,' zei deze, terwijl ze glimlachend haar hand naar Margaret uitstak. Ze gaven elkaar, om zeer uiteenlopende redenen, omzichtig een hand.

'Zuster Marianne dan. Ik ben speciaal-agente Chisholm van de FBI. Dit is meneer Denton van de CIA. Wij behandelen deze zaak...'

En toen nam Denton het over. Hij zat op de bank, had zijn das zorgvuldig losgetrokken, zijn jasje uitgedaan, zijn hemdsmouwen op goed geluk tot aan de ellebogen opgerold. Hij stond op en zette zijn charme aan en gaf zijn stem een zachte maar zelfverzekerde toon, waarmee hij Chisholm afkapte. 'Wilt u niet gaan zitten, zuster? U zult wel moe zijn van de vlucht.'

Als een tovenaar stond hij opeens naast Marianne, schudde haar de hand, pakte haar bij de elleboog en leidde haar naar een leunstoel bij de bank, terwijl hij zei: 'De laatste keer dat ik een lang gesprek had met een non, was toen ik veertien was en zuster Alice me *bezwoer* dat ik in de hel zou branden voor alle dingen die ik had gedaan. En als voorproefje op de hel gaf ze me een week huisarrest *plus* een uitgaansverbod voor het weekend.' Hij lachte om zijn eigen verhaal met de bedoeling de non zover te krijgen dat ze het verhaal net zo grappig vond als hijzelf. Dat lukte. 'Ik ben Nicholas Denton.'

'Hoe maakt u het, meneer Denton,' zei ze. Ze merkte dat Greene en Sanders worstelden om de recorder naar de lage tafel te brengen, maar ze kon haar ogen niet van Dentons glimlach afhouden.

'Voorzichtig met wat u in mijn buurt zegt,' fluisterde Denton samenzweerderig, terwijl hij de non in de leunstoel zette. 'Ik werk voor de CIA!' siste hij, en hij schaterlachte.

De non lachte. Iedereen in het kantoor – Chisholm, Sanders, Greene en Carter en zijn mannen waren geheel buitengesloten. Nijdig wierp Chisholm een blik naar Carter en zijn ploeg, die verdwenen.

'Dit is mijn collega van de FBI, Margaret Chisholm,' zei Denton, die op de bank ging zitten en zich naar Marianne toe boog. 'Wij zijn belast met het onderzoek naar de gebeurtenissen van afgelopen dinsdag,' ging hij verder, moeiteloos overschakelend op een serieuze toon. 'Ik weet dat die gebeurtenissen u ernstig hebben aangegrepen, maar u moet alstublieft begrijpen dat het van essentieel belang is dat u ons bij ons onderzoek helpt. Wilt u misschien een glas water? Thee? Koffie?'

Marianne aarzelde en Denton deed alsof hij een boos gezicht trok. 'O. Vooruit. Sanders,' zei hij, en hij knipte bijna met zijn vingers alsof hij het tegen een kelner had, 'zou je ons een kop thee willen brengen?' Hij draaide zich bezorgd naar Marianne om. 'En misschien iets te eten?'

'Alleen thee, als het niet te veel moeite is,' zei ze.

'Geen enkele moeite! Room? Citroen?'

Marianne aarzelde. 'Room,' zei ze ten slotte.

'Twee thee, meneer Sanders,' zei hij en ging achterover zitten. Margaret, die met haar mond vol tanden stond en niet goed wist of ze moest gaan zitten, blijven staan of wat dan ook, keek toe hoe Denton het vraaggesprek gladjes platwalste.

'Ik heb begrepen dat u docente bent?' vroeg hij nonchalant aan de non, alsof ze op een cocktailparty waren.

'Ja, ik doceer kunstgeschiedenis op Dartmouth. Mijn specialisatie is architectuur.'

Denton ging rechtop zitten. 'Echt waar? Ik heb zelf les in kunstgeschiedenis op Dartmouth gehad, bij ene... Garth... Garthput? Nee, zo heette hij niet...' Denton klonk alsof hij op het punt stond de relativiteitstheorie te ontdekken.

'Garthwaite?' vroeg Marianne hulpvaardig.

Hij knipte hard met zijn vingers. 'Garthwaite, juist! Gene Garthwaite, zo heette hij. Geweldige leraar, geweldige leraar.'

'Hij is nu hoofd van de afdeling kunstgeschiedenis,' zei ze, en voegde er toen bijna meisjesachtig aan toe: 'Hij is mijn baas.'

'Echt waar. Frappant. Frappant. Maar hij is toch niet echt uw baas, of wel?'

'Nou, nee. Maar ik heb geen vaste aanstelling, dus in zekere zin is hij mijn baas. Ik ben maar toegevoegd.'

'Maar ik wed dat het niet lang duurt voor u een vaste aanstelling hebt, hè?' zei hij, haar slim aankijkend alsof ze een beroepsvalsspeler was die hij in de gaten moest houden.

'Och,' zei ze bescheiden, 'als God het wil, misschien... wie weet.'

Chisholm had er genoeg van. 'Kunnen we...'

'Gene Garthwaite,' zei Denton, die zich weer achterover liet zakken en keek alsof hij niet eens besefte dat Chisholm erbij was. 'Ik mocht hem erg graag.'

Marianne was niet dom. Ze voelde dat Denton haar manipuleerde, maar het was alsof hij een geheime afstandsbediening op haar hart had gericht. Ze probeerde vat op de zaak te krijgen, maar Denton beroofde haar nogmaals van haar controle door precies op de goede knop te drukken.

'Hoe vindt u het lesgeven?' vroeg hij nonchalant. 'Ik bedoel, het moet toch echt saai zijn, al dat nakijken, cijfers geven, lessen voorbereiden, geen tijd voor uw eigen research...'

'Ik vind het heerlijk,' zei ze met onverholen emotie. 'Ik doceer

106

vier leerprogramma's per jaar, maar ik heb toch nog tijd om research te plegen. Veel docenten houden niet van lesgeven, maar wat is de zin van het leraarschap als je geen onderricht geeft... eh, maar, eh, ja, ik vind lesgeven een erg belangrijk onderdeel van mijn functie als kunsthistoricus,' besloot ze kleintjes. Ze voelde zich dwaas, weer vijftien jaar oud, gegeneerd door de opwinding die haar werk bij haar opriep.

Maar Denton keek dwars door haar heen en gebruikte haar zwakte om zijn positie te verstevigen. 'O, ik ben het met u eens!' zei hij heftig, waarmee hij haar redde van haar gêne en – wat belangrijker was – haar tegelijkertijd voor zich innam. 'Wat heeft het voor zin om zoveel te weten als je het niet doorgeeft!'

Zuster Marianne glimlachte en knikte geestdriftig, gecharmeerd door de aandacht van iemand die het begreep. En Denton dacht: *gescoord.*

'Wat is uw speciale terrein?'

'Italiaanse renaissance-architectuur.'

Op dat moment kwam Howie Sanders binnen met twee kartonnen bekertjes vol thee. Hij gaf ze aan zuster Marianne en Nicholas Denton, en opeens werd de atmosfeer geladen.

Magnetische velden leken uit Denton te komen, terwijl hij met de plastic roerstaaf in zijn thee roerde. Hij *deed* niets. Hij keek niet moeilijk en trok niet zijn ogen tot spleetjes of zoiets mallotigs. Het enige dat hij deed, was in zijn thee roeren en naar de kolkjes kijken. Maar louter door de kracht van zijn persoonlijkheid waren alle blikken op hem gericht.

Met zachte, lichte stem, maar met een harde ondertoon, begon Denton: 'Zuster Marianne, die aanslag was... verachtelijk. Er is geen ander woord voor. Uw orde lijkt het doelwit te zijn geworden van een paar uiterst onsmakelijke types. We weten niet waarom. Dus tot we dat te weten komen, willen we graag dat u de eerstkomende dagen hier in Washington blijft. Het zou ons zeer helpen bij ons onderzoek.'

'Natuurlijk. Ik zal alles doen om u te helpen.'

Denton glimlachte heel erg innemend, zo innemend dat Mariannes laatste weerstand tegen zijn manipulaties wegsmolt. 'Dank u. Goed...'

Chisholm had er genoeg van.

Rechtopstaand begon ze met kille, harde stem: 'U zag een man in een Rotor-Rooter-pak uit de kapel komen vlak voor deze explodeerde, dezelfde man die volgens u op u heeft geschoten toen u in het politiebureau van Lyme was, klopt dat?'

'Ja,' zei zuster Marianne, die bijna in de houding sprong.

'Kunt u die man identificeren als u hem ziet?'

'Ja.'

'Weet u dat zeker?' vroeg Chisholm, en ze keek de non strak aan. 'Zegt u dat niet alleen maar omdat het zou helpen. Weet u zeker dat u hem kunt identificeren?'

'Ja, dat weet ik zeker,' zei ze bijna wanhopig.

Hoe zag hij eruit,' vroeg Chisholm. En, als een bevel, voegde ze eraan toe: 'Neemt u de tijd, denkt u goed na. Vertel ons wat u *zag*, niet wat u *denkt* gezien te hebben.'

'Hij was jong, begin twintig, mager, kortgeknipt zwart haar – bruin haar, donkerbruin haar.'

Eindelijk kwamen ze verder. 'Een bepaalde nationaliteit?'

'Nee, zo zag hij er niet uit. Hij zag er doorsnee uit.'

'Speciale kentekenen, littekens, iets opvallends?'

'Niets. Hij zag er… anoniem uit.'

'Hoe kunt u dan zeggen dat u hem kunt identificeren?'

'Ik heb een fotografisch geheugen,' snauwde zuster Marianne in een reflex om zich te verdedigen tegen deze aanval. Chisholm sprong er bovenop.

'Dat geloof ik als ik het zie,' snauwde ze ogenblikkelijk terug.

Denton sloeg zijn ogen ten hemel, terwijl Chisholm doorging met de non te intimideren.

Vrouwen waren in zekere mate raadselachtig voor Denton. Hij hield van vrouwen en de meeste tijd begreep hij ze, maar hoe het tussen hen functioneerde, was iets dat zijn begrip een tikje te boven ging, zoals luisteren naar twee buitenlanders die hun eigen taal spreken.

Maar dat was niet waaraan hij dacht toen hij Chisholm achternaliep naar de gang toen ze vijf minuten pauze had aangekondigd. Wat hem bezighield, was wat Chisholm wist.

'Dat was een nogal harde aanpak, vind je niet?' vroeg hij over zijn schouder terwijl ze de gang door liepen. Hij probeerde een slimme manier te bedenken om uit haar te krijgen wat ze wist.

Maar Maggie Chisholm gaf geen krimp, negeerde hem net als de afgelopen drie dagen en stapte de vrouwentoiletten in. Denton liep vlak achter haar aan.

Binnen draaide Chisholm zich om naar Denton.

'Wat doe jij hier?' vroeg ze, maar Denton negeerde de vraag en controleerde de wc's om er zeker van te zijn dat er niemand anders was.

'Ik weet waarom je niets van me moet hebben, daar hoef je niet veel fantasie voor te hebben,' zei hij, terwijl hij de laatste wc controleerde. 'Ik weet *niet* waarom je zo de pest aan die non hebt, maar dat kan me eerlijk gezegd niet veel schelen.'

Hij draaide zich om en keek Chisholm aan door de lege, witte toiletruimte. Tussen hen was niets anders dan lucht. Chisholm staarde hem recht in de ogen. Denton wilde niet wijken, maar voelde haar tot in zijn hersens tasten. Even bleven ze elkaar staan aankijken tot Chisholm ten slotte toegaf. Uiteindelijk moest ze plassen. 'Ik heb niet de pest aan die pinguïn,' zei ze, draaide zich om, liep een wc in en deed de deur dicht.

Denton ging op de rand van de wasbakken tegenover de wc's zitten, stak een sigaret op en zei: 'Juist. Maar waarom dan dat verhoor? Zoals ik al zei, het kan me niet echt schelen. Ze is belangrijk. In haar mooie hoofdje zit het gezicht van Sepsis opgesloten. En om de een of andere reden wil onze vriendelijke buurtmoordenaar dat mooie hoofdje van haar romp blazen. Jouw werk, en het mijne, is haar beschermen en desondanks informatie uit haar zien te krijgen. Verknoei het niet, Chisholm. Strijk haar niet tegen de haren in. Ik ken je reputatie dat je, laten we zeggen, grove oplossingen hebt voor problemen, om niet te zeggen *hondse...*'

'Waar heb je het over?' viel ze hem in de rede, zonder Denton te kunnen zien door de dichte wc-deur, maar starend naar het punt waar Dentons stem vandaan kwam. Instinctief wist ze het. 'Je hebt mijn dossier gelicht, hè, rotzak. Dat is vertrouwelijk en privé.'

Zoals een dj een aanvraag afratelt, rolde het van zijn lippen: 'Ohio State '79, Standford rechten '82. Getrouwd '84, gescheiden '87, een zoon, Robert Everett, sinds vier jaar scherprechter voor Mario Rivera – tussen haakjes, mooi stukje werk in dat stadion.'

'Schoft.'

En de schoft had het lef nog verder te gaan. 'Doe niet zo beledigd, Margaret, jij hebt bij mijn brandkranen lopen snuffelen vanaf het moment waarop je wist dat we samen gingen werken, nietwaar? Je bent niet nijdig omdat ik zoveel weet. Je bent nijdig dat jij zo weinig weet.' Hij zoog nog wat nicotine naar binnen en was tevreden met zichzelf. Er was iets voor te zeggen om je kaarten op tafel te leggen.

Chisholm liet zich niet zo gemakkelijk in de hoek dringen. 'In ieder geval lieg ik niet zodra ik mijn mond opendoe. "Zuster Alice", mijn rug op – je bent niet eens katholiek. En ik wed dat je niet eens op Dartmouth heb gezeten.'

'Het grappige is, dat ik daar wel heb gezeten, maar dat is niet belangrijk.' Hij keek naar zijn nagels, dacht na, en besloot dat hij niet meer met deze vrouw in de clinch wilde. 'Ik ga geen beroep doen op de betere duivels in je karakter, Margaret. Maar ik doe een beroep op je gevoel voor doelmatigheid – hoe sneller dit onderzoek afgelopen is, hoe sneller ik hier weg ben.'

'Opgeruimd staat netjes,' zei ze, terwijl ze haar slipje omhoogtrok en doortrok.

'Leuk,' zei Denton, toen Chisholm uit de wc kwam en naar een wasbak liep om haar handen te wassen.

'Dat dacht ik al.'

'Margaret, de enige manier om dit onderzoek snel af te handelen, is de informatie met elkaar te delen en elkaar niet de hele tijd in de haren te zitten.' Denton keek Chisholm strak aan, terwijl er rook voor zijn gezicht wolkte. 'Jij weet iets. Ik wil weten wat.'

Chisholm glimlachte, terwijl ze aldoor haar handen inzeepte. 'Waarom denk jij dat ik iets weet?'

'Omdat je geen *snars* om de achtergrondinformatie gaf. Je vroeg die non dingen over haarzelf, niet over haar orde, niet over wat de andere mensen in het klooster deden, niets, alleen vragen over haar. Wat weet jij?'

Chisholm spoelde haar handen af, trok een paar papieren handdoeken uit de automaat en liet de stilte hangen, voor eeuwen als het moest. De zaak lag zo simpel dat het haar verbaasde dat het nog niet bij Denton was opgekomen.

'Nou?' vroeg hij ten slotte.

Nu haar handen droog waren, gooide ze de handdoeken weg en gaf Denton haar volledige, geamuseerde aandacht. 'Dit is een stapje omlaag voor jou, niet? Jij bent Lehrers eerste huisknecht. Normaal gesproken deel je zaken uit, je leidt er nooit zelf een. Waarom ben je hier? Waarom is de CIA zo geïnteresseerd in Sepsis?'

110

'Misschien ben ik aan het afzakken binnen de CIA,' zei hij nonchalant.

'Nietwaar,' kwam haar korte antwoord. 'Lehrer zou je niet zoveel ruggensteun gegeven hebben als je niet nog steeds zijn hoogste lagere bent.'

Denton keek geïmponeerd, trok zijn zwarte boekje te voorschijn en schreef de term op. ' "Hoogste lagere", leuke uitdrukking.' Toen hij klaar was, maakte hij zijn sigaret uit in de wasbak en ging er met volle kracht tegenaan, voor het eerst zonder zijn glimlach.

'Wat weet je, Margaret?'

Chisholm voelde dat Denton wilde doordrukken, maar ze bleef geamuseerd glimlachen. 'Jullie proberen helemaal niet om Sepsis te vangen, hè? Jullie proberen hem om te kopen. Zo is het toch, niet? Jullie willen hem helemaal alleen voor jullie, jullie gloednieuwe speelgoed.'

'Nee, dat is niet zo,' zei hij, iets minder bars, maar hij kon elk moment de duimschroeven weer aandraaien. Chisholm kon *voelen* dat hij bij zichzelf overlegde hoe ver hij moest gaan en het was eigenlijk op een vreemde manier... opwindend.

'Het zou leuk zijn als iemand als Sepsis in onze tent was en naar buiten piste in plaats van naar binnen. Maar we willen hem niet omkopen. We willen hem van het toneel af hebben, en dat is de waarheid. Goed, wat weet jij?'

Het begon langzaam, deze keer, maar het zwol op tot een geweldige stroom. 'Laten we een deal sluiten,' zei ze, hem nog steeds geamuseerd aangrijnzend.

Het kwam door die grijns dat hij zijn geduld verloor. Opeens drukte hij hard door. 'Ik vind je niet meer grappig, agent Chisholm. Wat weet je? Dat wil ik *nu* weten.'

'We sluiten een deal en daarna vertel ik je wat ik weet. Misschien. *Als* ik iets weet. Ik hoef het je niet per se te vertellen, of wel?'

Ze had gelijk. Dit was het terrein van de FBI en hij mocht alleen maar meedoen. Denton dacht hierover na terwijl hij naar Chisholm stond te kijken en zich afvroeg wat ervoor nodig was, wat voor informatie hij nodig had om haar te breken. Hij bond in – voorlopig. 'Goed. Uitstekend. Wat is je deal?'

'Ik leid dit onderzoek en jij doet wat de CIA wordt verondersteld te doen – informatie aanbrengen. Ik heb het laatste woord over alle veldbeslissingen en jij houdt je erbuiten. Je houdt me van alles op de hoogte. En ik bedoel *alles*. Niets achterhouden, geen spelletjes.'

'Wat Sepsis betreft.'

'Wat Sepsis betreft plus alles wat met Tegenspel te maken heeft. Akkoord?'

Denton stak een volgende sigaret op om te doen alsof hij over haar aanbod nadacht, hoewel ze allebei wisten dat hij weinig keus had. 'Akkoord,' zei hij ten slotte. 'Wat weet je van die orde, dat Opus Dei?'

Chisholm lachte hardop. 'Jullie bij de CIA zijn niet erg slim. Ik weet dat Langley alle dossiers over Opus Dei heeft uitgekamd. Jullie denken aan terroristen, aan politiek, aan religie, aan combinaties daarvan, jullie denken al die ingewikkelde combinaties uit, maar je bekijkt het probleem niet op de goede manier. Het is niet de *orde* die belangrijk is. Het gaat om die *pinguïn*.'

'Over drie weken ga ik, samen met professor Gettier, het restauratieproject in het Vaticaan leiden,' vertelde ze hun.

Ze zaten gedrieën zonder de recorders tegenover elkaar aan de vergadertafel. 'Ons werk bestaat uit het renoveren van de inwendige structuur van de Sint Pieter. Al twee eeuwen lang zijn er geen belangrijke renovaties gebeurd. De structuur is aanzienlijk verzwakt door gewone slijtage, de toeristen en de zure regen in Rome.'

Denton was de eerste die de voor de hand liggende vraag stelde: 'Waarom u?'

Marianne keek hem aan alsof dat de eenvoudigste vraag van de wereld was. 'Omdat ik de meest vooraanstaande Sint-Pieter-expert ben.'

'Geen valse bescheidenheid, alstublieft,' zei Chisholm, die de non aankeek.

Zuster Marianne keek even strak terug.

'Valse bescheidenheid is een zonde van trots, agent Chisholm. Mijn proefschrift ging over de interne architectuur van de Sint Pieter. Ik heb het huidige renovatieproces uitgedacht waarbij de bogen en de belangrijkste steunzuilen kunnen worden versterkt zonder de structuur aan te tasten of het bouwwerk voor de toekomst in gevaar te brengen. Ik heb een groot deel van mijn leven aan dit project gewijd... Dit project *is* mijn leven.'

Denton ging achterover zitten en keek naar Chisholm. Hij kon niet zeggen wat hij wilde zeggen, maar een paar uur later, toen Chisholm de lift naar de garage in het souterrain van het Hoover-gebouw nam, liet hij zich gaan.

'Is dat het? Het een of andere stomme project om het Vaticaan te renoveren? Gaat het allemaal dáárom?'

'Precies,' zei Margaret Chisholm, de veters van haar gympen strikkend terwijl de lift hen naar beneden bracht. Ze had sport-kleren aangetrokken, een grijs sweatshirt en een zwarte wijde trainingsbroek. Haar handtas en een grote plunjezak hingen over haar schouder. 'Dat renovatieproject, daar gaat het om.'

Denton zuchtte, streek met zijn vingers door zijn haar, stak een sigaret op en trok in gedachten een lange neus tegen het 'niet roken'-bordje in de lift. 'Je zit er zo naast, Chisholm, dat het niet leuk meer is.'

Ze kwam overeind en hield haar blik gericht op de lampjes met de verdiepingnummers boven de liftdeuren. 'Sepsis heeft de laatste vier maanden vanuit Rome gewerkt, dat heb je me zelf verteld. De pinguïn...'

'Zou je alsjeblieft willen ophouden haar "pinguïn" te noemen? Ik vind dat zo wreed klinken.'

Ze keek hem geamuseerd aan en ging verder. 'De *non* gaat over drie weken naar Rome. Sepsis probeert haar een paar keer af te knallen. Waarom? Omdat Sepsis haar niet in Rome wil hebben. Waarom wil hij haar niet in Rome hebben? Omdat ze iets gaat doen dat hij niet wil.'

'Wat? Het Vaticaan restaureren? Dat is belachelijk.'

'Misschien vindt hij het mooi zoals het is. Of misschien wil hij zelf een paar renovaties doen.'

Als op een teken gingen de liftdeuren open en Chisholm stapte naar buiten met Denton in haar voetspoor.

'Sepsis wil het Vaticaan opblazen? Waarom die non doden? Hoe valt dat te rijmen?'

'Ik weet het niet, zie ik eruit als een helderziende?'

'Nee, maar je klinkt belachelijk,' zei hij, terwijl ze bij haar bestelwagentje aankwamen. Chisholm gooide de plunjezak achterin en klom achter het stuur. Ze draaide het raampje open om het gesprek af te maken en keek Denton strak aan.

'Denton.'

'Ja, Margaret,' zei hij hooghartig.

'Hij heeft haar niet één keer maar twee keer geprobeerd te doden. De eerste keer wilde hij misschien een andere non doden. Of misschien wilde hij een grote politieke boodschap doorgeven. Maar die tweede poging? Sepsis wilde haar *specifiek* – het ging om haar. Niet om Opus Dei, niet om anti-katholieke gevoelens. Het enige belangwekkende aan haar is het werk dat ze doet of in dit geval *gaat* doen. Hij probeert haar te doden vanwege dat project van haar. Wat het met het Vaticaan te maken heeft, weet ik niet. Maar onze man vindt het heerlijk om dingen in de lucht te laten vliegen. Het Vaticaan is het doelwit.'

'Dat is absurd. Om dat te doen, hoeft hij geen non om hals te brengen.'

Ze trok een spottend verbaasd gezicht terwijl ze de motor startte. '"Om hals brengen", oooo, mooie uitdrukking, Denton, komt die uit je zwarte boekje? Of is het tegenwoordig een modewoord op Langley? Heb *jij* al iemand "om hals gebracht"?'

Denton moest lachen, of hij wilde of niet, op de een of andere manier mocht hij deze moeilijke, gekke vrouw. 'Ik breng geen mensen om hals, Margaret – ik heb mijn mensen om ze om hals te laten brengen.'

Ze lachte en reed haar parkeerplaats af. Denton bleef achter. Hij staarde haar na met een glimlach om zijn lippen. Hij had nog niet besloten of ze een vijand was of niet, maar hij begon haar tegen beter weten in te mogen. Maar ja, Roper had hij ook gemogen en dat had hem er niet van weerhouden de man kapot te maken. Hij draaide zich om en liep het gebouw weer in.

Als alle parkeergarages die meerdere verdiepingen hebben, had het souterrain van het Hoover-gebouw bochten en hellingen in enigszins krankzinnige hoeken, alsof het gebouw was ontworpen door een stel slordige jongens van driehonderd meter lang. Margaret werd er altijd een beetje zenuwachtig van – ze had een gevoel alsof ze eraf zou glijden als ze niet erg zorgvuldig reed. Dus toen ze uit het souterrain op de prettig vlakke 17th Street reed, voelde ze zich opgelucht en nonchalant zwaaide ze naar de gewapende bewakers bij de uitgang. Ze sloeg af naar het zuiden en reed door naar M Street West, op weg naar het fitnesscentrum.

Om de waarheid te zeggen, en hoewel Margaret het nooit zou

willen toegeven, werd ze met het ouder worden wat ijdeler. Toen ze begin dertig was, had ze zelden make-up gebruikt, afgezien van wat mascara (haar wimpers waren zo lichtrossig dat ze bijna onzichtbaar waren). Nu, tegen de veertig, gebruikte ze meer dan ze ooit tevoren had gedaan, wat heel weinig was vergeleken met andere vrouwen van haar leeftijd of zelfs jongere. Maar voor haar was het veel. Dus, onderweg naar de fitnesstraining, zocht ze naar iets waar ze haar make-up mee kon afvegen.

De fitness was echter geen ijdelheid. Roeien, zwemmen, lopen, fietsen, die routine was zo saai en elke keer hetzelfde dat haar geest op slot ging waardoor ze drie keer per week niet hoefde te denken. De hele routine was zó verdovend, dat haar geest ernaar toe leek te leven en het uur voordat ze naar de fitness ging heel helder en snel werkte, alvorens zich af te sluiten.

'Hallo?' riep ze in haar draagbare telefoon.

'Hoi mam,' zei Robby, die normaal en verveeld klonk – een opluchting, er was niets aan de hand en hij had niets gedaan.

'Moet je horen, zet het gehaktbrood in de oven... Nee, nee, nee, in de magnetron wordt het slap en vies. In de oven op 275 graden... *Wat* voor klasgenoot om huiswerk te maken? Heeft dat meisje zelf geen huis? Oké, maar geen Nintendo en geen gerotzooi. O, ja, vast wel. Met al die "huiswerkmakers" is het een wonder dat je nog geen eindexamen hebt gedaan. Ja, ja, ja, dat heb ik allemaal al eerder gehoord. Ik ben over een uur thuis,' loog ze (het zouden er eerder drie zijn), 'en zorg dat jullie allebei aangekleed zijn. Dag schat,' zei ze, terwijl ze verstrooid wat zoenen in de hoorn blies alvorens op te hangen. Een uur was veel te weinig voor twaalfjarige hormonen om serieuze schade aan te richten, dacht ze, terwijl ze op M Street ter hoogte van 21st Street stilstond omdat het druk was op de kruising. Maar als hij dertien was, werd het een heel ander verhaal.

Eindelijk vond ze een oude Kleenex in haar tas en ze richtte haar aandacht op haar make-up. Uiterlijk leek Margaret afwezig en sloom als haar hersens op de hoogste versnelling werkten en puntsgewijs alles doornamen terwijl ze haar make-up afveegde. De dingen die ze morgen moest doen, overmorgen, de mensen die ze moest bellen, de boodschappen, postzegels halen... die hele lijst nam ze door terwijl ze bijna alles van haar gezicht veegde. Maar ze kon nog plekjes make-up voelen zitten, dus greep ze de achteruitkijkspiegel en draaide die naar zich toe.

115

En toen zag ze hen.

Terwijl ze de spiegel draaide, had ze kunnen zweren dat ze heel kort een glimp had opgevangen van iets dat er niet hoorde te zijn, voordat ze zichzelf in de spiegel zag terugstaren. Ze draaide de spiegel op dezelfde manier terug en toen zag ze hen heel duidelijk.

Ze waren links achter haar, in haar blinde vlek, met een vrachtwagen. Niet echt een vrachtwagen, maar ook geen bestelwagen: het leek op zo'n grote bestelwagen van UPS, maar deze was grijs zonder opschrift en zag er redelijk anoniem uit. De ramen waren getint waardoor het interieur van de wagen onzichtbaar was. Maar uit het raam aan de passagierskant kon ze de loop van een machinegeweer zien steken. Niet veel, hooguit tien centimeter of zo. Maar dat was genoeg. Iemand was van plan haar in het voorbijgaan neer te schieten.

Ze had hen nooit kunnen zien als ze haar spiegeltje niet naar zichzelf toe had gedraaid. Zelfs nu bekeek ze hen niet regelrecht in de achteruitkijkspiegel, maar via een weerkaatsing van haar ogen naar de achteruitkijkspiegel naar de buitenspiegel en eindigend bij het machinegeweer. De wagen met de schietplannen stond achter de auto die naast haar stond. Terloops keek Margaret naar links om te kijken of ze nog meer gezelschap had.

De auto links van haar was een forens die in een draagbare telefoon sprak, onschuldig. Zijn zwart-geel gestreepte das hing los. Aan zijn houding kon ze zien dat hij haar niet had opgemerkt. Hij scheen kwaad te zijn over iets dat door de telefoon werd gezegd. Ze keek naar rechts. Een andere auto, ook met een onschuldig type, een student die haar ook niet zag: hij zat zachtjes mee te zingen met de radio. Ze keek naar de rechterbuitenspiegel van haar bestelwagentje: achter haar stond niemand, het stoplicht bij de vorige kruising stond nog steeds op rood waardoor het verkeer ruim tweehonderd meter achter haar werd tegengehouden. Het verkeer was daar zo dicht dat het niemand gelukt was achter haar te komen staan. Des te beter.

Dus de grijze vrachtwagen zou in haar blinde vlek komen rijden, haar neerschieten en bij de eerste de beste straat linksaf slaan. Dat leek Chisholm een goed plan. De forens met de wespendas was waarschijnlijk een snelle rijder, hij reed in een tweedeurs-Lexus. Dus meneer Wespendas zou wegscheuren, de vrachtwagen zou vaart meerderen, Chisholm passeren en haar vol met kogels schieten. Ze zou dood zijn voor ze er erg in had. Slim.

Chisholm zag dat haar licht nog op rood stond en dat van de zijstraten nog op groen. Strak in de achteruitkijkspiegel kijkend, stopte ze de Kleenex terug in haar tas. Toen keek ze naar links, naar het stoplicht van de zijstraat.

Het stond nog op groen maar de voetgangersoversteekplaats begon te knipperen.

De grijze vrachtwagen schoof nauwelijks merkbaar dichterbij.

'Langzaamaan, schat,' mompelde ze. 'Langzaamaan, maar vooruit, kom op.'

Als op bevel schoof de grijze vrachtwagen nog een klein stukje naar voren. De wespendas in de Lexus kwam ook in beweging, aangezien de voetgangers werden afgeschrikt door het knipperende voetgangerslicht. De student rechts van haar zette zijn radio harder, waardoor de rustige, sombere muziek door zijn open raam zweefde.

Chisholm zette haar wagen met haar rechterhand in de versnelling, terwijl ze met haar linker in haar tas woelde en naar de verspringende stoplichten keek. Het stoplicht in de zijstraat sprong op oranje, het voetgangerslicht was nu een onbeweeglijk rood negatief.

'Ja, lekkertje, het wordt zo leuk als ik je te grazen neem…'

Haar rechterhand greep het stuur zo stijf vast dat haar knokkels door haar huid leken te willen scheuren, maar Chisholm merkte het niet, evenmin als het kloppen van haar hart. Het enige dat ze zag, was dat recht voor haar uit, achter de gestage stroom overstekend verkeer, de straat – haar straat – helemaal leeg was. God, het zou een smeerboel worden.

'…zo lekker en nummenum… dat je nooit meer een ander wil…'

Het oranje licht sprong op rood.

Haar licht werd groen.

De Lexus spoot weg, maar de gierende banden waren niet van Wespendas – het waren die van Chisholms bestelwagentje, dat niet naar voren, maar *naar achteren* schoot, terwijl haar linkerhand uit het raam schoof met haar revolver erin en toen was het *BAM! BAM! BAM!*, recht naar de passagierskant van de vrachtwagen. De hersenen en het bloed van de schutter spatten op de bestuurder, terwijl Chisholm achteruit bleef rijden en op de verdwijnende grijze vrachtwagen bleef schieten…

De vrachtwagen gaf plankgas en schoot gierend weg. Chisholm ging op haar rem staan en schakelde. De wielen van het bestelwagentje slipten door en ze raakte achter op de goed liggende grijze vrachtwagen die al twintig meter voor haar reed en de afstand werd groter. Toen pakten de wielen eindelijk en het bestelwagentje reed ronkend als een trekker achter de vrachtwagen aan, en hoe klein het wagentje ook was, het had de pit om de afstand tussen de vrachtwagen en Chisholm op te vreten zoals hongerige paarden een suikerklontje wegwerken.

Opeens, halverwege de volgende kruising, ging de vrachtwagen op zijn rem staan.

Chisholm had eindelijk snelheid gekregen, het bestelwagentje spoot vooruit, toen de vrachtwagen voor haar met een ruk bleef staan. Ze sprong op haar rem en schakelde tegelijkertijd terug naar één. De motor van het bestelwagentje stootte een nijdig machinaal gehinnik uit en zijn neus leek zich regelrecht in het beton van de weg te willen boren.

Op ruim een meter afstand van de vrachtwagen stond ze doodstil tot de deuren openvlogen en drie mannen, die eruitzagen als een stel Arische Natie-types, vlak voor Chisholms gezicht stonden – en alle drie hadden ze een machinegeweer.

Khalis, dacht Chisholm zomaar, dichtbij genoeg om te zien wat voor wapens het waren, en ze dook op de passagiersstoel van haar wagentje terwijl de cabine werd doorboord. Stukken bekleding, glas, bruin leer en spaanplaat vlogen in het rond en er hing een zware, scherpe lucht van kordiet.

Als door een wonder was de motor van het bestelwagentje niet afgeslagen, dus nu, terwijl ze half voorover op haar zij lag, deed ze het enige dat ze kon bedenken – ze drukte het gaspedaal in en knalde tegen de achterkant van de vrachtwagen – WAAAAM!

Na de klap tegen de achterkant schoot de vrachtwagen naar voren en KNAL! schoot ze er nog een keer tegenaan en ging rechtop zitten. De vrachtwagen had de boodschap begrepen, nam vaart en reed weg – maar een van de Arische Natie-maatjes verloor zijn evenwicht en viel van de vrachtwagen op de grond, een paar meter voor Chisholm. En als een brokkenmaker reed Chisholms bestelwagentje de man omver, waardoor zijn hoofd en knieën verbrijzeld werden, wat een enorme vlek op het lichtgrijze beton van M Street achterliet.

De voorruit van het bestelwagentje was totaal vernield, zat vol barsten, gaten en scheuren, maar het plastic dat met het glas was vermengd om er 'veiligheidsglas' van te maken, hield het bij elkaar, wat het onmogelijk maakte om iets te zien. Dus trapte Chisholm met haar rechtervoet boven het dashboard, terwijl ze met haar linker op het gaspedaal stond, de pot op met de transmissie die geluiden maakte als een op hol geslagen paard. De voorruit knalde eruit en daar reed ze, twintig meter achter de vrachtwagen waaraan de twee passagiers zich uit alle macht vastklemden. Chisholm schakelde naar de tweede versnelling en daarna naar zijn drie om de motor minder te belasten, die reageerde met een grote sprong naar voren en met een gelijkmatiger geluid hard op de vrachtwagen af reed. Ze zou hem te pakken krijgen, daar was ze zeker van.

Chisholm drukte op de sneltoets van haar draagbare telefoon, terwijl ze de hoorn met haar rechterschouder tegen haar oor hield, zonder eraan te denken dat ze de luidspreker kon gebruiken en ze schreeuwde in het mondstuk. De wind of haar bloed waren zo luidruchtig dat ze nauwelijks iets kon horen.

'Centrale, met Chisholm 5-5-7-6-Alpha-Tango-Zulu, verzoek om spoedhulp en ik bedoel nu meteen, hoge snelheidsachtervolging richting westen in M Street bij 22nd Street in het noordwesten – wacht even,' schreeuwde ze. Ze liet de telefoon vallen, omdat de jongens achter op de vrachtwagen hun evenwicht hadden hervonden en hun wapens weer ophieven. Ze week niet uit, maar ging in de aanval met haar revolver – *BAM! BAM! BAM!*, geen kogels meer, maar *verdomme* wat voelde het lekker aan toen een van hen een kogel in zijn keel kreeg en het rode bloed met de wind meevloog, de klootzak voor haar wielen terechtkwam en ze pal over zijn stinkende lijk reed. Ze had geen kogels meer en de snellader zat onder in haar tas. Ze pakte de telefoon en begon weer te praten, terwijl ze naar haar snellader tastte en als een duivel door M Street reed.

'Centrale, zijn jullie er nog? Een bestelwagen, in totaal vijf doelwitten, twee liggen uitgesmeerd over M Street, stuur dus schoonmakers, er is een bestuurder en er zit er nog één achterin, plus een scherpschutter naast de bestuurder maar die is dood. Twee levende doelwitten, ik herhaal twee levende doelwitten, een achterin, die achterste heeft een machinegeweer dus ik neem aan dat de bestuurder ook zo'n ding heeft.'

... En wat de centrale zei, wat het ook was, het was weg, terwijl ze haar auto in zijn drie opvoerde tot de motor pijnlijk begon te schreeuwen om de vierde versnelling, die ze hem gaf en als dank kreeg ze een enorme voorwaartse sprong die het wegdek openscheurde. Chisholm was er zeker van dat ze een spoor van betonbrokken achterliet, maar was te geconcentreerd om achterom te kijken, want de vrachtwagen kwam dichterbij...

En toen liet hij haar erin lopen, sloeg plotseling scherp linksaf en reed in zuidelijke richting tegen het verkeer van 24th in, door het rode licht in M Street. Chisholm ging op haar rem staan en draaide uit alle macht aan het stuur, met haar revolver en snellader nog in haar handen, maar het bestelwagentje verloor zijwaarts snelheid en slipte op de kruising, raakte wonderlijk genoeg geen enkele auto of voetganger, maar naar rechts kijkend zag ze dat ze zijwaarts slipte en regelrecht op een geparkeerde ambulance af schoot...

KNAL! ging het bestelwagentje tegen de ambulance waar haar hele namaakhouten zijwand bleef hangen en schilfers zilververf en rood bloed van de twee mannen die ze had overreden, de vernielde ambulance bespatten en besmeurden. En al die tijd verhoogde Chisholm alleen maar haar snelheid, ramde de ambulance en nog een andere auto die erachter stond, en raasde achter de vrachtwagen aan.

De vrachtwagen was bezig te ontkomen. Hij reed midden op de weg terwijl de tegenliggers, die niet talrijk waren, naar de stoep uitweken om hem te ontwijken. De motor van Chisholms bestelwagentje gierde en spuwde schuimende stoom door een kogelgat in de motorkap. Ze joeg verder, net als de vrachtwagen totaal blind voor al het andere.

Dat loeder kan rijden. Sepsis, de bestuurder, dreef zijn vrachtwagen nog sneller vooruit. De wagen was nu lichter nu er twee man af waren, maar hij wist dat het gewicht niet veel verschil maakte, het was maar een vrachtwagen, traag en vast op de weg. Ontsnappen kon niet.

Vóór Sepsis was een rotonde, waar hij dwars overheen reed, en wonder boven wonder raakte Sepsis' vrachtwagen niet vast toen hij het middenstuk van de rotonde op reed en eroverheen galoppeerde. Halverwege trok hij de wagen recht en keek in zijn achteruitkijkspiegel.

Chisholm reed pal achter Sepsis aan, maar was minder geluk-kig, want ze werd van achteren aangereden door een auto die over de rotonde raasde en niet snel genoeg was om het bestelwagentje totaal te ontwijken. Maar nog steeds reed het bestelwagentje door, trok recht toen het de middenberm op reed en ging regel-recht achter Sepsis aan die verbaasd staarde en niet zag dat hij aan de andere kant de rotonde af reed en een harde klap tegen de voorkant kreeg. De vrachtwagen slingerde negentig graden en stond loodrecht op Chisholms aanstormende bestelwagentje.

Ze zag het, remde uit alle macht, de banden scheurden het gras van de rotonde open, de achterkant slingerde en draaide rond tot ze evenwijdig was aan de vrachtwagen, die zes meter verder rechts van haar stilstond.

De vrachtwagen was afgeslagen. Sepsis sloeg woedend op het stuur, probeerde de motor te starten, maar het was uitgesloten dat hij de tijd had om te wachten tot de motor aansloeg, dus greep hij achter de bestuurderszitplaats naar de Uzi die hij had meege-nomen voor een noodgeval als dit en hij schreeuwde in het Frans tegen Gaston, de enige overlevende van zijn team: '*Spring eruit en maakt dat rotkreng koud!*'

Het bestelwagentje was niet afgeslagen. Chisholm laadde haar revolver met de snellader, terwijl ze toekeek hoe de vrachtwagen probeerde te starten en ophield, waarna er niets gebeurde en zij besefte: *ze komen eruit, ze gaan me doorzeven*, eruit, eruit, *verdom-me er nu meteen UIT!*

Ze tastte blindelings in haar tas. Een andere snellader viel pre-cies in haar handpalm, ze vloog achter het stuur vandaan naar buiten op haar hurken achter het motorblok in de hoop dat het haar dekking bood, terwijl Gaston, lang met bruin haar, van ach-teren uit de vrachtwagen kwam, gek van angst en bloeddorst en het bestelwagentje doorzeefde met zijn Kalasjnikov, zonder te we-ten waar dat rotkreng was, dus mitrailleerde hij het hele wagentje. Sepsis kwam ook naar buiten met een volle clip kogels in zijn Uzi, keek wanhopig maar niet in paniek en zonder te schieten naar het bestelwagentje, terwijl Gaston al zijn kogels afvuurde die tinke-lend van het motorblok afketsten.

En achter dat motorblok zat Chisholm gehurkt, zonder zich te bewegen, zonder te schreeuwen, zonder te ademen, zonder van haar stuk te zijn, terwijl Gaston op volautomatisch vuurde. Het geluid van zijn gegrom was als een dierlijke schreeuw vol haat. Ze wist wat ze ging doen zodra de kogelregen ophield en dat gebeurde – Gaston had geen kogels meer.

Maggie rende naar het achterstuk van het bestelwagentje en toen ze erachter vandaan kwam, stonden ze daar te mikken op de cabine van het bestelwagentje. Gaston was bezig opnieuw te laden en had nooit verwacht dat ze vanaf de achterkant van het bestelwagentje zou opduiken. Ze rende naar de achterkant van de vrachtwagen, en vuurde met haar linkerhand *BAM! BAM!* snel achter elkaar, beheerst, en een van de kogels raakte Gastons hoofd. Hij werd omvergeworpen met een schedel die voor driekwart leeg was, omdat de kogel met bijna een kilo hersens doorvloog voordat Sepsis zelfs maar had gezien wat er was gebeurd. Instinctief rende hij naar de *voorkant* van de vrachtwagen om het voertuig tussen hem en Chisholm te houden.

Ze bleven staan. Tussen hen in was de vrachtwagen, Chisholm aan het achtereind, Sepsis aan de voorkant. De auto's op de rotonde waren gestopt, mensen renden met hun handen over hun oren de straat af en lieten hun auto achter, in paniek bij het geluid van het vuurgevecht. Chisholm en Sepsis, echter, bleven stilzitten met de vrachtwagen tussen hen in en dachten na.

De tijd was in het voordeel van Chisholm, ze wisten beiden dat Sepsis vroeg of laat moest vluchten. Of hij moest wachten tot Chisholms versterking arriveerde, politie of FBI.

Sepsis had dit al eerder meegemaakt en hij was niet in paniek. Twee jaar geleden, vlak voor hij tweeëntwintig werd, was hij met een stel Zuid-Afrikaanse zwarten, communistische terroristen, betrokken geweest bij een vuurgevecht in Mexico. Een gemakkelijk karwei: je moet snel zijn, kalm blijven en recht op het hoofd mikken, zo had hij de zaak geklaard. Maar dit zou moeilijk zijn, aangezien er, afgezien van de vrachtwagen en de overblijfselen van het bestelwagentje, in een straal van twintig meter geen dekking was.

Onverhoeds hief Sepsis de Uzi boven zijn hoofd en vuurde door de voorruit van de vrachtwagen. De kogels vlogen er aan de achterkant weer uit, maar Chisholm zat al nog dieper gebukt, terwijl de kogels boven haar hoofd suisden.

Dat was het moment waarop hij wegrende. Hij rende de richting uit die hij met de vrachtwagen had willen nemen: naar het zuiden, over het resterende stuk 24th Street, op de stoep, voordat Chisholm wist wat er gaande was. En toen zag ze hem: een man die met de andere voetgangers meerende, maar zo ver achter hen dat hij het moest zijn. En dus begon zij ook te rennen, achter hem aan, wetend dat hij haar niet zou ontsnappen.

Sepsis rende, keek achterom, racete over de stoep, zigzagde tussen de telefoon- en elektriciteitspalen en de bomen door en mitrailleerde als dekking op goed geluk naar achteren, waar Chisholm rende.

Voor hem doemde een politieagent uit het niets op, wijdbeens met een pistool in beide handen, die schreeuwde: '*Halt!*' Sepsis rukte de Uzi met zijn loop naar voren, ondersteunde hem met zijn linkerhand en doorzeefde de stomme smeris ter plekke, alvorens over zijn lijk heen te rennen.

'*Opzij, ga godverdomme opzij!*' schreeuwde Chisholm buiten zinnen. Ze zag Sepsis opeens rechtsaf slaan en achter een stel struiken verdwijnen, waardoor ze behoedzaam afremde voordat ze zich realiseerde wat het was – Foggy Bottom Station.

De ingang van het metrostation lag ruim tien meter van de stoeprand en toen Chisholm langs de struiken liep die de ingang gedeeltelijk aan het oog onttrokken, was het enige dat ze kon zien een reusachtige muil die eindeloos de diepte in liep, terwijl de onmogelijk lange en steile roltrappen voetgangers omlaagbrachten, ogenschijnlijk regelrecht naar de hel. Sepsis was al halverwege een van de roltrappen, duwde en schoof mensen opzij en rende steeds verder omlaag. Chisholm rende ook, naar een andere roltrap, die leger was dan die van Sepsis, vloog omlaag en schreeuwde: '*Liggen, verdomme, iedereen liggen!*' Dus draaide hij zich naar haar om, stevig op de bewegende roltrap staand en schoot in alle kalmte op haar...

Ze dook voorover op de harde randen van de roltraptreden en schoof omlaag op de manier zoals ze dat een miljoen eeuwen geleden op Quantico had gedaan toen ze nog in opleiding was. *Dus daarom dwingen ze je om op je buik door de modder onder een netwerk van prikkeldraad door te schuiven*, dacht ze idioot genoeg terwijl ze de bewegende roltrap af kroop en voelde hoe de kogels van Sepsis gaten in de metalen bekleding sloegen, maar achter haar, achter haar, en ze was nog maar vier meter van de onderkant van de roltrap af, ze haalde het en *dan zal ik*...

123

Sepsis hield op met schieten, maar bleef de roltrap af rennen, omdat hij geen kogels wilde verliezen nu hij Chisholm niet meer zag, sprong van de laatste treden op de grond en kwam neer op het moment waarop Chisholm vanuit gehurkte positie onder aan haar roltrap begon te schieten. Een van haar kogels trok een scheur in de kraag van zijn polohemd.

Mijn keel! dacht hij terwijl hij het vuur beantwoordde – *ra-ta-ta-ta-TA* – stop.

Sepsis had geen kogels meer.

Met een woede, zo zwart als de woede van Chisholm rood was, greep Sepsis de Uzi met twee handen en smeet hem op de grond bij zijn voeten, alvorens zich om te draaien en het metrostation in te rennen.

Vanachter de dekking van de roltrap zag Chisholm hem het machinegeweer weggooien, dus kwam ze overeind en rende achter Sepsis het donkere metrostation in, terwijl ze tegen de voetgangers die het donkere grotachtige metrostation leken te overstromen, schreeuwde: '*Opzij, de FBI. IEDEREEN OPZIJ!*'

Sepsis rende krap vijftien meter voor haar uit en greep voetgangers vast die hij voor de achter hem aan rennende Chisholm gooide. Hij sprong over de kaartjesautomaat heen en verdween met een roltrap in de richting van een perron met Chisholm vlak achter zich aan. Ze had vijf kogels in haar revolver en ze ging hem krijgen, o ja.

Ze kwam bij de rand van de roltrap, vlak achter hem, en daar lag hij, languit op zijn rug onder aan de roltrap, gestruikeld over de mensen die verdomme *overal* waren – maar Sepsis had een pistool in zijn handen en mikte recht op Chisholms gezicht.

Ze dook op het moment dat hij schoot – *PENG PENG PENG PENG* – en kwam op haar linkerzij neer, veilig onder zijn gezichtsveld.

Beneden, op perronniveau, stond Sepsis op en keek rond, letterlijk niet in staat zijn ogen te geloven – een zilveren metrotrein stond daar klaar met wijdopen deuren, alsof hij op hem *wachtte*, net toen een stem, een monsterlijke stem als een verveelde, versleten derderangs god, over de luidsprekers zei: 'Dit is de oranje lijn naar… Vienna. Alle passagiers instappen.'

En dat is wat Sepsis deed – hij dook de trein in.

Chisholm was al onderweg naar beneden, ongedeerd en onbevreesd en ongenegen het op te geven. Met twee treden tegelijk rende ze omlaag toen ze een man – Sepsis – vijf meter verder in de metrotrein zag duiken op het moment dat de deuren van de trein dichtklapten. Toen zette de trein zich in beweging – hij ging ontsnappen – meerderde vaart en was verdwenen.

Had ze hem gezien? Had ze zijn *gezicht* gezien? Nee, verdomme, nee, ze had zijn gezicht niet gezien en hij was ontsnapt. Op het perron om haar heen gilden en schreeuwden mensen in pijn en paniek. Chisholm dacht er opeens aan om te bellen, de centrale te bellen, en daar was een telefoon op het perron en ze pakte de hoorn op en draaide automatisch het gratis nummer van de centrale en toen kwam het allemaal uit haar mond...

'Centrale, met Chisholm, ik ben op Foggy Bottom Station, ik ben hem kwijt, ik ben hem verdomme *kwijt*. Ik ben niet geraakt maar stuur een ambulance, overal zijn gewonde burgers, godverdomme nog aan toe, en mijn auto is niet verzekerd!' schreeuwde ze.

Witheet kwakte ze de hoorn tegen de zilverkleurige zwijgende telefoon, en sloeg er nog een paar keer mee, voordat ze het ding liet vallen en wegliep. Ze hief haar linkerarm, haar schietarm, op en richtte recht op die verdomde kleretelefoon – BAM BAM BAM BAM BAM!

Het was afgelopen. Ze had geen kogels meer. Mensen renden uit haar buurt. Haar stuitje deed pijn, maar niet al te erg. Haar beide scheenbenen zaten vol blauwe plekken, ze kon ze voelen. De nagel van haar rechterringvinger was tot op het vlees ingescheurd. Haar tieten voelden aan alsof ze tot moes geslagen waren, haar sportbeha zat er in een pijnlijke knoedel onder. Ze keek omlaag in de verwachting ergens bloed te zien. Er zat niets. Nu ze geen doel meer had, maakte al die adrenaline haar slap en licht in haar hoofd. Ze was er zeker van dat ze elk moment kon opstijgen. En toen zakte het af, het zoog haar lichaam op en omklemde haar ingewanden tot ze dacht dat ze flauw zou vallen. Maar dat gebeurde niet.

Ze wierp een laatste blik naar de zwarte tunnel waarin Sepsis in de metro was verdwenen. In haar zak kon ze de omvang van haar overgebleven snellader voelen. Het ding was geduldig, maar begerig, als een fles drank of een spuit vol heroïne. Maar ze hield zich in en stopte het niet in haar revolver. Dat deed ze niet, omdat Margaret Chisholm niet wist wie ze dan zou neerschieten.

ZES | Terugslag en de infobron

Chisholm nam niet eens de moeite Denton te vertellen wat er was gebeurd. Dat werd overgelaten aan Amalia Bersi, die hem thuis belde, waar hij naar een Mexicaanse voetbalwedstrijd zat te kijken met een bijna leeggegeten avocado. Hij zat het laatste vruchtvlees van de schil te schrapen toen hij haar telefoontje kreeg, en bleef al etend luisteren, terwijl zij alles over de achtervolging, de schietpartij en nog wat andere interessante nieuwtjes vertelde.

'Dus ze is in het Hoover-gebouw?'

'Nee, ze is net weg. Morgenochtend levert ze haar rapport in.'

'Waar is ze heen?'

'Naar huis.'

Denton had een zwarte Mercedes Benz met open dak. Het was een geweldige auto, die was betaald met het voorschot op zijn derde roman en hoewel het boek het voorschot nooit had terugverdiend, wilde Denton de Mercedes per se houden. Die avond maakte hij er nuttig gebruik van door in precies vijfentwintig minuten naar Silver Springs aan het andere eind van de stad te rijden. Toen hij bij haar huis aankwam, deed Chisholm zelf de deur open.

'O, jij bent het,' zei ze met een vlakke, vreemde stem. Ze liet hem binnen en ging naast een tafeltje bij de deur staan.

'Waarom heb je me niet gebeld?'

'Ik had andere dingen aan mijn hoofd, Denton,' zei ze nonchalant. Dat was het moment waarop hij zag dat ze discreet haar revolver in de la van het tafeltje teruglegde. Zonder om te kijken liep ze naar de woonkamer. Denton volgde haar.

De woonkamer was leeg, maar Denton kon voelen dat er nog iemand in huis was. 'Is er iemand?'

'Ze komen zó,' zei ze cryptisch. Een open koffer en een stapel kleren die net uit een wasdroger kwamen, lagen op de bank. Een roze antistatisch droogvel viel tussen de kleren uit toen Chisholm een T-shirt pakte en het begon op te vouwen.

Maar de kleren waren jongenskleren, die Chisholm netjes in de bijna volle koffer pakte.

'Wie zijn er zó?' vroeg Denton.

'Sanders.'

'O.'

Op dat moment kwam een jongen van hooguit twaalf de trap af gesprongen met een baseballpet op, een rood T-shirt en spijkerbroek aan en een rugzak die bijna uitpuilde.

'Hoi, ik ben Robby,' zei hij innemend tegen Denton, en hij stak zijn hand uit alsof hij volwassen was.

'Hoi, ik ben Nicholas Denton,' zei hij. Hij vond de jongen onmiddellijk aardig, gaf hem een hand en keek naar Chisholm.

Chisholm staarde onbeweeglijk naar haar zoon. Denton keek weer naar Robby en voelde trillingen uit Chisholms richting komen die hij kon herkennen. Het waren moederlijke trillingen. Gek genoeg ontroerde het hem.

'U werkt voor de CIA, hè?' zei de jongen, wild enthousiast vanwege de geheimzinnigheid.

'Ja, ik werk voor de CIA,' zei hij.

'Leidt u ook geheime missies en zo?'

'O nee, ik blijf op de achtergrond, ik doe klein werk. Het was veel leuker toen de Russen er nog waren, maar nu is het behoorlijk saai.'

'Kan ik me voorstellen,' zei terwijl hij opmerkelijk genoeg de nadenkende toon van een volwassene imiteerde. 'Ik ben klaar, mam,' zei hij tegen Margaret, die uit haar gepeins opschrok en een zakelijke blik op Robby wierp.

'Je neemt toch niet je Nintendo mee naar San Diego, hè?'

'Waarom niet?'

'Omdat je er debiel van wordt.'

'Niet waar,' zei hij, en hij sloeg zijn ogen ten hemel op een manier die Denton ontstelde: het was precies de manier van Margaret Chisholm.

Chisholm bleef hem met een bedenkelijke blik aankijken om hem te dwingen het videospelletje thuis te laten. Maar de blik had niets scherps – die knalrode tentakels waren afwezig. Robby wendde zich tot Denton en bleef doorpraten alsof zijn moeder niets deed.

'En wat doet u dan, nu de Russen weg zijn?'

'O, van alles, voornamelijk zorgen dat we weten wat er in andere landen gebeurt. De wereld is tamelijk groot – veel problemen in andere landen dan Rusland.'

'Vast wel,' zei de jongen, die zich onbehaaglijk voelde worden onder de strakke blik van zijn moeder. 'Mam!' zei hij ten slotte, geprikkeld en gegeneerd.

'Oké,' zei ze, 'je vader zal zich met die achterlijke verslaving bezig moeten houden.' De bel ging. Margaret liep naar de deur en zei over haar schouder: 'Maar dit is geen vakantie. Zodra je daar bent, ga je naar school.'

Vanwaar ze stonden, konden noch Robby noch Denton de voordeur of het tafeltje zien. Denton was er zeker van dat Chisholm haar revolver paraat had om iedereen neer te schieten die ze liever niet zag.

'Dus je gaat naar San Diego, hè?' zei hij, zijn aandacht naar de jongen verleggend. 'Waarom?'

'Weet ik niet. Mijn moeder vindt het een goed idee als ik mijn vader wat vaker zie. Maar ik ga er in juni ook al heen en dat is al over een paar maanden. Mam is zo'n rare.'

'Zeg dat wel,' liet hij zich ontglippen, en zei er toen snel maar

128

nonchalant achteraan, 'alle moeders zijn zo. Ik ben zevenendertig en mijn moeder zit me nog stééds achter mijn vodden. Ze zegt altijd dat ik me warm moet aankleden,' zei hij met een verlegen blik. Robby knikte wijs en herkende een gelijke – een andere veteraan vol littekens en bloed uit de Moederbindingsoorlog.

Chisholm kwam terug met Sanders en zijn partner, Richard Greene, in haar kielzog. Agent Sanders kende Robby goed en ze gaven elkaar een hand. 'Hoe gaat het met mijn broertje, klaar voor vertrek?'

'Klaar voor de start,' zei hij. Chisholm pakte de laatste dingen in en ritste de koffer dicht, die Richard Greene oppakte.

'Ik zet hem vast in de auto,' zei hij, en hij wierp een blik op Sanders, die de hint begreep. Ze gingen naar buiten om Robby en Margaret een ogenblik alleen te laten. Denton liep bij hen vandaan, maar niet weg. Chisholm richtte haar aandacht op Robby.

'Dit is nog geen vakantie. Je moet nog steeds dit schooljaar afmaken.'

'Weet ik, mam.'

'Je vader komt je op het vliegveld afhalen, maar als hij er niet is, wacht je bij de deur.'

'Weet ik, mam.'

'Niet met vreemde mensen praten.'

'Weet ik.'

'Waar is je ticket?'

'In mijn rugzak.'

'Weet je het zeker?'

'Ja.'

'Laat zien.'

Robby keek laatdunkend naar haar op, maar dat kon Margaret niet schelen, ze keek strak terug. Met een zucht liet Robby zijn rugzak vallen, trok een buitenklep open en haalde zijn vliegticket te voorschijn. 'Gezien?'

'Oké, heb je geld?'

'Nee,' zei hij opgewekt.

'Hoeveel heb je?'

'Maar twintig.'

'Twintig dollar? Dat is meer dan genoeg,' zei ze. Robby boog gelaten zijn hoofd, zich maar al te bewust van het feit dat Denton stond te kijken. Hij wist wat er komen ging.

Margaret kon het niet laten en trok haar zoon heel dicht tegen zich aan om hem een zoen op zijn wang te geven. 'Mmmm, ik ben zo gek op je. Doe voorzichtig en ik bel je zodra je bent aangekomen.'

Robby, vernederd, zwaaide in het wilde weg naar Denton terwijl hij de voordeur uit stapte. Margaret volgde hem met haar blik vanuit de deuropening, terwijl hij bij Sanders en Greene in de auto stapte en wegreed. Ze deed de deur dicht en draaide zich om naar Denton, hem voor de eerste keer bewust opmerkend.

'De zorgen van het ouderschap.'

'Ik kan het me voorstellen,' zei hij.

'Wat doe je hier trouwens?' vroeg ze, en ze keek hem vragend aan.

'Een van mijn mensen heeft me over je avontuur verteld.'

'Het was op het avondnieuws, hoor,' zei ze, geamuseerd dat hij een assistent nodig had om hem te vertellen wat er gebeurd was. Denton ging verder en deed alsof hij het niet hoorde.

'Amalia heeft wat materiaal over die schutters opgegraven dat je wel zou willen weten, dacht ik.'

'Wat heb je gevonden?' zei ze zakelijk, terwijl ze naar de keuken liep. Denton liep achter haar aan.

'Ik denk dat je het wel leuk zal vinden,' zei hij, toen ze de koelkast opendeed. 'Die vier schutters waren allemaal van Québecois Libre ...'

'Het waren er vijf,' zei ze, terwijl ze Denton een Coke aanbood.

'Nee, dank je – ik bedoel de vier die je hebt gedood. Ze zijn alle vier met valse papieren de grens over gekomen, allemaal papieren waarvan het spoor loopt naar, raad eens – Rome.'

'Hadden ze hun papieren bij zich? Wat een stommelingen.'

'Nee, nee, ze hadden niets, nog geen snippertje papier bij zich. Maar een van hen had wel de sleutel van een motelkamer bij zich. Amalia Bersi...'

'O ja, je favoriete koppensnelster,' zei ze glimlachend tegen hem terwijl ze het blikje opentrok. 'Ik dacht dat we afgesproken hadden dat dit alleen door FBI-mensen werd behandeld.'

'Het was gewoon gemakkelijker...'

'Laat maar,' zei ze. Ze hief haar hand op en boog haar hoofd. 'Ik ben te moe om met je te bekvechten. Ga verder, wat hebben je mensen gevonden?'

Denton glimlachte. 'Amalia heeft uitgeplozen waar de sleutel vandaan kwam en de kamer onderzocht. Er waren vier stel documenten. En nu moet je goed luisteren: die documenten waren géén vervalsingen – het waren officiële, door Canada uitgegeven paspoorten. Maar Amalia is wat gaan graven – alle documenten bleken hol te zijn.'

Chisholm trok een wenkbrauw op terwijl ze dit tot haar liet doordringen. Holle documenten waren persoonsbewijzen, paspoorten, wat dan ook, die niet door een geboortebewijs werden bekrachtigd. Alleen slechte vervalsingen waren hol, en die waren meestal gemakkelijk te herkennen, want dan was er met het document zelf geknoeid. Een officieel uitgegeven hol document was echter zeldzaam. Ze had nog nooit van zo'n geval gehoord.

'Vreemd,' zei ze peinzend. Er schoot haar iets te binnen. 'En die vijfde vent?'

'Tja, jammer dat je hem niet goed hebt kunnen zien, maar ik denk dat het Sepsis was.'

Chisholm zweeg nadenkend met het blikje aan haar lippen. 'Dat denk ik ook,' zei ze alvorens een slok te nemen. 'En ik zal je nog wat vertellen – je kent toch al die verhalen dat die vent vijfentwintig of zoiets belachelijks is? Nou, het is waar.'

'Wat is waar?'

'Het is een *baby*. Ik dacht dat het allemaal lulkoek was toen al die rapporten bleven melden dat hij een melkmuil was. Maar die vijfde vent – die was jong, dat zag je aan zijn bewegingen. De bewegingen, de beheersing, hij wist *precies* wat hij deed. Het staat buiten kijf – die vijfde vent was Sepsis en die vijfde vent was nog een snotneus. En dat is een groot probleem voor ons.'

'Hoe bedoel je?'

'Waar heeft hij zijn training gehad?' vroeg ze hem, terwijl ze gedachteloos met de nagel van haar wijsvinger tegen haar Coke-blik tikte. 'Hij opereert nu, pakweg, zes, zeven jaar? Wie heeft hem dat vak geleerd? Niet de Sovjet-Unie, dat staat vast. Patrice Lumumba U is in '88 of '89 dichtgegaan, lang voordat deze jongen op het toneel verscheen. Als wij er niet achterkomen wie hem heeft getraind, dan kunnen we hem absoluut niet opsporen. Wie zal hem verklikken als we niet eens weten wie we moeten uitpersen?'

'Denk je dat je hem herkent als je hem ziet?'

Ze schudde achteloos haar hoofd. 'Uitgesloten, alles gebeurde

131

veel te snel. Mager, donker haar, dat is alles. Ik zou hem nu tegen het lijf kunnen lopen en hem niet kunnen plaatsen.'

Denton keek peinzend dwars door Chisholm heen. Toen richtte hij zijn blik weer op haar en zei: 'Oké, dat laten we maar even zitten. Over die Québecois Libre-types: herinner je je die Canadese politicus die een paar jaar geleden door Sepsis is doodgeschoten?'

'Ja, weet ik nog: geweerschot in het centrum van Ottawa, ten overstaan van de premier op klaarlichte dag. Een vogeltje heeft me verteld dat Sepsis het heeft gedaan.'

'Een vogeltje heeft *mij* iets anders verteld: Sepsis heeft die vent niet gedood voor een stel drugdealers zoals iedereen zei. Hij heeft het voor Québecois Libre gedaan. Hij heeft die Canadese politicus voor hen gedood, dus nu helpen zij hem om jou te doden. Quid pro quo. Erg in de mode, tegenwoordig. En zo veilig als wat. Als we een van die kerels zouden oppakken, zou de man niet weten waarom hij die klus deed. Nu ik erover nadenk, wil ik toch wel een Coke.'

Chisholm deed de koelkast open en pakte een blikje, terwijl Denton de dingen overdacht. Afwezig gebruikte hij zijn zakdoek om het lipje van het blik te trekken en hij staarde Chisholm nadenkend aan.

'Goed, vraag: heeft hij geprobeerd je koud te maken vanwege Tegenspel? Of ben je met een andere zaak bezig waarvoor ze Sepsis kunnen inhuren om je koud te maken?'

'Nee, nee. Mijn andere zaken zijn papierwerk. Ik word er misschien voor aangeklaagd, maar niet doodgeschoten. Sepsis moet hebben gedacht dat ik de non bij me had. Dat is een veronderstelling, maar het is de enige die hout snijdt.'

'Waarom stuur je je zoon dan naar zijn vader?'

'Noem het ouderlijke paranoia.' Nadenkend nam ze nog een slok Coke, en zei toen peinzend: 'Hij moet een verbazingwekkende infobron hebben, een bron die ons geen goed doet.'

Midden in een slok richtte Dentons blik zich strak op Chisholm. Hij slikte en vroeg: 'Wat bedoel je?'

'Sepsis wist dat de non in haar klooster was. Oké, prima, geen probleem, dat had iedereen kunnen weten. Ik bedoel, daar woont ze, nietwaar?'

'Jaaa,' zei hij, niet precies begrijpend waar ze heen wilde.

132

'Daarna probeert hij haar in het politiebureau neer te schieten, op dezelfde dag. Alweer prima, misschien heeft iemand ter plaatse hem verteld waar ze was, misschien is hij haar naar het politiebureau gevolgd. Doet er niet toe,' zei ze afwimpelend en ze ging op de keukentafel zitten.

'Maar', ging ze verder, 'we hebben haar met een ongelooflijke geheimhouding van New Hampshire hierheen gebracht. Hooguit twintig mensen wisten dat ze hier in Rivercity zou zijn onder de bescherming van de FBI. In totaal *vijf* mensen wisten dat ik die zaak zou behandelen: jij, ik, mijn baas Rivera en jouw baas Lehrer. En de pinguïn, uiteraard. Zelfs Phil Carter wist tot vanmorgen niet dat ik Tegenspel zou leiden. Sepsis heeft een infobron.'

Ze dronk haar blikje leeg en mikte om het in de vuilnisbak te gooien. Denton trok het deksel omhoog en Chisholm deed de worp.

'Drie punten,' zei ze.

'Dat was een makkelijke worp, je zat er bijna bovenop.'

'Probeer jij het dan.'

Denton glimlachte nonchalant tegen Chisholm. 'Een bron die Sepsis tipt. Ik begrijp wat je bedoelt. Jij denkt dat een van ons vijven zijn infobron is,' zei hij met een stalen gezicht om haar te testen, maar Margaret begon hardop te lachen.

'Ik zou wel een beetje al te paranoïde voor mijn eigen bestwil worden als ik dat serieus dacht.'

'Een opluchting om dat te horen,' zei hij spottend, maar het idee begon door zijn hoofd te fladderen. 'Dus die infobron, als die bestaat, heeft Sepsis getipt dat jij de non behandelde. Sepsis dacht dat je haar van het Hoover-gebouw naar het hotel bracht.'

'Ik reed in de richting van het hotel toen we elkaar tegenkwamen. Natuurlijk dacht hij dat ik de non had. Ik wed dat hij vond dat ik gewoon in de weg zat, dat hij mij eerst moest koudmaken om bij de non te komen.'

Denton bleef nadenken. 'Lijkt nogal dubieus,' zei hij ten slotte.

'Wat bedoel je?'

'Waarom geen bom in je auto, of in die van Phil Carter. Uiteindelijk is hij de man die met haar rondrijdt.'

'De parkeergarage in het Hoover-gebouw heeft gewapende bewakers. Bij het hotel houden Carters mannen de boel in de gaten.'

'O,' zei Denton, maar hij was nog niet overtuigd. 'Waarom zou hij zijn tijd verknoeien met jou te achtervolgen? Toch alleen als hij er zeker van was dat jij de non had?'

'Misschien wilde hij me eerst controleren. Je weet wel, eerst kijken of ik haar bij me had en als dat zo was, ons allebei neerschieten.'

'Dat snijdt weinig hout. Stel dat hij jou volgde terwijl Carter en zijn mannen de non naar het hotel brachten – dan zou hij haar mislopen.'

'Als hij het niet op de non gemunt had, waarom zou hij mijn auto dan kapotschieten? Denk je soms dat Sepsis nu probeert *mij* te doden? Waarvoor?'

Denton dacht erover na. 'Goede vraag.'

Maar het was iets om over na te denken.

Piekerend bleven ze in de keuken staan, geen van beiden gelukkig met de zaak. Te veel bleef onbeantwoord en een beetje vreemd. Erg vreemd, eigenlijk. Denton stak een sigaret op.

Chisholm schrok op en keek de keuken rond. Die was groot en koud, leeg nu Robby weg was. Ze keek naar Denton en zei: 'Ik ga in mijn kantoor kamperen totdat deze zaak is afgehandeld. Kun je me een lift geven?' Ze glimlachte sardonisch. 'Mijn auto is in reparatie.'

Hij nam een trek van zijn sigaret. 'Tuurlijk,' zei hij, en hij glimlachte.

'Tirso Gaglio?' vroeg de immigratieagent op het vliegveld Leonardo Da Vinci. 'Welkom thuis.' Hij gaf het paspoort terug aan de jonge man die tegenover hem stond, die bedeesd en een tikje nerveus glimlachte, zoals mensen doen die niets te verbergen hebben.

'Bedankt,' zei hij in perfect Milanees Italiaans, en hij bleef doen alsof hij zenuwachtig was.

Sepsis stopte documenten in de binnenzak van zijn sportjasje, pakte zijn koffer en liep door de uitgang naar buiten, terwijl hij een sigaret opstak.

Rome was schitterend toen hij de ochtendzon in stapte. Aan de lucht kon hij merken wat voor prachtige dag het ging worden en Sepsis was er dankbaar voor.

In Washington had hij zich niet prettig gevoeld. De jacht was voor Chisholm in het metrostation geëindigd, maar toen hij eenmaal in de metro zat, was het voor Sepsis pas goed begonnen. Daar stond hij, vol bloed en stukjes hersens van de scherpschutter, te proberen weer onzichtbaar te worden. Bij het volgende metrostation was hij uitgestapt en had onder bedreiging een taxi gestolen van een Salvadoriaanse chauffeur, drie kwartier in een nachtmerrie rondgereden tot hij eindelijk in een leeg straatje in een zwart getto aan de oostkant van de stad een buitenkraan had gevonden. Schoongewassen maar zonder hemd had hij de auto laten staan en de metro naar het winkelcentrum genomen, waar hij bij een van de kraampjes een Steun onze Soldaten-T-shirt kocht en de tijd had gedood door van het Lincoln-monument naar het Washington-monument heen en terug te lopen in een poging om kalm te worden. Het kostte hem al zijn discipline om niet ter plekke te proberen weg te komen – op een vliegtuig stappen en wegwezen. In plaats daarvan was hij die avond naar het Kennedy Center gegaan om naar een uitvoering van Becketts *Endgame* te kijken.

In Rome, achterovergeleund in de taxi die hem naar zijn hotel bracht, verlegde Sepsis, nu de achtervolging in Washington tot het verleden behoorde, zijn aandacht naar zijn veelgerepeteerde gedachten over Beckett, blij om zijn eigen kalmte. Becketts toneelstukken waren prachtig, vond hij, maar zijn proza was banaal. Het verbaasde hem altijd dat niemand ooit de overeenkomsten had opgemerkt tussen de romans van Beckett en Dostojevski's *Memoires uit het souterrain*. Dostojevski's roman, daarvan was Sepsis overtuigd, bevatte alles wat Beckett ooit in zijn proza had willen bereiken. De *Memoires* waren in twee hoofdstukken opgedeeld, en het eerste was gelijkwaardig aan, zo niet beter dan Becketts latere romans als *The Unnamable* of *Malone Dies*. Feitelijk bereikte Hoofdstuk Een van de *Memoires* met veel meer elegantie en vaardigheid hetzelfde effect als die boeken. En Hoofdstuk Twee was geschreven in dezelfde stijl als Becketts vroege romans, alleen interessanter en onthullender. Sepsis' conclusie was dat Beckett als romanschrijver gewoon een goedkope Dostojevski-imitatie was. Beckett als toneelschrijver, echter, was prachtig om te zien.

Hoe had ze hen verdomme in de gaten gehad? De vraag deed zijn gedachtentrein geheel ontsporen en hij werd nijdig. Ze hadden in haar blinde vlek gereden en waren er zeker van dat ze hen niet zou opmerken. Sepsis zelf reed extra zorgvuldig, om ervoor te zorgen

135

dat ze hun aanwezigheid niet zou opmerken tot het te laat was. En toen, uit het niets, alsof ze de hele tijd had geweten dat ze er waren, had ze de scherpschutter neergeschoten. Een wonder dat hijzelf niet geraakt was. Alle kogels die in de scherpschutter waren geslagen, hadden zich door zijn lichaam kunnen boren en hem doden. Te krap, te krap, het schema was te krap, verdomme. Hij had nooit meerdere opdrachten tegelijk moeten aannemen. En nu zijn kans verkeken was, had Sepsis geen tijd om een volgende poging in elkaar te zetten – hij moest terug naar Rome om aan zijn voorbereidingen voor de Sint-Pieter te beginnen.

Het achterhoofd van de chauffeur was maar een armslengte van hem af. De gedachte aan dat klerewijf maakte hem met de seconde kwader en hoe kwader hij werd hoe meer zin hij kreeg om de taxichauffeur te doden. De chauffeur zei tijdens de hele rit geen enkel woord, maar Sepsis besloot abrupt dat als de chauffeur probeerde een stompzinnig gesprek aan te knopen, hij hem zou doden. Hij zou zijn rechterhand plat op het voorhoofd van de man leggen, zijn linkerhand zou zijn linkeroor grijpen en daarna alleen maar draaien.

Sepsis staarde naar de onderkant van het achterhoofd van de chauffeur om hem uit te dagen iets te gaan zeggen – een excuus om zijn nek te breken. Maar de chauffeur zei – wonderbaarlijk genoeg voor een Italiaan – niets, hetgeen bijna net zo beledigend was als wanneer hij het wel had gedaan. Met moeite rukte Sepsis zijn blik los van het achterhoofd en keek uit het raam. Hij probeerde aan Dostojevski en aan Beckett te denken, maar kon het niet.

Buiten in de verte kon hij de Sint-Pieter op hem zien wachten, en ten slotte gleed de herinnering aan dat aalgladde kreng uit zijn gedachten en kwam de opwinding weer terug, de opwinding zo dicht bij zijn doelwit te zijn plus de scherpe angst voor de mislukking, nu die non niet meer in de buurt van de Sint-Pieter zou zijn. Als het doelwit een bibliotheek was geweest, zou hij geweigerd hebben. Maar Sepsis was niet iemand die van architectuur hield. Voor hem waren oude gebouwen weinig meer dan monolithische bric à brac.

Chisholm stond achter zuster Marianne geduldig haar koffie te drinken, terwijl de non de foto's doornam.

De dag na het vuurgevecht was een dag geweest waarop Tegenspel niets was opgeschoten. Chisholm besteedde het grootste deel ervan aan praten met de Tactische Toezichtscommissie van de FBI, een soort rekenkamer voor schietpartijen, met wie ze elk detail dat ze zich van de achtervolging en het vuurgevecht kon herinneren, moest doornemen, en voortdurend struikelde over dat ene detail.

'…dus nadat u de centrale had gebeld, hebt u de telefoon kapotgeschoten,' zeiden ze op die minzame toon van hen. Het waren allemaal oudere agenten, ervaren mannen en vrouwen, maar Chisholm zag hen als een vormeloos, zielig, gewichtig doend zootje.

'Ja, toen heb ik de telefoon kapotgeschoten,' zei ze ferm met een *Nou en?*-blik in haar ogen. Krijg de pest, als ze haar kop wilden hebben, konden ze hem krijgen. Het was niet nodig om zichzelf daarvoor te vernederen.

'Waarom?'

'Ik was… kwaad. Razend, eigenlijk. Die rotzak was ontsnapt.'

'U had per ongeluk iemand kunnen raken. U had iemand kunnen doden.'

'Er was niemand in de buurt. Ik sta te boek als een meesterschutter. Er was geen gevaar.'

'Er was ook geen reden voor,' zei een oudere vrouw.

'Margaret aarzelde. 'Nee,' gaf ze toe.

'Maar toch hebt u geschoten.'

'Ja.' *Nou en?*

'Laat me een duidelijk beeld krijgen. U was in uw auto toen u toevallig aan uw achteruitkijkspiegel draaide. Waarom deed u dat?'

En zo ging het maar door tot ze bij het kapotschieten van de telefoon kwamen. Margaret zou met alle liefde voor die stomme telefoon hebben *betaald* als dat haar dit verhoor had bespaard. Ze schenen totaal niet te begrijpen hoe het was geweest, de opwinding, de *spanning* ervan als van een bendeoorlog, met als keerzijde natuurlijk dit verhoor en de onderliggende angst: als ze haar eruit zouden schoppen, waar moest ze dan heen?

Maar ze lieten haar blijven – voorlopig. De volgende dag ging ze terug naar Tegenspel en de afwikkeling met de pinguïn.

'Goeiemorgen,' zei Marianne tegen Chisholm, en ze glimlachte tegen Phil Carter en zijn ploeg die haar voor die dag alleen lieten.

'Kom op,' antwoordde Chisholm, die haar voorging door de ingewanden van het Hoover-gebouw naar de computers in het souterrain.

Beneden, in de grote witte ruimte waarin niets anders dan computers en apparaten stonden, zette Chisholm die vrije toegang had tot alles wat de FBI over alles wist, de non achter een computer. Daarin zaten de gezichten van alle mannen tussen de twintig en de dertig die voldeden aan de beschrijving die de non had gegeven en de afgelopen zes maanden een Italiaans paspoort hadden gekregen – vijfhonderdtwaalf stuks.

'Ga zitten,' zei Chisholm, die afstand hield van de non terwijl ze op de joystick naast het toetsenbord wees. 'Neemt u de foto's door met de joystick, rechts om verder te gaan, links om terug te gaan. Als u de man herkent die u hebt gezien, moet u stoppen. Geen zorgen als u alle foto's hebt gehad, we hebben er nog meer die u moet doornemen,' loog ze. Getuigen hadden de neiging slordig te zijn als ze dachten dat er niet meer foto's waren, en dan ontging hun de mogelijke verdachte als die toevallig aan het eind van de serie zat.

'Ik blijf in de buurt,' zei ze, zich omdraaiend om een kop koffie te halen. Zuster Marianne keek haar met holle ogen na.

'Waar gaat u heen?' hoorde ze zichzelf vragen.

'Koffie halen. Begint u maar,' zei ze over haar schouder.

'Kan ik misschien thee krijgen?' vroeg ze. Chisholm gaf geen antwoord, maar iets aan haar manier van lopen en houding gaf Marianne het idee dat ze het had gehoord. Dus begon ze de foto's door te kijken.

Marianne begreep niet waarom ze aardig gevonden wilde worden door die vreemde, agressieve vrouw. Anders dan zij, scheen agent Chisholm niet de behoefte te hebben om aardig gevonden te worden, een geheim dat Marianne niet kon doorgronden. Agent Chisholm was niet bang om aardig gevonden te worden, zoals dat bij mensenhaters het geval is, zo voelde Marianne. Maar ze wilde gewoon niet aardig gevonden worden. Een fundamentele onverschilligheid in haar diepste wezen.

Marianne bekeek de foto's, snel maar zorgvuldig. Na een stuk of tien foto's kwam agent Chisholm achter haar staan en zette een kop thee bij de computer alvorens zich terug te trekken. Maar hoewel ze haar niet kon zien, wist Marianne zeker dat agent Chisholm vlak achter haar stond.

Ze wist niet waarom ze zo graag aardig gevonden wilde worden door die vrouw. Ze wenste dat ze dit kon bespreken met Edmund, maar die was al naar Rome vertrokken om aan zijn fase van de renovaties te beginnen.

'Bel me, voor wat dan ook, zelfs als het gewoon om een praatje is,' had hij vlak voor zijn vertrek naar het vliegveld gezegd.

'Zal ik doen,' zei ze, terwijl ze hem omhelsde.

'Beloof het,' drong hij aan.

'Ik beloof het,' lachte ze, geroerd door zijn liefde voor haar en de hare voor hem. Maar terwijl ze de serie foto's doorkeek, wist Marianne dat ze Edmunds raad niet zou vragen. Hij was haar beste vriend, in veel opzichten haar vaderfiguur, maar er waren dingen die hij niet zou begrijpen, zoals haar behoefte om aardig gevonden te worden door agent Chisholm. Edmund, zo wist Marianne, was bang om mensen aardig te vinden en aardig gevonden te worden. Marianne vermoedde dat het kwam omdat hij zo lang docent was geweest – vroeg of laat waren zijn studenten afgestudeerd en lieten hem alleen, of hij werd benoemd aan een andere universiteit, en waren zijn vorige studenten hem allemaal uit het oog verloren en vergeten. Het was misschien gemakkelijker om mensen niet aardig te vinden en geen genegenheid voor hen te krijgen dan bezeerd te raken als ze verder gingen met hun leven. De vraag was bij zuster Marianne nog nooit opgekomen waarom hij háár wel aardig vond en genegenheid voor haar had opgevat.

Marianne hield even op met de computer, terwijl ze met haar gedachten ver weg was en de foto's even vergat.

'Ja?' vroeg agent Chisholm, waardoor Marianne zich omdraaide. Zoals ze had vermoed, zat agent Chisholm vlak achter haar, hooguit drie of vier meter verder op een bureau geleund, en keek haar aan met uitdrukkingsloze bruine ogen. En die ogen toonden alleen vlakke, lege onverschilligheid.

Geen alledaags gebabbel zou helpen, en beleefdheid ook niet, iets waarop agent Denton zou reageren en voortborduren. Agent Denton zou lachen en een grap vertellen om de eentonigheid te verdrijven.

Maar hij zou onwaarachtig zijn, iets dat agent Chisholm nooit zou zijn. Dat was het, de sleutel tot haar onverschilligheid: agent Chisholm kon niet liegen. Ze zou Marianne niet aardig vinden, haar alleen respecteren of verachten. En de zaak was dat agent Chisholm geen respect voor haar had. Dat vertelde de effen onverschilligheid in haar ogen. Ze had haar gewogen en te licht bevonden, en dat schrijnde als een pijnlijke wond. Het schrijnde omdat Marianne vermoedde dat ze gelijk had.

'Nee, niets,' zei de non, en ze draaide zich terug naar de foto's.

Voor Chisholm, die over de schouder van de non meekeek, zagen alle foto's er hetzelfde uit – donkerbruinharige anonieme mannen van onbepaalde, tamelijk jonge leeftijd. Ze betwijfelde of er iets bruikbaars uit zou komen, maar het was niet goed om slordig te zijn. Soms wordt zuiver door methodisch te zijn, een spoor ontdekt. Dus besloot ze de non minstens twee keer alle foto's te laten bekijken en misschien wel drie keer, alvorens ermee op te houden.

Denton arriveerde en kwam naast Chisholm staan kijken hoe de non alle pasfoto's doornam. 'Hallo,' zei hij zachtjes. 'Hebben ze nog vingerafdrukken gevonden?'

'Nee. Sepsis moet handschoenen aan hebben gehad. Dat heb ik niet gezien.'

'Geen enkele vingerafdruk?' fluisterde Denton verbaasd.

'Zelfs niet op de kogelhulzen.'

'De Québecois Libre?'

'De Canadese Mounties doen een onderzoek, maar als ze niets in hun dossiers hebben dat ze ons onmiddellijk kunnen opsturen, betwijfel ik of ze ook maar *iets* nuttigs hebben.'

'En hoe zit het met de surveillancecamera's in het metrostation?'

'Onscherp.'

'Geweldig.' Denton keek rond, gefrustreerd, niet gewend aan een gebrek aan sporen. 'Wat doet zij?'

'Jij zei dat de Québecois Libre-mannen holle documenten hadden, nietwaar? Maar dat ze wel officieel waren uitgegeven?'

'Ja, en?'

'Dus als ze officieel uitgegeven documenten hebben, wed ik dat Sepsis ook zoiets heeft.'

'Ik snap het. Je bent een slim meisje, Margaret,' fluisterde hij

140

stralend. Chisholm kon een glimlach niet onderdrukken.

'Interpol heeft ons de foto's gestuurd van alle Italianen die de afgelopen zes maanden een paspoort hebben gekregen. De Canadezen sturen ons hun foto's vanmiddag, of op zijn laatst morgenochtend.'

'Dat moeten er *duizend* zijn,' siste hij.

'Ja, duizenden die het hebben *aangevraagd*, maar slechts vijfhonderdtwaalf Italianen op wie de leeftijd en persoonsbeschrijving van toepassing is. De Canadezen sturen er ongeveer tweehonderd.'

Vanaf een afstand keek Denton over Mariannes schouder terwijl ze de foto's doornam. Chisholm bleef geduldig en kalm. Na een stuk of tien wendde Denton zich tot Chisholm en zei: 'Het kunnen net zo goed tweelingen zijn, allemaal. Dit is tijd verspillen.'

'We zullen zien,' zei ze. 'Nalatigheid heeft geen zin.'

Denton wilde daarop iets intelligents zeggen als: 'Dat moet jij nodig zeggen,' om daarna met zijn wijsvinger en duim een revolver na te bootsen en een schietbeweging te maken. Het zou spannend zijn om haar reactie te zien, maar een beetje te onvoorspelbaar, dus hield hij zich in, maar met moeite. 'En als ze niemand identificeert?'

'Dan halen we er een tekenaar bij om een andere tekening te maken. Maar als het zover komt, kunnen we haar bruikbaarheid als getuige wel vergeten.'

Marianne hoorde hen niet. Integendeel, ze had zichzelf gedwongen op te houden met denken en alleen naar de foto's te kijken, naar de volgende foto te schakelen en weer kijken. Ze staarde naar een van de foto's. En nog een keer. En toen staarde ze nog wat langer naar een anonieme jongeman – een anonieme jongeman met een naam: Tirso Gaglio.

'Agent Chisholm?'

'Interpol heeft bevestigd dat een man die Tirso Gaglio heet drie weken geleden vanuit Rome naar Montreal is vertrokken,' begon Chisholm zonder zelfs maar gegroet te hebben. 'Er is geen melding dat Gaglio de V.S. is binnengekomen, maar twee dagen geleden was hij terug in Rome met een directe vlucht van Washington. Onze man. Tien tegen één dat hij terug is gegaan om een manier te vinden om het Vaticaan op te blazen,' eindigde ze, terwijl ze Rivera's vergadertafel rondkeek.

Ze waren met hun vieren. Mario Rivera zat haar gespannen aan te kijken met zijn dikke armen over zijn enorme borst geslagen. Keith Lehrer zat achterover in zijn stoel naar zijn leren map op tafel te staren en Denton naast hem maakte aantekeningen.

'Waarom denkt u dat het hier om het opblazen van het Vaticaan gaat?' vroeg Lehrer zonder Chisholm aan te kijken.

'De pinguïn is niet bepaald een drugskoerier,' zei ze strak, terwijl ze Lehrer met een opgetrokken wenkbrauw aankeek. 'Ze is docente aan een *college* in een negorij zonder relaties met de maffia, de Colombianen of de Arabieren en ze heeft niets dodelijkers bij zich dan de dikke Webster. Sepsis, daarentegen, heeft een gevestigde reputatie op het gebied van het opblazen van dingen. Als ú met een beter idee kunt aankomen over de reden waarom hij die non zo graag wil doden, kunt u mij dat rustig vertellen.'

'Het is een stompzinnige hypothese,' zei hij prompt maar nonchalant, hoewel hij naar Rivera keek. 'Sepsis doodt mensen. Ik heb nog nooit gehoord dat hij geprobeerd heeft een gebouw te doden. U moet dit onderzoek niet leiden, gebaseerd op...'

'U bedoelt dat *wij* dit onderzoek niet zouden moeten leiden,' zei ze.

Lehrer knipperde niet eens met zijn ogen. 'Dit onderzoek leiden vanuit een gevoel dat nergens door wordt geschraagd, kan ons blind maken voor andere, meer waarschijnlijke motieven.'

Rivera zuchtte nadenkend. 'Maggie, daar ben ik het mee eens. Het is een interessante mogelijkheid, maar je moet niet alles op één kaart zetten. Kijk naar dat Opus Dei, kijk naar die andere nonnen in het klooster. Kijk naar de dingen die ze in New Hampshire doet.'

'Jij bent de baas,' zei ze, en ze maakte een aantekening. 'Maar het feit blijft dat ze ons een belangrijke primeur heeft gegeven: niemand heeft Sepsis' gezicht in zijn dossiers zitten, maar wij nu wel. Ik vind dat we die aan Interpol moeten doorgeven.'

Lehrer, echter, was ontevreden met dit spoor. 'Hoe zeker weet u dat de non de juiste man heeft geïdentificeerd? Misschien dat u in uw haast om resultaten...' Hij stierf weg. Nog steeds keek hij niet naar Chisholm maar naar Rivera.

Chisholm snoof, hij kon het krijgen. 'We hebben haar nog twee

142

keer alle foto's laten zien, in een verschillende volgorde, zonder de namen. Ze heeft hem er drie keer uitgepikt. Met dat bizarre reispatroon van Tirso Gaglio zou ik zeggen dat hij het is.'

'Akkoord,' zei Mario Rivera. 'Een geïdentificeerde foto van Sepsis, dat staat vast. Geef maar aan Interpol door. En nu wat betreft de non: wat is je conclusie over haar?'

Ze leunde achterover en keek Rivera aan om hem haar formele aanbeveling te geven. 'Ik vind dat we haar naar New Hampshire moeten terugsturen, waar ze thuishoort, en dit onderzoek in Rome moeten voortzetten.' *Zonder ons* was haar onuitgesproken maar hoorbare conclusie, aangezien de FBI alleen binnenlandse aangelegenheden behandelt en uitsluitend in het buitenland opereert als er een Amerikaanse staatsburger rechtstreeks en ter plaatse bij betrokken is.

'Wie zegt dat ze in New Hampshire niet nog een keer een aanslag op haar leven doen?' vroeg Lehrer, die het niet wilde opgeven. Als het een CIA-project werd, nu het naar Rome verlegd werd, dan viel het, ondanks het feit dat hij hoofd van de contraspionage was, niet onder zijn bevoegdheid, maar het zou wel zijn verantwoordelijkheid zijn als de zaken misliepen. Uiteindelijk had Lehrer de Sepsis-bal aan het rollen gebracht in de V.S. 'Ik wil haar hier houden tot dit allemaal voorbij is. Hier is ze veiliger.'

Chisholm knipperde met haar ogen. 'Het verbaast me dat u zo bezorgd bent om haar veiligheid. Ik dacht dat die lui bij de CIA zich alleen om resultaten bekommerden.'

'Ophouden, Maggie,' zei Rivera zonder veel overtuiging. Ze behandelde dit op een manier die hijzelf wenste te kunnen. Hij wendde zich tot Lehrer, solidair met Chisholm, zij het siltzwijgend.

Lehrer keek nog steeds niet naar Chisholm, maar pakte zijn gesloten leren map op en keek ernaar. 'Jullie kunnen die non betere bescherming bieden als ze in Washington blijft.'

'Het heeft geen zin die pinguïn vast te houden,' hield Chisholm vol om de zaak onder druk te houden. 'Ze heeft die vent, die Gaglio of hoe hij ook maar echt mag heten, geïdentificeerd, dus wat mij betreft is ze verder niet meer bruikbaar. Hoe dan ook, als die Gaglio inderdaad Sepsis is, zit hij op dit moment in Rome. De non is veilig. Dus laten we haar met een stel babysitters naar New Hampshire terugsturen. Laat een van de plaatselijke mensen een oogje op haar houden.'

'Klinkt redelijk,' zei Rivera ten slotte. 'Goed, wat betreft de reis naar Rome, ik denk niet dat de Italianen het leuk zullen vinden als jullie daar in groten getale komen opzetten,' zei hij, stilzwijgend de bal in de schoot van de CIA werpend.

Lehrer sloeg zijn leren map open en keek naar zijn aantekeningen zonder ze echt te zien. 'Ik heb met het hoofd van de Italiaanse terroristen-afdeling gesproken, een man die Frederico Lorca heet, en hij zal ons toestaan de agenten Chisholm en Denton als waarnemers en adviseurs te sturen. Zij, dat wil zeggen de Italianen, zullen de uiteindelijke arrestatie verrichten.'

Rivera fronste zijn wenkbrauwen en keek naar Chisholm. Dit stond hem niet aan. Ze ving zijn blik op, haar sein, en dus leunde ze achterover, terwijl ze afwezig met haar pen tussen haar vingers draaide en Lehrer afstandelijk aankeek. 'Als de Italianen dit gaan afhandelen, dan heeft het geen zin dat ik ga. De non zal in New Hampshire zijn, Sepsis zal in Rome zijn – aangezien het geen Amerikaanse staatsburger betreft, is dit nu *uw* probleem, meneer Lehrer, niet dat van de FBI.'

Voor het eerst keek Lehrer Chisholm recht aan, maar wierp niet al te subtiele blikken naar Rivera, terwijl hij zei: 'Dat ziet u verkeerd. Over twee weken gaat de non naar Rome voor dat restauratieproject van haar. Dat maakt haar tot uw probleem, mevrouw Chisholm. Ik heb met Lorca gesproken. Als de non naar Rome gaat, zou u functioneren als contactpersoon tussen ons en de Italianen, met name met zijn afdeling.'

'Contactpersoon? Daarvoor hebben we geen enkele informatie. Die vent is hier geweest, heeft drie keer op ons geschoten, en is weggegaan – afgezien van zijn foto, dat zijn alle contacten die de Italianen zullen krijgen.'

'U zou een adviseursfunctie hebben,' drukte Lehrer door.

'Adviseursfunctie.' Chisholm knikte geïmponeerd. 'Waarom stuurt u Denton er dan heen?'

Lehrer glimlachte. 'U adviseert de Italianen en Denton adviseert u.'

'Grapje.'

'Maggie,' zei Rivera in een reflex, in een poging zijn positie te bepalen, omdat hij zag aankomen dat de FBI dit probleem niet op de CIA kon afschuiven. Maar Lehrer ging onverstoorbaar verder en scheen Chisholm te willen tarten om iets te zeggen.

'Hoe dan ook, zodra de non naar Rome gaat, wie zal haar dan bewaken?'

'De Italianen,' zei Chisholm.

'Alstublieft,' zei Lehrer.

Chisholm zweeg en staarde voor zich uit. Alle aandacht was op haar gericht. 'Dus eigenlijk komt het erop neer dat ik naar Rome ga om op de pinguïn te passen en is het Denton hier die het feitelijke contact met de Italianen onderhoudt. En al die tijd blijft het wel een FBI-operatie, omdat de CIA niet méér mankracht of steun inzet. Dus als de zaken in het honderd lopen, krijgt de FBI alle stront over zich heen, terwijl jullie ons nawijzen.' Niemand reageerde op die waarheid. Rivera dankte de hemel dat er tenminste *iemand* het beestje bij zijn naam noemde. Maar natuurlijk ging Maggie een beetje te ver met Lehrer te stangen.

'De FBI krijgt hoe dan ook de zwartepiet. Is het niet zo, Lehrer? Neem me niet kwalijk, *onderdirecteur* Lehrer. Waarom hebt u dit niet gewoon van begin af aan gezegd? Waarom moet u de hele tijd die spelletjes met ons spelen? Waarom doen jullie CIA-mensen altijd zo vervloekt *gluiperig* over alles?'

'We proberen niet *gluiperig* te doen, agent Chisholm. We proberen de zaken te bespoedigen,' zei Lehrer, die Chisholms strakke blik minstens even strak beantwoordde.

'Zaken bespoedigen? Met Denton? Ik wil niet beledigend zijn, maar Denton is een bureauman, dat heeft hij me zelf gezegd. Ik betwijfel of hij ooit van zijn leven een wapen heeft afgevuurd, laat staan een *echt* onderzoek geleid. Wat gaat hij doen, behalve aanpappen met de Italianen, terwijl ik met die pinguïn in mijn maag zit?'

Eindelijk verloor Lehrer zijn geduld. 'Als die vervloekte non hier in Washington bleef, zou *u* van dat probleem verlost zijn.'

'En lantaarnpalen zijn ook van ijzer?' vuurde Chisholm direct terug. 'Ik weet niet hoe jullie werken, maar ik heb geen reden om haar vast te houden. Ze heeft geen misdaad gepleegd, ze is nergens van beschuldigd en als getuige is ze nu een opgedroogde bron. We hebben haar niet meer nodig!'

'Als ze in Washington zit, gaat ze niet naar Rome en hebben wij er geen koppijn over! De Italianen zouden deze hele rotzooi opknappen! We zouden van de problemen verlost zijn, wij allemaal, als de non hier blijft! Als u haar naar Rome laat gaan, maakt u het noodzakelijk iemand te sturen die deze hele rotzooi coördineert, u...'

'Ik snap het al: u verbergt zich achter de rokken van de non omdat u de ballen niet hebt om de verantwoordelijkheid voor deze zaak op u te nemen.'

'Wat denkt u wel dat u bent...'

'U probeert ons naar Rome mee te slepen om er een FBI-zaak van te maken. Als *dat* niet lukt, wilt u dat wij de non onrechtmatig vasthouden terwijl u de rol van de CIA in deze zaak laat vallen en de Italianen die hele Sepsis-rotzooi laat afhandelen, of ze het kunnen of niet.'

'Dit hoef ik niet te pikken, wauwelend stuk niks...'

'Ik zweer dat jullie het laagste uitschot van de aarde zijn, bij *God*, ik zweer het...'

'Zo komen we nergens,' onderbrak Rivera ten slotte tot ieders opluchting, verbijsterd dat Lehrer en Maggie elkaar zo snel naar de keel waren gevlogen. Maggie kon hij begrijpen, maar hij durfde Lehrer niet aan te kijken, zo schaamde hij zich, alsof Lehrer tijdens een optocht in zijn broek had geplast en het zich niet bewust was. Om zich een houding te geven, sprak Rivera tegen Maggie. 'De zaak ligt zo: Denton en jij bewaken beiden de non *en* fungeren als contactpersoon met de Italianen.'

'Onder wiens hoede?' vroeg ze, zich met een tartende blik tot Lehrer wendend nu het kernpunt van de zaak op tafel lag.

Ook Rivera staarde Lehrer aan. Rivera was een grote man, ruim een meter vijfentachtig en Chisholm was zo gemeen als het maar kon, maar Lehrer keek met alle beheersing van de wereld de tafel rond. Alsof hij naar een tenniswedstrijd zat te kijken. De stilte was tastbaar en Rivera wist dat hij van Lehrer niets te verwachten had.

'Van de FBI,' zei Rivera ten slotte.

Chisholm smeet met een klap haar pen op tafel. Rivera wist precies hoe ze zich voelde. God, wat had hij de pest aan die Compleet Idiote Achterlijken.

Hij ging verder, terwijl hij zich tot Chisholm en Denton wendde. 'Gebruik dat spoor naar Tirso Gaglio om Sepsis te vinden. Jullie geven uitsluitend de hoognodige informatie aan de Italianen, maar ik wil geen geklooi. Geen informatie vasthouden om slim te zijn. Dat geldt voor jullie allebei. Begrepen?... Deze vergadering is beëindigd.'

Ze stonden allemaal op om weg te gaan, de CIA-mannen als eersten, maar toen Denton langs haar heen liep, realiseerde Chisholm zich dat hij tijdens de hele bijeenkomst geen woord had gezegd. Dat was op zich niet zo verontrustend. Wel verontrustend was de zelfingenomen manier waarop hij keek, een glimlach als een kat die de kanarie heeft opgegeten, een tikje sinister. Maar voor ze de kans had om erover na te denken, raakte Rivera haar elleboog aan.

'Mijn kantoor,' zei hij met een veelbetekenende blik.

'Waarom? Waarom? *Waarom?*' schreeuwde zij, toen ze met hun tweeën in zijn kantoor zaten. Rivera hield zijn bureau tussen hen in, al was het maar ter bescherming.

'Ik heb er al genoeg van!' schreeuwde hij terug. 'Ik wil er niets over horen. Die vingers afhakken was buitengewoon...'

'Het was zo: zijn vingers of het stadion...'

'O, en die achtervolging van laatst? Geen probleem met die achtervolging, let wel, maar daarna heb je de *telefoon* kapotgeschoten? De manier waarop je die non hebt behandeld, was erbarmelijk...'

'Ik heb die non niet anders behandeld dan...'

'De manier waarop je Lehrer hebt behandeld – hij is een lulhannes, ja, maar Lehrer is een onderdirecteur van de CIA, de *CIA*, en jij hebt hem *uitgekafferd*...'

'Dat had hij verdiend,' grauwde ze terug.

'Oké, ja, hij had het verdiend, maar Maggie, je hebt vakantie nodig...'

'Met mij gaat het prima!'

'Nee!' zei hij, waarmee hij het ritme van de ruzie brak. Ze staarden elkaar aan, maar het was Chisholm die het eerst haar ogen afwendde. Ze begon als een gekooide panter door zijn kantoor te ijsberen, zonder hem te willen aankijken.

Hij besloot nog één keer te proberen haar tot rede te brengen, en als dat niet lukte, zou hij zijn handen van haar aftrekken. Hij legde zijn handen plat op zijn bureau en keek naar de ijsberende Chisholm. 'Maggie, luister: je bent een erg goede agent. Je hebt de beste instincten van alle agenten die ik heb gekend. Je bent volkomen loyaal, je bent geduldig, je weet je overtuigingen aan de man te brengen, iedereen respecteert je, iedereen mag je...'

'Niemand mag me, Mario,' zei ze kalm. 'Ze zijn bang voor me, wat iets heel anders is.'

'Goed, je bent ook een angstaanjagend loeder, dat moet ik wel zeggen. Maar Maggie: je bent uitgebrand. Je hebt adempauze nodig. Die Rome-zaak, die is perfect voor je. Je past een beetje op de non en je laat de Italianen aan Denton over. Je gaat je rottig vervelen, maar geloof me, je hebt tijd nodig om bij te komen.'

'En Aartsengel?' vroeg ze behoedzaam. 'Ik ben zo dicht in de buurt, geef me nog een paar weken.' Maar Rivera was wijs genoeg om dit vertoon van zwakte niet uit te buiten.

'Aartsengel is jouw grote witte walvis,' zei hij zacht. 'Het is een obsessie voor je, maar je hebt niets. Je bent de hele tijd kwaad...'

'Wil je dat ik ontslag neem?' vroeg ze openhartig, recht voor zijn raap, zonder fluwelen handschoenen. Rivera werd erdoor overvallen.

Hij keek haar recht aan. 'Als ik dat wilde, zouden we hier niet aan het praten zijn. De Tactische Toezichtscommissie wilde je nek, zo snel mogelijk. Je bent er nog omdat *ik* je hier wilde houden. En wat ik wil, is dat je even adempauze neemt.'

Ze staarden elkaar aan totdat Margaret zuchtte en haar schouders liet hangen. Het deed Rivera denken aan de tijd toen hij als tiener in Wyoming had gekeken naar een beer die uit een val probeerde los te komen. De beer zuchtte en liet zijn schouders zakken, om even daarna opnieuw te proberen eruit te komen, en nog eens, om zich letterlijk *dood* te knokken. Hij kwam achter het bureau vandaan, ging voor Margaret staan en wreef over haar schouders terwijl hij op haar neerkeek.

'Luister Maggie, die Rome-zaak is perfect voor je. Ga naar Rome, laat je een beurt geven door een Italiaan – ontspan je. Laat Denton de zorgen over Sepsis. Neem je gemak ervan. Kalmeer, oké? Er is niets verkeerd aan om even uit te blazen. Dat is geen schande.'

Chisholm keek op naar haar baas. Hij had er niets van gesnapt. Het had niets met schaamtegevoelens te maken. Daar zat ze absoluut niet mee. Het lag heel anders, veel eenvoudiger. Maar hoewel hij het bij het verkeerde eind had, wist Chisholm dat ze in de val zat.

'Mijn rug op,' mompelde ze ten slotte, en keek een andere kant op.

Rivera glimlachte bedrukt. 'Dat zijn woorden naar mijn hart.'

Denton en Lehrer reden zwijgend terug naar Langley. Denton zat achter het stuur van zijn Mercedes. Maar Lehrer, kalm als hij was, scheen de spanning in de auto te negeren, ogenschijnlijk onbewust van de scène die hij zojuist had gemaakt. Een houding die in Dentons hoofd punten scoorde.

'Dus je wilt dat ik naar Rome ga,' zei Denton ten slotte.

'Ja,' zei Lehrer, zonder verder nog iets te zeggen.

'Het zal moeilijk zijn om aan mijn andere projecten te werken, als ik op een ander continent zit,' opperde Denton hardop.

'Dat lukt je wel,' zei Lehrer, en Dentons hersenen begonnen als een razende te werken. *Wat heeft die vent in de zin?*

Maar hij zei niets en reed door. O, hij had een aantal scenario's in gedachten, vragen en hints en uitdrukkingen die hij kon gebruiken om uit te vissen wat Lehrer echt dacht. Hij kon zelfs openhartig zijn; van het experiment met zijn kaarten op tafel leggen bij Chisholm had Denton wel iets geleerd. Het enige probleem was dat Chisholm rechttoe-rechtaan eerlijk was, en Lehrer niet. Dus besloot Denton om die Rome-zaak te laten rusten en Lehrer te verlakken.

'Moet je horen, Keith,' begon Denton, 'als ik op de schopstoel zit, moet je het zeggen. Je moet niet van die rotspelletjes met me spelen,' zei hij op gekwetste toon.

Lehrer draaide zich verbaasd naar Denton toe. 'Je zit niet op de schopstoel...'

'Als je overweegt iemand anders mijn baan te laten overnemen, is het minste wat je kunt doen er eerlijk over zijn,' ging Denton verder, terwijl hij zorgvuldig een lichte zweem van wanhoop in zijn stem legde. 'Stuur me niet op een wilde-ganzenjacht naar Rome, en al helemaal niet met een kreng als die Chisholm.'

Denton staarde recht voor zich uit naar de weg, maar uit zijn ooghoek kon hij Lehrer, die niet op dit gesprek was voorbereid, zien nadenken. Uiteindelijk zei Lehrer: 'Je gaat niet op een wilde-ganzenjacht. Ik heb een besluit genomen – ik wil dat je Sepsis omkoopt. Zorg dat hij voor ons komt werken.'

'Hoe doe ik dat in godsnaam?' vroeg Denton met een sombere blik naar Lehrer.

'Dat weet ik niet, dat is jouw probleem. Maar aangezien dit

contraspionage is, wil ik dat je hem rekruteert. Geld is geen probleem, laat dat mijn zorg zijn. Zorg dat je hem rekruteert, dat is het enige dat ik van je wil.'

'Goed,' zei Denton, die opluchting voorwendde. 'Wat doe ik met Chisholm?'

'Gebruik haar om bij Sepsis te komen. Maar wees niet zo stom om hem voor de voeten te lopen,' eindigde hij.

'O nee,' verzekerde Denton hem.

Het was echter niet zo dat Sepsis' voeten naar zuster Marianne gingen – het zou in werkelijkheid het omgekeerde blijken te zijn. Maar voorlopig lette de dikke, grijze Phil Carter op haar. De non en Carter en zijn ploeg hielden zich schuil in een veilig onderkomen in Maryland dat de FBI voor getuigen gebruikte. Zodra ze Tirso Gaglio had geïdentificeerd, liet Chisholm toen de krachtmeting begon over wat er met Marianne moest gebeuren, de non daarheen brengen. Maar het ging niet alleen tussen de FBI en de CIA. Opus Dei zat er ook middenin.

'Wat wil *jij*?' vroeg monseigneur Neri over de telefoon toen hij de avond met zuster Marianne sprak. 'Wil je terug naar New Hampshire?'

'Nee,' zei zuster Marianne. 'Te veel...'

'Ik weet het,' zei Neri snel.

'Ik wil naar huis,' zei ze ten slotte.

'Naar New York?'

'Naar Rome,' verbeterde ze, wat hem vreemd genoeg ontroerde. 'Ik wil aan mijn project werken,' ging ze verder. 'Ik wil iets doen dat... me van mijn eigen gedachten bevrijdt.'

'Dat is wellicht niet mogelijk,' zei monseigneur Neri, maar hij wist dat ze naar Rome zou komen. Hij had haar nodig in Rome, in weerwil van kardinaal Barberi's bezwaren.

'En als haar iets overkomt?' had de kardinaal hijgend gezegd en tussen de zinnen zijn zuurstof opgezogen, tijdens hun gesprek in het appartement van de kardinaal vlak bij Piazza Colomo. 'Stel dat dat monster probeert haar hier iets aan te doen?'

'Wij kunnen haar beter beschermen dan de Amerikanen,' zei Neri.

'De Amerikaanse CIA wil haar vasthouden tot ze de moordenaar vinden. Hun man, Lehrer, heeft een uur lang met me gesproken. Hij zei dat de moordenaar hier in Rome is, dat het dom zou zijn als zij hierheen ging. Edmund Gettier zou de renovaties kunnen leiden, in plaats van Marianne.'

Neri was bekend genoeg met wat er gaande was om alles wat hij wist tegen de kardinaal te gebruiken. 'Gettier is een prima man, maar u hebt me zelf gezegd dat hij de drang niet meer heeft, niet meer het vuur om de renovaties te leiden.'

'Ja, dat zal wel...' zei de oude kardinaal weifelend, niet in staat om terug te komen op wat hij had gezegd, ook al lag de situatie nu anders.

'En trouwens, willen we echt dat een communistische radicaal de renovaties van de Sint-Pieter leidt?' vroeg Neri onverstandig.

Kardinaal Barberi fronste zijn wenkbrauwen. Hij leefde een beetje op nu hij wat munitie kreeg. 'Alberto, Edmund was dertig jaar geleden in zijn studententijd een radicaal. En voor je informatie: hij was geen *communistische* radicaal, hij was *anarchist*. Wees alsjeblieft wat vergevensgezinder.'

'Ja, natuurlijk, natuurlijk,' zei hij, woedend terugkrabbelend. 'Natuurlijk is zijn politieke opvatting niet belangrijk...'

'Hé, dat was zijn politieke opvatting van dertig jaar geleden,' zei de kardinaal.

'Ja natuurlijk, maar het probleem blijft – hij is te oud, heeft de motivatie niet, terwijl Marianne nog jong genoeg is om de renovaties echt te leiden.'

'Ik neem het aan,' zei de kardinaal, alweer onzeker.

'Ja,' zei hij ferm.

'Weet je *zeker* dat dit een goed idee is?' vroeg de oude man beducht.

'Ja,' zei Neri, helemaal niet overtuigd, 'we kunnen haar hier beter beschermen dan zij het daar kunnen,' herhaalde hij. 'En ze heeft ons nodig.'

De bange vermoedens van de oude kardinaal werden tot lichamelijke tics, zoals dat bij oude mensen gebeurt. Hij begon spastisch met zijn hoofd te schudden en keek fronsend langs de vloer van zijn appartement naar een punt naast Neri's voeten. 'Ik ga akkoord dat ze hierheen komt als je me kunt bewijzen dat dit goed zal zijn voor het kind Marianne,' zei hij ten slotte. 'Als er een *geestelijke* reden is voor haar komst, ga ik akkoord.'

'Ik kan niet meer slapen,' zei Marianne aan de telefoon tegen

Neri. 'Ik kan niet slapen en ik kan niet denken. Stuurt u me alstublieft niet terug naar New Hampshire. Als ik niet naar Rome kan vanwege deze… situatie, stuurt u me dan ergens anders heen – overal, behalve naar New Hampshire.'

'Al je werk moet bij die explosie vernietigd zijn,' zei monseigneur Neri nonchalant, heel goed wetend dat het niet was gebeurd.

'O nee,' zei zuster Marianne verbaasd. 'Ik heb al mijn aantekeningen bij me. Eerlijk gezegd heb ik ze doorgenomen en ik heb me gerealiseerd dat Edmund en ik onze schattingen hebben gebaseerd op incorrecte spanningscijfers.'

'O?' vroeg Neri, totaal ongeïnteresseerd toen de non bijna een uur doorpraatte over spanningsgegevens en andere bouwproblemen waarvan aartsbisschop Neri niets begreep. Hij luisterde echter niet naar wat ze zei, maar naar de manier waarop ze het zei en hij hoorde dat ze kracht en gemoedsrust putte uit de saaie en uiterst droge details die ze beschreef. Ze raakte zo bezield dat Neri kon *horen* hoe ze de bomtragedie vergat en achter zich liet.

Maar dat was het niet wat Neri ervan overtuigde dat zuster Marianne naar Rome moest komen. Terwijl hij naar haar luisterde zonder veel aandacht aan haar te besteden, was het de simpele keuze die voor hem lag, die hem overtuigde: een agnostische, misschien zelfs atheïstische professor een belangrijke renovatie laten leiden of zuster Marianne – een non – die een enorme hoeveelheid prestige voor Opus Dei zou oogsten.

'Kom dan maar naar Rome,' onderbrak hij haar ten slotte. 'Ik praat met kardinaal Barberi om hem te overtuigen dat je moet komen. Maak je nergens zorgen over, werk alleen maar aan je project. Werken zal je goed doen.'

Monseigneur Escrivá de Balaguer zou trots zijn geweest.

Denton, Chisholm en zuster Marianne vertrokken op een woensdagmiddag van Andrews Luchtmachtbasis. Ze vlogen in een klein straalvliegtuig van het leger, een Gulfstream die werd gebruikt om VIP's van en naar Europa te brengen. Het was in Wiesbaden gestationeerd, maar naar de Verenigde Staten teruggestuurd om de elektronica te laten moderniseren. Op de terugvlucht naar Duitsland was het helemaal geen moeite om een tussenlanding in Rome te maken, alvorens naar de thuisbasis te vliegen, dus hadden de drie mensen het vliegtuig voor zich alleen.

Omstreeks de tijd dat de Gulfstream over Nova Scotia vloog, stapte Paula Baker, hoofd en hersens van Geheime Financiën, in haar auto om naar huis te rijden.

Ze woonde ver weg, in een buitenwijk van Baltimore, maar dat eindeloze gependel elke dag vond ze niet erg. In feite ontspande het haar, het eentonige sturen. Meestal regelde ze de administratieve rompslomp van haar werk via de autotelefoon, waardoor de kleinere zaken al waren afgehandeld vóór ze 's ochtends op haar werk arriveerde en ze haar werkdag al had ingedeeld.

Ze was in Baltimore gaan wonen omdat haar man daar werkte. Hij leidde een klein reclamebureau dat altijd op het punt stond failliet te gaan en had drie of vier keer meer kunnen verdienen door bij een grote firma te werken. Paula Baker kon tien keer zo veel geld verdienen als ze Phyllis Strathmore was gevolgd in de geldstapels van Wall Street. Maar geen van beiden overwoog om naar graziger weiden over te stappen. Het feit dat ze altijd krap zaten, maakte hun huwelijk sterker, het was een vreemd soort afrodisiacum, misschien een compensatie voor de bittere realiteit dat ze geen eigen kinderen konden krijgen, een realiteit die door geld en de tijd om erover na te denken naar de voorgrond zou zijn geschoven, wat ze heel erg gevonden zouden hebben.

Buiten Washington reed Paula Baker Maryland in. Zelfs 's avonds, moe van haar werkdag als ze was, was ze zo sexy en beeldschoon als het model dat ze ooit in haar studietijd was geweest. De weg was bijna leeg en Paula reed de buitenste rijbaan op om de langzamere auto's te passeren.

Toen het gebeurde, ging het snel. Een halftonner, een monster dat razendsnel reed, kwam achter Paula's vijf jaar oude Audi opdoemen en begon haar in te halen op de rechterrijbaan. Opeens slingerde hij in haar richting en smakte de voorkant van haar auto tegen de middenberm. De Audi, een auto met voorwielaandrijving, maakte geen enkele kans. Bij die snelheid vond de linkervoorband enige greep op de betonnen middenrand, schoot eroverheen, tolde door de lucht en landde ondersteboven op het verkeer van de andere kant. Het dak klapte door de kracht waarmee het neerkwam in elkaar, Paula Bakers schedel werd verpletterd en haar nek brak onmiddellijk, een seconde voordat een auto die naar het zuiden raasde pal op het wrak sloeg. Zowel de Audi als de andere auto ging onmiddellijk in vlammen op.

De snelle halftonner reed verder het duister in. De bestuurder, Beckwith, voelde zich heel erg tevreden.

ZEVEN | De eeuwige stad

Net als Washington bestaat Rome uit twee steden: de stad van de monumenten en de stad van de levende mensen.

De monumenten staan erbij als kooplui in een groot park van grijs en bruin cement en steen, lui en rusteloos wachtend op de volgende klanten om ze gemeen aan te grijnzen als ze eindelijk komen opdagen. Maar de stad van de levenden ziet er heel anders uit – zelfs 's ochtends lijkt het alsof het late middaglicht er schijnt: langzaam en oud en meer dan een beetje vermoeid. Misschien is het licht van de levende stad een herinnering aan het feit dat Rome zo ver van het Romeinse keizerrijk verwijderd is, dat de dagelijkse zon het weinige dat er van over is, wegbeukt.

Toen ze wakker werd en uit het vliegtuigraampje keek, kwam het Chisholm vreemd voor, deze kleur voor een ochtend – gespikkeld zilverachtig zonlicht van een lome namiddag. In Washington kon het zonnig, sneeuwerig, mistig of donker zijn, maar altijd was er diezelfde intensiteit: het staal van het ochtendgloren. Een soort herinnering aan wat voor soort stad Washington is, het keizerrijk van de Democratie, dat nog tientallen jaren van zijn hoogtepunt verwijderd is.

Denton en de pinguïn waren al wakker en zagen er fris uit. Ze waren alleen in het kleine straalvliegtuig. De pinguïn las een boek, Denton praatte in een draagbare telefoon en beiden gingen in hun eigen wereldje op, zo kwam het Margaret voor. Ze stapte uit haar stoel om zich te gaan wassen in de toiletruimte.

'Goeiemorgen,' zei de pinguïn tegen haar, en ze legde haar boek dicht op haar schoot. 'U hebt goed geslapen,' verklaarde ze. Margaret zei niets, bleef alleen maar staren, waardoor de non wat ging hakkelen, maar toch doorging. 'We zijn er over twintig minuten,' zei ze, terwijl ze haar boek oppakte maar er nog niet naar keek.

'Goed zo,' zei Margaret terwijl ze doorliep naar de wc.

Zuster Marianne knikte toen agent Chisholm wegliep, en richtte haar aandacht weer op haar boek. Het waren de *Meditaties* van Marcus Aurelius en ze las: *Men zal niet gemakkelijk een mens vinden die smart heeft leren kennen door onverschilligheid voor de zielenroerselen van een ander, maar zij die geen acht slaan op de roerselen van hun eigen ziel, zullen stellig ongelukkig zijn.* Een richtlijn voor het leven. Marianne probeerde verder te lezen, maar kwam telkens terug bij dezelfde passage, deed ten slotte het boek dicht en probeerde aan het project te denken. Dat kon ze niet.

Denton was nog aan de telefoon, luisterde voornamelijk en zag er ietwat verveeld uit. Afwezig stak hij een sigaret op, al had hij dat gedurende de hele vlucht uit respect voor Marianne niet gedaan. Ze overwoog hem te vragen het ding uit te maken, maar het was zo vlak voor de landing dat het onbeleefd van haar zou zijn geweest. In plaats daarvan dwong ze zich de meditaties weer ter hand te nemen.

'Een diepzinnige man, die Marcus Aurelius,' zei Denton, terwijl hij zijn telefoon in zijn zak stopte. 'Ik zou een exemplaar moeten kopen.'

'Ik probeer hem zo eens in de twee, drie jaar te lezen,' antwoordde Marianne. Ze begonnen een vluchtig gesprek over de dode keizer en zijn ideeën.

Zuster Marianne kon het niet zien, maar Denton stond geheel op de automatische piloot. Hij had Kenny Whipple en Arthur Atmajian aan de telefoon gehad en het ergste bericht gekregen dat hij sinds de dood van Tiggy had gehad.

'Er is iets ergs gebeurd, Nicky,' begon Ken Whipple. 'Zet je schrap: Paula Baker is dood.'

'O ja?' was het enige wat Denton kon uitbrengen. Over zijn buik spanden de spieren zich als te strakke veiligheidsriemen, zure gal rispte op uit het midden van zijn maag en schoot achter in zijn mond waar hij het kon proeven. Hij dacht dat hij een hartaanval zou krijgen. 'Dat is erg,' zei hij met een stem die een en al verveling uitdrukte, alsof hij met een half oor luisterde.

'Je kunt niet praten.'

'Niet echt,' zei Denton lijzig, met een blik op zuster Marianne naast hem en de nog slapende gestalte van Chisholm aan de overkant van het gangpad. 'Hoe was het ook alweer?'

'Ze is vermoord, Nicky,' zei Atmajian hees, maar beheerst.

'Een ernstig ongeluk op de ringweg,' zei Whipple ertussendoor. 'Ze was op weg naar huis, verloor de macht over het stuur en is op de middenberm gesmakt.'

'Ze is vermoord,' kwaakte Atta-boy weer.

'Dat weten we niet,' hield Whipple vol, maar gaf daarna toe: 'Dat weten we niet zeker.'

'Ik geloof dat ik het moeilijk te begrijpen vind,' zei Denton, koel en verveeld, bijna alsof hij ging gapen. Hij voelde zijn hart te snel en te hard kloppen, zijn hoofd bonkte in hetzelfde ritme mee en het zweet brak hem aan alle kanten uit, hoewel het koel was in de cabine. Met vaste hand stak hij zijn hand uit om de airconditioning boven zijn hoofd aan te zetten. Daarna, met dezelfde hand, zonder enige aarzeling, stak hij zijn hand uit naar zijn ochtendkoffie, terwijl de piloot aankondigde dat ze Rome naderden en dat als je uit het raam keek, je prachtige ruïnes kon zien...

'Ik maak de klootzak die Paula gedood heeft eigenhandig koud,' dreigde Atta-boy zinloos. 'Ik doe het zelf, met mijn blote handen.'

'Waarom denk je dat het zó is gebeurd?' vroeg Denton.

'Slipsporen, verfsporen, kleine aanwijzingen die *misschien* op moord wijzen.'

'Misschien, mijn rug op, het was moord en jij...'

'Arthur,' zei Denton zachtjes om hem te kalmeren. 'Dus de vraag is wie.'

Kenny zuchtte luidruchtig. 'Geen idee. Het kan een echt ongeluk zijn geweest.'

'Er bestaan geen ongelukken, Kenny. Niets is *ooit* een ongeluk.' Denton kon het met Atmajians logica niet oneens zijn.

Ken Whipple ging door. 'Geen ongeluk, goed dan. Vraag: Waarom een moord op Paula Baker? Op Atmajian, hoofd van de koppensnellers, oké. Op Denton, assistent van de onderdirecteur van de contraspionage, oké. Op Whipple, hoofd van de afdeling Midden-Oosten, oké. Een moord op Baker – onzinnig.'

Denton besefte opeens dat Ken Whipple Paula Bakers dood niet aan kon, dus deed hij alsof het nooit was gebeurd, deed alsof het gewoon een onvoorziene gebeurtenis was.

'En wie gaat Baker vervangen?' vroeg Denton.

'Geen zekere kandidaat, Geheime Financiën is momenteel een chaos.'

'Ik zeg dat we ze moeten koudmaken, en goed ook,' zei Atmajian op verslagen, bijna jankerige toon die Denton en Whipple bang maakte. 'Ze allemaal opblazen.'

'Wie koudmaken?' was het enige dat Whipple durfde te vragen.

De drie mannen waren stil, verloren, terwijl Denton nadenkend zijn te zoete koffie dronk. En toen kwam het bij hem op – ze hadden iemand nodig die ze konden vertrouwen, iemand die veel over geld wist.

'Bel Phyllis Strathmore,' zei hij, terwijl hij zijn laatste koffie opdronk. Whipple en Atmajian beseften waar Denton op uit was. Als het moord was – *als* het moord was – dan ging het om iets dat Paula Baker wist of had gehoord bij Geheime Financiën, iets dat met geld te maken had. De enige mensen die zich mogelijk konden interesseren voor Geheime Financiën – de enige mensen die zich zorgen zouden maken over wat Paula Baker had ontdekt – werkten en speelden allemaal binnen het hek van Langley. *Als* het moord was, ging het om geld, en kwam het van binnenuit. En Phyllis Strathmore was de enige die zoveel van geld afwist dat zij erachter kon komen wat Paula Baker had ontdekt.

Whipple greep de hoorn en zette de luidspreker uit. 'Meen je dat serieus, verdomme?' fluisterde hij tegen Denton, oprecht geschokt terwijl hij opkeek naar Arthur Atmajian en daarna naar opzij. Atta-boy luisterde op het andere toestel in Whipples kantoor en trok de hele tijd zwarte krulharen uit zijn baard om zich kalm te houden. Bij elke ruk trok hij onbewust een pijnlijk gezicht.

'Niemand anders kan een reden hebben om haar te laten verongelukken,' zei Denton. 'Strathmore kan erachter komen wat Baker wist of heeft ontdekt.'

'En als haar dat niet lukt?' vroeg Whipple. 'Als degene die erachter zit Strathmore van kant maakt?'

'Ik geloof dat Strathmore een assistent nodig heeft die normaal gesproken in Atmajians groep werkt,' zei Denton lijzig.

'Ik zet een hele *ploeg* op Phyllis, als iemand ook maar een poot naar haar uitsteekt, zal ik…'

'Als jij dat nodig vindt,' onderbrak Denton, die al zijn krachten gebruikte om verveeld te blijven kijken toen hij uit zijn ooghoek Chisholm wakker zag worden en naar de wc lopen.

Whipple, Denton en Atmajian begonnen de logistiek uit te werken om Strathmore een opdracht te geven: wie ze onder druk moesten zetten, wie ze moesten inpalmen, je reinste kantoorpolitiek. Ze schoven het onvermijdelijke voor zich uit tot er niets anders overbleef dan te praten over iets dat ze geen van drieën aan konden – de begrafenis die Paula Bakers dood tot een realiteit zou maken.

'Ik kan niet,' zei Arthur regelrecht, beschaamd om zijn lafheid, maar er eerlijker voor uitkomend dan Denton of Whipple. Denton had een heel verhaal over zijn opdracht in Rome, Whipple over een stel Saoedische hoogwaardigheidsbekleders met wie hij moest praten. Dus zou Paula Baker alleen worden begraven, zonder iemand uit haar tijd in Tiggy's souterrain. Maar ze zou het niet erg vinden, zo rechtvaardigde Denton zich. Uiteindelijk, dacht hij, is ze dood, en kan het haar niets meer schelen.

Toen hij klaar was met zijn telefoongesprek, wendde hij zich tot zuster Marianne en begon over Marcus Aurelius te praten met een gezicht alsof er niets aan de hand was. Hij voelde zijn ingewanden samentrekken, zijn uitwerpselen brijachtig en warm worden.

Een jaar geleden was Denton op Langley Paula Baker tegen het lijf gelopen, in gezelschap van een ouder echtpaar dat er superprovinciaals uitzag – haar ouders, die in Washington waren voor een bezoek aan hun dochter. Ze had hen aan Denton voorgesteld

en als op een sein van Paula had hij de loftrompet over haar ge-
stoken en zo overdreven met haar geflirt dat het lachwekkend was
geweest. En zij had geglunderd als een klein kind, glimlachend en
blozend en er helemaal niet sexy uitgezien, alleen maar – onmogelijk – beeldschoon.

Tijdens zijn gesprek met de non deed hij alsof hij zich niet veel
herinnerde van Marcus Aurelius, terwijl hij nadacht over een passage die hij op de dood van Paula van toepassing vond. Niet *Alle
dingen vervagen tot geschiedenis* of het eindeloos geciteerde *In het
leven van de mens is zijn tijd maar een ogenblik, zijn bestaan een voortdurende stroom.* In plaats daarvan dacht hij aan een duistere passage in het vijfde boek: *Schande over de ziel, om op de weg des levens te
struikelen terwijl het lichaam nog standhoudt.* Hij wist niet waarom
hij aan die passage dacht, maar die leek toepasselijk. Hij gaapte,
zoals altijd, beleefd met zijn hand voor zijn mond.

'Neem me niet kwalijk,' zei hij, enigszins slaperig glimlachend,
en hij dacht aan de dood van Paula Baker, terwijl zijn gezicht
grijnsde ter wille van de non. 'Ik heb niet zoveel geslapen als ik
had moeten doen.'

Aan het eind van de lange, uitgestrekte, lege gang van het vliegveld stonden Edmund Gettier, kardinaal Barberi en inspecteur
Frederico Lorca van de Italiaanse politie, afdeling antiterrorisme.
Ze stonden een paar meter van de uitgang van de slurf. De kardinaal zat in zijn rolstoel met Edmund Gettier te praten. Voorzover
Lorca het kon opvangen, schenen ze het te hebben over iemand
die een zenuwinstorting had gehad en vroegen ze zich af hoe het
met de 'spanning' en de 'kwetsbaarheid' stond. De inspecteur
nam min of meer aan dat ze het over de Amerikaanse non hadden, tot hij nog wat meer hoorde.

'Wat dachten ze, hè?'

'Ik weet het niet, kardinaal. Maar als de spanning te groot is,
zullen we de pilaren van de catacomben moeten vervangen in
plaats van ze te versterken.'

Architectuur. Lorca's gedachten dwaalden ongeïnteresseerd
af. Hij streek zijn pak en das glad en ging verder met wachten. Hij
was een lange man van een meter tweeëntachtig en zag eruit als
een donkere, iets wredere uitgave van Denton. Net als Denton
glimlachte hij voortdurend, maar anders dan de meeste Italianen

was hij ingehouden en beheerst, bewoog zelden met zijn handen en hield van iedereen afstand. Een indrukwekkende politieman in een land vol gevoelsmensen die iedereen voortdurend aanraken.

Buiten, bij de veiligheidsingang, stond een peloton rechercheurs te wachten om het gezelschap naar de schuilplaats te brengen, die hij had geregeld, maar Frederico Lorca had alleen willen zijn om de Amerikanen op te vangen. Hij had al eerder met een paar Amerikanen gewerkt, meestal CIA-mensen die voor hun ambassade werkten, maar nog nooit met de FBI, in ieder geval niet persoonlijk, dus dit was voor hem een primeur. Hij stak een sigaret op en keek door het raam toe hoe de Gulfstream naar de slurf taxiede en zonder schokken werd vastgekoppeld. De drie wachtenden vielen stil.

Zuster Marianne was als eerste uit het vliegtuig en rende met een brede grijns op Edmund en kardinaal Barberi af.

'Ah!' zei ze, en ze liet haar koffer vallen om de in zijn rolstoel zittende kardinaal Barberi moeizaam te omhelzen.

'Ah, Marianne, wat goed om je te zien,' zei hij in het Italiaans, terwijl Marianne Gettier omhelsde. De kardinaal wierp een blik op Frederico Lorca opdat de non hem zou opmerken. Lorca stak zijn hand uit.

'Ik ben Frederico Lorca van de Italiaanse politie. Gaat uw gang,' zei hij met een gebaar naar de lange, lege gang, 'een gesprek kunnen we later hebben. Laat uw koffer maar hier, mijn mannen zullen zich erover ontfermen.'

'Dank u,' zei ze.

Marianne, Gettier en Barberi zetten zich in beweging. Gettier duwde de rolstoel en alle drie hadden het hoogste woord. Even later kwamen Denton en Chisholm te voorschijn en Lorca stelde zich voor.

'Frederico Lorca, antiterroristenbrigade,' zei hij in het Engels met een licht accent. 'Welkom in Italië.'

Ze gaven elkaar een hand en zeiden hun naam. Lorca was verbaasd. Dentons handdruk was ferm en duidelijk, maar die van Chisholm was delicaat, bijna verlegen. 'Alstublieft,' zei Lorca, 'laat uw bagage maar in het vliegtuig, mijn mannen gaan er wel mee door de douane.'

'Ik heb een vuurwapen in mijn koffer,' waarschuwde Chisholm.

'Geen probleem,' zei Lorca achteloos en hij gebaarde dat ze

161

achter de anderen aan konden lopen. 'Gaat uw gang.'

Ze liepen op hun gemak en bleven pratend op een afstand van de anderen lopen.

'Ik heb geregeld dat iedereen veilig wordt ondergebracht. Mijn mannen zullen de boel bewaken totdat Sepsis geneutraliseerd is.

'Perfect,' zei Denton.

'Wat betreft uw komst naar Italië...'

Terwijl de drie uitvoerders van de wet het praktische gedeelte doornamen, deden de andere drie zo ongeveer hetzelfde.

'Nee, nee, nee, nee!' zei kardinaal Barberi nadrukkelijk in het Italiaans. '*Natuurlijk* heeft Edmund de catacombes niet *aangeraakt*. Dat is jouw terrein!'

'Ik wilde wel,' plaagde Gettier, 'maar kardinaal Vampier wilde er niets van weten,' zei hij, en Marianne lachte.

'Je hebt al meer dan genoeg op je bord,' zei de kardinaal knorrig, blij dat Marianne er zo gelukkig uitzag. 'Dus: Edmund werkt aan de begane grond en jij aan de catacomben.'

'Ik popel,' zei ze.

Achter hen, op veilige afstand, praatte Lorca tegen Chisholm over haar theorie wat betreft Sepsis' echte doelwit. 'Mijn superieuren zijn het niet met u eens, maar ik denk dat u het juist hebt met uw veronderstelling dat het Vaticaan het doelwit van die Sepsis is. Mijn mensen proberen op dit moment zijn schuilplaats te ontdekken.'

'Hoe?'

'Via het spoor naar de vervalser. We hebben nog geen contact met de vervalser gehad, maar we hebben zijn zaak onder – hoe noem je dat – onder passieve surveillance.'

'Hoe is de veiligheid geregeld bij ons onderkomen?' vroeg Chisholm.

'Streng,' verzekerde Lorca haar. 'We hebben daar nooit problemen gehad.'

'Goed. En hoe zit het als zij naar het Vaticaan gaat?'

Lorca zuchtte en nam een trek van zijn sigaret. 'Dat wordt een probleem. De kerkelijke autoriteiten zullen geen escorte in het Vaticaan toestaan, maar ze zullen Zwitserse gardes inzetten om de veiligheid van de zuster binnen hun grenzen te garanderen.'

'Ik heb een beetje research gepleegd,' zei Chisholm. 'De grenzen van Vaticaanstad zijn een paar witte strepen die op straat zijn geschilderd. U moet aandringen.'

'Dat zal ik proberen, maar dit is niet zo'n vreselijk probleem als het lijkt. Het gebied waarin zuster Marianne aan het werk gaat, is beveiligd. Het is van de rest van het Vaticaan afgesloten.'

'Maar blijft ze in haar eentje tijdens het werk?' vroeg Denton.

'Ja,' gaf Lorca toe.

'Ik wil niet beledigend zijn, maar ik vertrouw de Zwitserse garde niet toe dat ze de ping... de non scherp in de gaten zal houden,' zei Chisholm. 'Kunt u er niet een van uw mannen heen krijgen?'

'Ik zal het proberen, maar ik betwijfel of ze zullen toestaan dat de Italiaanse veiligheidsdienst Vaticaanstad betreedt – dat hebben ze al eeuwenlang niet toegestaan.'

'En Amerikanen?' vroeg Denton. Lorca sloeg zijn ogen ten hemel. 'Dat dacht ik al,' zei Denton tam. Hij kon niet helder denken omdat hij nog met Paula Baker worstelde.

'En een vriendin van de zuster?' dacht Chisholm hardop.

Denton keek haar scherp aan. 'Een vriendin van de zuster? Jij?'

'Ja.'

Denton lachte hardop, maar Lorca snapte wat ze wilde.

'Ze zullen u niet toestaan een wapen mee naar binnen te nemen,' zei hij ontwijkend.

Chisholm glimlachte tegen Lorca en stapte in hetzelfde ritme als hij. 'Zullen ze me fouilleren?'

'Nee, ze zullen u niet fouilleren,' zei hij, wachtend tot ze de grenzen van het mogelijke zou ontdekken.

'Dan neem ik...'

Hij onderbrak haar. 'Dreigen om een wapen mee te nemen naar Vaticaanstad is een internationaal misdrijf, aangezien het Vaticaan een buitenlandse mogendheid is. Ik zou u moeten arresteren als u zoiets zegt.'

Chisholm krabbelde terug. 'Ik zal zuster Marianne vergezellen tijdens haar dagelijkse werk.'

'Dat is aanvaardbaar,' zei Lorca tevreden. 'U zult, uiteraard, uw gebruikelijke beroepsgereedschap meenemen?' vroeg hij, om haar een uitweg te verschaffen.

'Ja?' vroeg Chisholm vissend.

'Heel goed,' zei Lorca, nu ze een akkoord hadden bereikt. 'Wat betreft het transport...'

Zes mensen liepen de lange, lege gang door.

Het was verwonderlijk dat hij vervalser was, in aanmerking genomen dat hij zijn rechterarm niet kon gebruiken. Die arm was niet verschrompeld, maar veeleer in groei achtergebleven, alsof hij na zijn kindertijd niet meer was gegroeid. De vingers waren er, de elleboog, alles. Maar vanaf het normale schoudergewricht werd de arm plotseling een miniatuur, niet groter dan die van een anderhalf jaar oude baby. Zijn vingertoppen kwamen nauwelijks verder dan de elleboog van de normale linkerarm van de vervalser.

'Andolini,' riep de vervalser naar achteren, op harde, heldere toon, terwijl hij in zijn winkel de toonbanken stond af te stoffen. 'Veeg het trottoir.' Andolini, een enorme man met een lichte geestelijke handicap, kwam uit de achterste ruimte gesjokt met een bezem die in zijn handen meer op een twijg leek.

Het missen van zijn rechterarm had de vervalser niet erg dwarsgezeten. Lorenzo kon gemakkelijk met één arm documenten vervaardigen, net zo gemakkelijk als hij postzegels vervalste, wat zijn echte vak was. Lorenzo Aquardiente had een winkel in munten en postzegels waarin heel weinig munten lagen maar de beste vervalste postzegels die zijn vaardige linkerarm kon maken. Geen enkele klant had zich ooit gerealiseerd dat zijn postzegels vervalst waren, zoals niemand ooit door betasten of bekijken had gemerkt dat de documenten die Aquardiente maakte, vals waren. Alleen machines konden het bedrog onderkennen en zelfs die konden worden misleid.

Er zitten twee kanten aan vervalste documenten: het echte concrete document en de computercontrole die garandeert dat het document wettig is. Hoewel elke snipper van een officieel papier door de computer komt, blijft paradoxaal genoeg het moeilijkste deel van documenten vervalsen nog steeds het maken van de concrete papieren en kaarten. In een computer inbreken en een geldige code vervalsen is het gemakkelijkste deel.

Aquardiente maakte zich niet druk over die kant van de zaak. Hij wijdde zich uitsluitend aan het maken van documenten, gaf ze op goed geluk nummers en liet zijn klanten in de computers inbreken. Zijn specialiteit was het maken van geboortebewijzen en recent verlopen identiteitskaarten, de ruggengraat van elke vervalste identiteit. Met die twee kunnen paspoorten, rijbewijzen, creditcards, zelfs nieuwe identiteitskaarten – allemaal wettig en brandschoon – gemakkelijk worden verkregen. Een foto was niet eens nodig. Het enige dat een klant moest doen, was een globale leeftijd en uiterlijke beschrijving geven van de persoon die de papieren nodig had. De rest was een fluitje van een cent.

Op deze ochtend, zonder een klant die hem kon afleiden, liep Aquardiente rusteloos door zijn winkel de postzegelbakken af te stoffen, in afwachting van een nieuwe bestelling. Het was niet de bestelling die hem zenuwachtig en ongedurig maakte, helemaal niet, maar de verwachting de achterlijke jongen te zien, wel.

De achterlijke jongen was een koerier voor een koper van documenten die nooit zijn gezicht in Aquardientes winkel liet zien. Zijn enige contact met de koper was zo nu en dan een telefoontje en kort daarna de komst van Tonio, de achterlijke jongen, die het geld en de bestellingen bracht. De koper vroeg nooit om dezelfde soort documenten, maar altijd om papieren uit de gekste plaatsen, zonder een begrijpelijke reden, wat de reden was waarom Aquardiente, als hij de moeite nam erover na te denken, vermoedde dat de naamloze, onbekende koper eigenlijk een tussenpersoon was. Het zou hem een beetje nijdig gemaakt hebben dat hij op die manier extra geld misliep, als Tonio er niet was geweest.

Om de waarheid te zeggen voelde Aquardiente begeerte voor de achterlijke jongen. Als de mysterieuze koper contact met hem opnam, dacht hij nooit aan het werk. In plaats daarvan dacht hij aan Tonio. Hij wilde die jongen aanbidden en kapotmaken – zijn nek kussen, in zijn billen knijpen, met zijn lekkere jonge ballen spelen en met de pik van de jongen over zijn gezicht wrijven alvorens die in zijn mond te nemen. Je zou kunnen zeggen dat hij op hem geilde en dat het hem gek maakte.

De jongen was niet zozeer mooi als wel hulpeloos en naïef. Hij had een sterke man nodig om hem te leiden, om zijn rijpe billen te openen en hem te nemen als een man. Eigenlijk kon Aquardiente zich nauwelijks herinneren hoe Tonio eruitzag, aangezien hij een van die anonieme gezichten had die snel worden vergeten. Maar het *idee* bleef Aquardiente achtervolgen. De afgelopen zes jaar had hij Tonio van een achttienjarige melkmuil zien opgroeien tot een frisse bloeiende man van vierentwintig. En het stond hem wel aan dat de achterlijke jongen een beetje debiel was. Intelligente jongens konden te onafhankelijk worden.

Aquardiente begon zijn concentratie te verliezen bij het denken aan de achterlijke jongen. Hij begeerde hem zo heftig dat zijn onderlichaam pijn deed. De vervalser besefte opeens dat hij een erectie had. Gegeneerd liep hij naar de achterruimte en deed een schort voor dat hij los om zijn buik over zijn onbeheersbare stijve liet hangen om die te verbergen. De begeerte voor de jongen was overweldigend.

Alsof de goden hem geroepen hadden, rinkelde de winkelbel en daar stapte de achterlijke jongen binnen, die met zijn hoge jonge stem 'Meneer? Meneer?' riep.

Hij rende de winkel in. 'Tonio!' riep Aquardiente tegen de frisse, lekkere jongen van wie hij wist dat hij geen werkende hersencel in zijn schedel had. 'Hoe gaat het?' zei hij, zich haastend om hem bij de deur op te vangen, waar hij zijn goede arm om de jongen heen legde en hem over zijn schouder streek.

Sepsis wist hoezeer Aquardiente op hem geilde. Er is een verschil tussen iemand op de schouder slaan en iemands schouder strelen, subtiel maar duidelijk. Aquardiente was niet subtiel. De tweede keer dat Sepsis naar de winkel was gekomen, had de invalide oude vervalser hem in zijn kruis gegrepen zonder te beseffen dat hij het deed. Nu manoeuvreerde hij zich achter Sepsis en wreef zijn erectie tegen diens rug, bijna alsof hij Sepsis naar de achterruimte van de winkel wilde leiden. 'Het is zo lang geleden, zo lang. Hoe gaat het?' vroeg hij wellustig met zijn gezicht bij Sepsis' oor.

'Goed, meneer Aquardiente, goed hoor,' zei hij, de vertoning volhoudend terwijl hij in gedachten een zucht slaakte. *Wat een zieke lul*, dacht hij in het Engels.

'Mijn baas zegt dat ik u iets moet geven,' ging Sepsis verder in het Italiaans. Hij liet zijn oogleden slap en zijn mond open hangen, wat de indruk dat hij debiel was, versterkte.

'Ja, maar heb *jij* niet iets voor me?' vroeg Aquardiente koket, terwijl hij Sepsis voorging naar de achterruimte van de winkel, nog steeds achter hem en nog steeds pogend zijn stijve pik tegen Sepsis' achterwerk te wrijven.

'Ik heb het geld, ik heb het geld,' zei hij, zijn afkeer verbergend, in de wetenschap dat Aquardiente zou proberen hem te betasten, wat waarschijnlijk zou lukken. Aquardiente deed het gordijn dicht tussen de achterkamer en de korte gang die naar de winkel leidde, liet zijn goede arm vallen en kneep in het voorbijgaan in Sepsis' billen. Sepsis moest zich beheersen om geen gezicht te trekken. Op een dag zou hij de goede arm van die invalide afrukken en die in zijn eigen kont rammen. Maar voorlopig had hij hem nodig.

'Ik heb het geld bij me, maar ik moet het tellen,' zei hij, en hij ging aan een werktafel zitten die hij tussen zichzelf en de vervalser in hield. 'Eerst tellen.' Sepsis pakte een stukje papier, deed alsof hij het aandachtig bekeek en begon ijverig het geld te tellen, maakte zijn vingers nat met zijn tong, wat Aquardientes fantasie enorm opzweepte.

Sepsis en de vervalser kenden elkaar al jaren, vanaf Sepsis' begintijd als moordenaar. De vervalser kon papieren verschaffen, dat was het – alle soorten obscure maar nuttige documenten. Alleen al in Italië had Sepsis vier softwareprogrammeurs die in computers konden inbreken en de documenten een geschiedenis geven. Maar Sepsis had nooit een andere vervalser kunnen vinden die zo vakbekwaam was als Aquardiente en die afhankelijkheid van één bron maakte hem woedend. Maar vóór hem was het Carlos ook overkomen, dus legde hij zich erbij neer. Maar anders dan Carlos die zichzelf als koper had gepresenteerd, was Sepsis een stap verder gegaan – hij had een 'baas' in het leven geroepen die zogenaamd de echte koper van de papieren was. Veel slimmer dan Carlos, die zichzelf had blootgegeven wanneer hij van Aquardiente kocht.

Deze keer betaalde Sepsis veertienduizend dollar voor zeven stel documenten. Hij had het geld al vóór zijn komst geteld, maar bij de vervalser hield hij zorgvuldig vast aan zijn maskerade van geestelijk gehandicapte. Andolini, de lijfwacht van de man, had hem op het idee gebracht toen hij de eerste keer de winkel was binnengelopen. Sepsis had zich al op bloedjonge leeftijd gerealiseerd dat het veel beter was om dom te lijken dan te slim bij verkopers als Aquardiente. Hij telde het geld, haalde een andere strook papier te voorschijn en gaf de bundel aan Aquardiente.

'Van mijn baas,' zei hij glimlachend, en hij betrapte Aquardiente die zijn lippen aflikte. De vervalser pakte het geld aan en bekeek de strook papier. Het vroeg om zeven stel Europese documenten, allemaal voor mannen van ongeveer dezelfde leeftijd, midden twintig, met allemaal hetzelfde Zuid-Europese uiterlijk. Een gemakkelijke klus. Aquardiente glimlachte tegen Sepsis. Het idee kwam niet eens bij hem op dat de papieren voor de debiele jongen zouden zijn.

'Tonio, zeg tegen je baas dat ik dit vandaag over een week klaar heb, 's middags.'

'Oké,' zei Sepsis, net als iedereen het Amerikaanse woord met een zwaar Italiaans accent uitsprekend.

'Vandaag over een week, om vijf uur, als ik dichtga, kom je naar mijn winkel, dan kunnen we praten, hè?' zei hij, terwijl hij Sepsis uit zijn stoel hielp en 'toevallig' langs zijn dij streek (en erin kneep).

'Oké,' zei Sepsis, die gelaten besefte dat Aquardiente een duidelijke verleidingspoging zou wagen zodra de winkel dicht was. De afspraak met de mannen uit Valladolid was om zeven uur, de tijd moest voldoende zijn.

Aquardiente hield het gordijn open om de ruimte te verlaten en bleef staan om 'Tonio' de gelegenheid te geven als eerste naar buiten te gaan. Hij glimlachte tegen Sepsis en legde zijn hand op zijn billen om hem naar buiten te leiden. Een aantal ochtendklanten was de winkel al binnengekomen en bekeek de bakken met postzegels terwijl Andolini op discrete afstand toekeek. Te veel mensen om Tonio's billen te omvatten, maar Aquardiente kneep er toch in en knipoogde tegen hem toen hij verrast opsprong en omkeek. Er lag een flits in zijn ogen, hard en wreed, iets dat Aquardientes hart deed overslaan – een zweem van woestheid. Tonio liep snel de deur uit, glimlachte en zwaaide dom naar Andolini, die even dom glimlachte en terugzwaaide naar zijn mede-achterlijke. Aquardiente haatte achterlijken. Ze waren alleen gemakkelijk te gebruiken.

Op straat ging Sepsis door met voor Tonio spelen, terwijl hij nadacht wat hij moest doen. Het karwei had vierhonderdduizend dollar opgeleverd, maar aan transportkosten, het loon van de Québecois Libre en hun documenten, de bom in New Hamsphire en nu de mannen uit Valladolid nog, had Sepsis bijna honderdzeventigduizen dollar uitgegeven en dat vond hij niet leuk. Terwijl zijn oogleden nog hingen en zijn mond open stond, besloot Sepsis opeens dat als de mannen uit Valladolid niet voldoende waren, hij zou ophouden met dat gedoe over metamoord en de non recht voor zijn raap zou doden. Aquardiente begon hem op zijn zenuwen te werken. Dat hij nog steeds aan het karwei moest denken, benam hem zijn gemoedsrust.

Terwijl hij de straat af liep, kwamen de surveillanten die Frederico Lorca op de vervalser had gezet, in actie. Ze stonden aan de overkant van de straat en keken naar de winkel vanaf een appartement op de tweede verdieping en ze slaagden erin drie foto's van Sepsis te nemen, een van achteren terwijl hij naar binnenging, een toen hij naar buiten kwam en de laatste opname, een foto van voren in zijn volle lengte, terwijl hij met zijn hanggezicht over het trottoir stapte.

'Wanneer worden we afgelost?' vroeg Buttazoni, terwijl hij het aantal opnames controleerde en tegelijk een oogje op de winkel hield om te zien of er nog meer klanten in- en uitgingen.

'Hoe moet ik dat verdomme weten?' zei zijn partner, Cabrillo, die in een leunstoel zat met zijn vuist onder zijn hoofd. De hele nacht hadden ze met een infrarode lens foto's gemaakt van de mensen die langs de winkel kwamen, minnaars en potentiële, besluiteloze dieven. Nu wachtten ze op het ochtendteam. 'Ik haat dit soort klere-opdrachten.'

Buttazoni haalde zijn schouders op en zag dat hij nog maar één foto op het rolletje had. Hij nam vlug een kiekje van de gemelijke Cabrillo, alvorens de film terug te spoelen en uit de camera te halen. Het rolletje ging in de doos bij de andere. Een andere persoon liep op de winkel af en ging naar binnen. Buttazoni maakte ook van hem een mooie opname. In ieder geval hoefden zij zelf niet al die foto's door te nemen.

De schuilplaats die de Italiaanse politie voor hen had geregeld, was geen huis, vond Denton. Het was eerder een landhuis. Gebouwd als een doos op de top van een heuvel, scheen de villa neer te kijken op de buurt vol rijke huizen, rustig en onopvallend. Anders dan andere Romeinse villa's had de schuilplaats aan alle kanten een grote tuin, die een driehoek vormde, grenzend aan drie straten en omgeven door vier meter hoge zwarte ijzeren hekken.

Toen ze de heuvel en de oprijlaan opreden, stonden buiten op de stoep twee geüniformeerde *carabinieri* achteloos op wacht, deden het hek open voor de twee auto's die de mensen van het vliegveld vervoerden en deden het achter hen weer dicht. Denton stapte bij de voordeur uit de auto en keek snel rond. Er waren ogen op hem gericht, daar was hij zeker van, maar hij zag niemand.

'Zijn die twee bij het hek de enigen die u hier hebt?' vroeg hij aan Lorca.

169

Chisholm snoof zonder naar Denton te kijken, maar Lorca glimlachte tegen hem. 'Nee,' zei hij.

De bestuurders van de auto droegen hun bagage naar binnen, geholpen door een stel bedienden die minstens een miljoen jaar oud waren. Hoewel ze het vervelend vond om hen met haar koffers te zien worstelen, was Marianne zo wijs om ze niet te vernederen door te proberen hen te helpen. Ze liep met Gettier en Barberi naar binnen en Denton stapte achter hen aan, met zijn gedachten nog steeds bij Paula Baker. Daardoor kon Lorca hem overrompelen.

'Ik moet weg,' zei hij tegen Denton, en hij stak zijn hand uit. 'Het was een genoegen om met u kennis te maken,' zei hij met een stralende glimlach.

'Insgelijks,' zei hij, en hij realiseerde zich dat Chisholm niet van plan was met de rest de villa binnen te stappen. In ieder geval nog niet. Hij had het moeten zien aankomen, op het vliegveld klikte het al zo tussen die twee. Denton maakte er het beste van, gaf Lorca een hand en liep achter de andere drie aan het huis in.

Lorca en Chisholm bleven buiten bij de auto's hangen, eindelijk alleen.

'Ik heb veel mannen ingezet om ervoor te zorgen dat de non veilig is,' begon Lorca, die een sigaret opstak. 'Ik houd er niet van om zoveel man in te zetten.'

'Dat gevoel zou ik ook hebben,' zei Chisholm. 'Dat gebouw daarginds,' zei ze, en ze wees achteloos op een kleine bungalow die door bomen en planten bijna aan het oog werd onttrokken, 'daar zitten je mannen, niet? Camera's, bewakers, wat dan ook.'

'Ja, maar dat zijn niet mijn mannen,' zei Lorca voldaan. Denton had het niet gezien. 'Het oude bediendenonderkomen. De mannen zijn afkomstig van het ministerie van Justitie. Dit is hun villa. Ze hebben die aan mij geleend om de non te bewaken.'

'Erg mooi. Erg smaakvol,' zei ze verstrooid, terwijl ze het huis bewonderde.

Lorca boog glimlachend. 'Dit was tot het eind van de oorlog het palazzo van een fascist. Nu gebruiken we dit huis om getuigen van de Zwarte Hand en dergelijke te bewaken. Niemand kan hier zonder bevoegdheid binnenkomen. Maar nog steeds gebruik ik erg veel mensen om jullie non te beschermen. Jullie rapport over wat er in Amerika is gebeurd was... niet erg lang,' zei hij beleefd.

170

Chisholm glimlachte en lachte toen hardop. 'We hebben jullie de naam en de foto van de meest gevierde, levende moordenaar gegeven. "Niet erg lang"?'

'Agent Chisholm...'

'Margaret,' viel ze hem in de rede.

'Margaret,' zei hij, en hij liet haar naam op zijn lippen hangen. 'Je weet dat die naam nu nutteloos is en dat die foto maar een marginale waarde heeft. Jullie hebben ons het spoor naar die vervalser gegeven en wij doen het onderzoek. Maar heb je verder niets voor me?'

Ze leunde tegen de achterkant van de auto en kruiste haar enkels. 'Inspecteur Lorca...'

'Frederico,' zei hij glimlachend. Beiden vonden elkaar erg aardig.

'Freddy,' verbeterde ze. Ze klapte in haar handen en wreef ze langzaam tegen elkaar. 'Dat is alles wat we hebben.'

'En wat moeten we doen, wat stel je voor?' vroeg hij.

'Ik zou zeggen dat je onze vervalser een bezoekje brengt,' zei ze.

'Dat zou erg... agressief zijn, niet? Mijn superieuren vinden dat ik – hoe zeg je dat – op de achtergrond moet blijven.'

Chisholm haalde haar schouders op en dacht glimlachend na. Ze vond het vreselijk dat ze zo opgewonden raakte omdat Lorca haar de mogelijkheid aangaf om de vervalser onder handen te nemen, maar ze kon de innerlijke golf niet tegenhouden.

'Soms moet je met een paar kooien rammelen om het wild eruit te jagen,' zei ze, haar metaforen door elkaar gooiend, maar wat deed het ertoe: Lorca bracht haar weer terug in het spel.

'Tja, ik heb orders om mijn Amerikaanse collega's mijn medewerking te geven. Als je voorstelt...'

'Dat stel ik voor,' zei ze ernstig. Jij geld betalen, jij je kick krijgen. Verdomme.

Maar Lorca dacht aan iets anders. 'Ik heb begrepen dat meneer Denton geen echte veldervaring heeft – hij is nutteloos als beschermer van de non.'

'Ja, dat weet ik. Dat zou *mijn* werk in Rome zijn.'

'Ik denk dat ik morgen een man vrij heb om de non te bewaken. En misschien, als je dat zou willen, als je niet te moe bent, zou je kunnen... "observeren" terwijl ik met de vervalser ga praten, goed?'

Een gulzig glimlachje begon om Chisholms lippen te spelen.

De twee *carabinieri* die achteloos buiten de schuilplaats stonden te bewaken, waren niet zo achteloos als ze deden. De Amerikaanse toeriste die de heuvel op kwam stappen had scherpe ogen. Ze zag hun uiterst discrete radio-oorknopjes.

De twee *carabinieri* praatten, zeker, en ze leken op andere geüniformeerde politiemensen die verveeld en lijdzaam op wacht stonden. Maar ze keken elkaar nooit aan, maar hadden hun ogen voortdurend op de straat en de huizen rond het ingangshek gericht.

Het was een perfecte ingang, het laagste punt van de tuin, op de laagste hoek van de heuvel. De straat oversteken kostte maar een paar stappen en de hele omvang van het terrein kon in de gaten worden gehouden, wat de twee bewakers voortdurend deden. Als ze bij het hek wegliepen, wierpen ze een blik op de heuvel en konden iedereen zien naderen.

Ze hadden haar uiteraard gezien, zoals ze de heuvel naar de villa op wandelde. Afgezien van het feit dat het hun werk was, zag ze er goed uit op die zonnige Amerikaanse manier die in Italië absoluut buitenaards lijkt. Maar ze werden verrast door haar camera die ze zonder enige gêne plotseling te voorschijn haalde, zoals toeristen dat deden, om de mooie huizen van deze buurt te fotograferen. Ze wist dat ze de film niet zou mogen houden, maar de film was niet belangrijk. Alleen het verkennen van het terrein.

'Hé!' zei een van de bewakers in het Italiaans, en hij zwaaide nijdig toen hij haar foto's zag maken. 'Wat doet u daar?'

'Eh, wat?' zei ze in het Engels, terwijl een van de bewakers op haar afstapte. De andere bewaker, zag ze, stond opeens stokstijf, erg oplettend, zonder naar haar of naar zijn collega te kijken, maar naar de omliggende straat, sluw berekenend dat haar kiekjes maken de een of andere afleidingsmanoeuvre was.

'Wat is dat, kunt u niet lezen?' vroeg de naderende *carabiniere* haar nog steeds in het Italiaans, en hij gebaarde naar een discreet bord met een omcirkelde camera die rood was doorgestreept op een witte achtergrond.

'Non parle Italiano,' zei ze met het zwaarste Amerikaanse accent dat ze kon spreken, en ze keek nerveus en behoedzaam naar de *carabiniere*, die zich ontspande. Waarschijnlijk een toeriste.

'U kunt hier, eh, niet foto's nemen,' zei hij in behoorlijk slecht school-Engels.

'Waarom niet?' vroeg ze, zoals elke domme toerist zou doen – beledigd, alsof haar fundamentele rechten werden onthouden.

'Eh, de regels, de regels,' zei de *carabiniere*, griste de camera uit haar handen en belichtte de film voor ze de kans had er tegenin te gaan.

'Hé! Dat is mijn film!' barstte ze uit en greep, veel te laat, naar de camera.

'Eh, eh, verboden, hè?' zei de *carabiniere*, terwijl zij haar camera met de geruïneerde film terugpakte. Hij zwaaide met zijn armen in het rond en knipte met de vingers van beide handen. 'Verboden, ja? U moet nu weg, weg.'

'En mijn foto's? U hebt mijn film verpest!'

'Spijt me,' zei hij, en hij maakte een buiging terwijl hij glimlachend een stap achteruit deed. 'U gaat nu weg, ja? Geen foto's, zegt het bord.'

Met een gekwetst en beledigd gezicht staarde ze de *carabiniere* na, die terugliep om weer achteloos bij zijn collega op wacht te gaan staan. Beiden leken haar te negeren en zich te ontspannen, maar ze hielden zorgvuldig een oogje op haar en de straat. Echte professionals, dacht ze, en ze betwijfelde geen seconde dat er meer mannen op roepafstand waren.

Ze liep verder de heuvel op, weg van de *carabinieri* en bekeek de villa zo terloops mogelijk, zolang de twee agenten haar in het oog hielden. Ze liep de heuveltop over en wandelde door de buurt zonder aandacht te besteden aan de prachtige bezienswaardigheden. Beckwith begon zich af te vragen hoe ze die schuilplaats binnenkwam. Want Beckwith wist dat ze dat zou doen, hoe dan ook.

Binnen praatte Marianne maar door tegen kardinaal Barberi en Edmund Gettier. Urenlang praatte ze over het project en hoe blij ze was hen weer te zien. Praten om het huis te vullen. Maar aan het begin van de middag begon ze te gapen en was echt moe, dus namen de oude Edmund Gettier en de nog oudere kardinaal Barberi afscheid van haar en lieten haar slapen om haar jetlag te verdrijven.

Getweeën reden ze met een van de politielimousines naar het appartement van de kardinaal bij het Piazza Colomo.

Piazza Colomo was een voetgangersplein. De straten eromheen waren afgesloten toen aan het eind van de jaren zeventig het verkeer in Rome explodeerde, dus stopte de politiechauffeur op de zuidwesthoek bij de dikke ijzeren palen die de auto's tegenhielden. Hij hielp Gettier met de rolstoel van de kardinaal, tilde de vederlichte oude man op en zette hem in zijn rolstoel.

'Wilt u dat ik u duw?' vroeg hij, maar Gettier stond er al achter.

'Ik doe het wel, dank u.'

De chauffeur stapte achter het stuur en reed weg terwijl de twee mannen begonnen de piazza over te steken. Het was een groot plein, honderdvijftig meter in het vierkant, afgerond bij de hoeken en overal omgeven door de voorgevels van oude gebouwen. Gettier duwde de kardinaal langzaam en behoedzaam vooruit. De piazza was charmant met kasseien bestraat, maar een verschrikking voor rolstoelen.

Een derde van de weg naar de overkant zeiden ze niets. Om hen heen liepen mensen naar hun diverse bestemmingen en er vielen spikkels middagzonlicht terwijl een schaduwrand over het plein viel.

'Ik kan bijna niet wachten tot de renovaties beginnen,' zei de kardinaal, alsof hij het tegen zichzelf had. 'Marianne zag er moe uit. Laat haar morgen niet gaan. Ze kan wel wat rust gebruiken. Vrijdag kan ze beginnen. Of zelfs maandag. Het heeft geen haast.'

'Goed,' zei Gettier afwezig, nadenkend.

Ze liepen een tijdje verder zonder te praten. Barberi luisterde naar de stilte.

'Je bent erop tegen dat ze hier is,' zei de kardinaal ten slotte.

'Ja,' gaf Gettier toe, nog trager duwend om te praten. 'Het idee dat ze in Rome is... bezorgt me de bibbers,' zei hij, een Amerikaanse uitdrukking gebruikend.

'Bibbers? Ah – trillen, warm en koud worden.'

'Ja,' zei Gettier. 'Die moordenaar is in Italië – dat zeggen die Amerikanen. Als dat zo is, waarom komt zij dan hier alsof ze hem opzoekt? Waarom niet gezorgd dat ze in Amerika bleef?'

'Het is ingewikkeld,' zei Barberi vaag.

'Dat is het niet, en dat weet u. Vroeg of laat overkomt Marianne misschien iets.'

'Dat weet *jij* niet,' wierp de kardinaal tegen, en hij rekte zijn nek uit om Gettier heel even in de ogen te kijken. 'De politie, de Amerikanen, ze zullen haar beschermen. Er zal niets gebeuren.'

'Ik zou het werk kunnen doen – dat vind ik niet erg,' drong Gettier aan.

'Ja, dat weet ik...'

'U weet dat ik er niet op uit ben om werk van haar af te pakken. Ik hoef mijn reputatie niet te vestigen, maar dat zij hier is, is *gevaarlijk*, en eigenlijk dom.'

'Ze *moet* hier zijn om...'

'Wie heeft erop gestaan dat Marianne de renovaties leidt?' viel Gettier hem een beetje pedant in de rede.

'Jij,' zei Barberi, om Edmund milder te stemmen. 'Maar...'

'Denkt u dat het mij iets kan *schelen* dat Marianne hiermee haar reputatie vestigt? Dat ik me bedreigd voel? Ik vind het spannend!'

'Dat weet ik,' zei Barberi, die een lach om Gettiers felheid onderdrukte.

'Stuur haar dan terug naar Amerika.'

'Neri vindt het het beste als zij het werk doet.'

'Neri wil wat het beste voor Opus Dei is, het meeste prestige...'

'Misschien,' kapte Barberi hem af. Hij werd serieus. 'Maar misschien heeft het met Marianne te maken. Weet jij wat er met haar gebeurt als ze in Amerika blijft? Hoe dood ze dan wordt?'

Gettier zei daar niets op, en moest denken aan de scène in de hangar. Barberi raakte vermoeid, maar hield desondanks aan: 'Het werken aan de Sint-Pieter zal haar leven brengen – dat *weet* je.' En Gettier had daar niets tegenin te brengen. Maar toch ging hij door.

'Marianne zou in Amerika kunnen blijven en mij adviseren, officieel nog steeds het hoofd van de renovaties. Ik kan De Plannisoles laten komen om me te assisteren, u zou ons kunnen adviseren, precies zoals u nu ook doet.'

'Ik kan niet elke dag naar het Vaticaan om te kijken hoe het gaat,' zei de kardinaal, Edmund Gettiers woorden negerend. 'Ik ben te... oud, te ziek, te invalide, te... vervallen, net als de gebouwen om ons heen,' lachte hij, gebarend naar de gebouwen, die roerloos en vermoeid als een troep terugkerende soldaten om hen heen stonden.

Gettier hield op met duwen, liep om de rolstoel heen en keek kardinaal Barberi recht in het gezicht. 'Als haar iets overkomt, zal het op mijn hoofd terechtkomen. Omdat ik haar kan vervangen in dit project – maar ze kan niet worden vervangen. Als die... moordenaar erin slaagt, kan Marianne niet worden vervangen.'

'Ja, dat weet ik. Maar ik denk dat ze zal sterven als ze in Amerika blijft,' zei de kardinaal ten slotte gedecideerd. Gettier wist dat hij daarop niets meer kon zeggen.

Hij duwde de rolstoel verder. Geen van beiden zei iets totdat ze afscheid namen bij het appartement van de kardinaal, op de begane grond van een van de gebouwen rond het plein. Zuster Aurora, Barberi's verpleegster en huishoudster, nodigde professor Gettier uit voor het avondeten, maar hij weigerde kortaf, bijna onbeleefd, te zeer met zijn gedachten bezig. Barberi wilde nog iets zeggen, maar hij was te moe om Gettier te troosten. Gettier vertrok met een gezicht vol angst en afschuwelijke voorgevoelens. De angst, vond Barberi, deed hem bijna jong lijken. Hij deed een stil gebed voor Edmund terwijl zuster Aurora de deur van het appartement dichtdeed.

Edmund Gettier liep de Piazza Colomo over, terug naar de hoek waar de auto hem had afgezet. In het voorbijgaan zag hij een telefooncel en besloot ter plekke wat stoom af te blazen.

Hij had geen idee of hij hem zou vinden, maar de telefoniste was erg behulpzaam en even later hoorde hij de vijand aan de lijn.

'Met Alberto Neri,' zei de schoft.

'Met professor Edmund Gettier,' zei hij.

'Ah, professor...'

'Ik hoop dat u in de hel zult branden, schoft, om een oude man zo om de tuin te leiden...'

'Het spijt me, wat bedoelt u...'

'U weet wat ik bedoel: doen alsof Marianne hier is voor haar "geestelijk welzijn". Als haar iets overkomt, stel ik u persoonlijk verantwoordelijk.'

'Beste professor...'

Gettier hing op. Hij voelde zich niet veel beter. In feite voelde hij zich dwaas om zulke loze dreigementen te uiten. Wat zou hij doen: de man doden? Maar hij hoopte dat zijn dreigement een beetje zou bewerkstelligen wat hij wilde.

Gettier hield een taxi aan en ging naar huis.

ACHT | Stad in de nacht

Het was avond. Sepsis was op een party van rijke dégénérés, zijn beste dekmantel.

Overal in het grote huis, een negentiende-eeuws palazzo in rococostijl, dansten mensen in het donker, verlicht door blauwe lampen en groene neon. De muziek was hard en meedogenloos. De feestgangers – allemaal ongeveer van zijn leeftijd – bewogen zich op de maat die bij hun stemming paste, terwijl ze praatten, dronken, rookten en elkaar scherp in de gaten hielden. Twintig centimeter hoge hakken doorboorden het parket, nonchalante sigaretten bewogen met de gesprekken mee en lieten rode lichtsporen na in het duister. En door dat alles zweefde Sepsis, afstandelijk, en bekeek de mensen met hetzelfde oog waarmee hij architectuur bezag, of een doelwit.

Hier werd hij werkelijk niet opgemerkt. De mannen waren veel knapper dan hij, met gladde pakken en glad haar, aristocratische, hooghartige gezichten, en ze reageerden alleen op andere vlotte praters en sterke persoonlijkheden. En de vrouwen, zo perfect dat ze van verre een hart in vlam konden zetten, leken bewegende standbeelden met de ondoorgrondelijkheid van niet-levende dingen, niet bereid hem op te merken als hij zich niet verwaardigde om hen op te merken. Ze reageerden alleen op de wrede mannen, klaar om hun slipje ter plekke uit te trekken als het moest. Het was zelfs zo dat een adembenemende, mooie vrouw, donker en vurig, met zo'n wrede jonge man stond te neuken in een hoek van een kamer die op de grote zaal uitkwam waar de mensen dansten. Sepsis was door toeval op het paar gestoten toen hij een telefoon zocht, maar ze namen niet eens de moeite zijn kant op te kijken, zo druk waren ze bezig.

Het waren wrede mannen en beeldschone vrouwen, ja. Maar voor Sepsis waren het figuranten. Ze waren gewoon zijn dekmantel. Want wie zou een bedeesde, harkerige, serieuze moordenaar zoeken op een feest van een Euro-zootje?

Terwijl Sepsis het huis doorstapte, op zoek naar een telefoon, liep Giancarlo hem tegen het lijf. Onmiddellijk sloeg hij een arm om Sepsis' schouders en wees om zich heen.

'En wat vind je van mijn soiree, beste vriend?'

Sepsis glimlachte tegen Giancarlo. Hij mocht hem. 'C'est bien,' zei hij zonder een spier te vertrekken.

'Is dat alles wat je te zeggen hebt?' barstte Giancarlo vrolijk uit. 'Ik wed dat je nog nooit op zo'n goed feest geweest bent in dat saaie oude Parijs.'

Sepsis kon geen geestig weerwoord bedenken. Giancarlo liet hem los en was bijna onmiddellijk opgeslokt in de menigte feestgangers.

Sepsis en Giancarlo kenden elkaar al heel lang. Een paar jaar geleden, in Kroatië, had Sepsis door de oorlogszone gereisd en daar had hij die jonge Italiaan ontmoet, Giancarlo Bustamante, die met een paar vrienden naar Kroatië was gegaan om op mensen te jagen.

Kroaten boden rijke Europeanen aan hen mee te nemen naar het oorlogsgebied om hun de kans te geven mensen te doden. Het wild bestond meestal uit vluchtelingen, aangezien vluchtelingen uiteraard niet terugschieten. Dus op een ochtend ging een groep

Europeanen een gebombardeerde stad of dorp in om een mooi plekje op het dak van een gebouw te zoeken en iemand neer te schieten. De gangbare prijs was ongeveer driehonderd dollar per man, maar je kon bij de Kroaten afdingen tot een tiende van die prijs, of nog beter, een eenmalige betaling van duizend Amerikaanse dollar en dan mocht je schieten wat je wilde. Het beste kon je met Kroaten gaan, die dronken en lacherig werden terwijl de jachtploeg op een doelwit wachtte. Serven werden meestal gemeen als ze dronken waren. Een paar Fransen op safari waren ooit door hun Servische gidsen gedood. Mohammedaanse Serven, daarentegen, pakten meestal je geld aan en vroegen dan in de loop van de dag steeds meer. Maar met Kroaten kostte het alleen maar duizend dollar en een paar flessen whisky en je kon een hele dag op safari.

Sepsis was niet in dat gebied om iemand neer te schieten. Hij was er alleen maar heen gegaan om een oorlog van dichtbij te zien en misschien een paar foto's te nemen. Giancarlo en Sepsis hadden onmiddellijk vriendschap gesloten, hoewel de Italiaan uiteraard geen idee had van wat Sepsis voor zijn beroep deed. Hij nam aan dat het hetzelfde was als wat Giancarlo zelf deed: van zijn rijke ouders leven en op een bepaalde manier had Giancarlo gelijk. Dus, elke keer dat Sepsis in Rome was, woonde hij bij Giancarlo en zijn vrienden, en gaf zich uit voor een Fransman van gefortuneerden huize. Overdag doorkruiste Sepsis de stad om zich bezig te houden met de banale details van zijn echte werk – moord -, in de overtuiging dat hij geen van de mensen uit die sociale laag zou tegenkomen, want hoe vaak overschrijd je in grote steden de grenzen van de woonwijk van je sociale klasse? Zelden of nooit. Als je naar een andere buurt gaat, is het net of je een andere planeet bezoekt.

Sepsis liep het huis door en ging naar boven om een telefoon te vinden. Op de eerste verdieping was het net zo vol met mensen als beneden, alleen waren hier drugs in het spel, mannen en vrouwen met schichtige ogen en niet erg dure kleren die uit hun mondhoeken praatten en hun koopwaar in de zalen van het huis aan de man brachten.

Sepsis gebruikte geen drugs. Hij dronk ook niet. Maar zelfs broodnuchter vond hij het toch leuk om naar dit soort feesten te gaan, liet de mensen steeds verder gaan terwijl hij vanaf de buitenkant toekeek en van de ene groep naar de andere zwierf zodra hij merkte dat hij opgemerkt ging worden.

Maar die avond niet. Die avond was Sepsis neerslachtig en futloos en voelde zich niet in de stemming voor een nacht doorfeesten. Hij wilde ergens in een hotelkamer in bed kruipen met een stel boeken en tot de volgende ochtend doorlezen, Updike bijlezen misschien, die had hij verwaarloosd. Hij vond altijd dat Updikes stijl en die van hemzelf erg op elkaar leken – elegant en voor het grootste gedeelte precies, alleen wanordelijk als de situatie erom vroeg.

Maar Sepsis was die avond aan het werk, op zoek naar een telefoon omdat hij verbinding moest maken met zijn contactpersoon. Dus stapte hij door het huis, ging opzij voor een vrouw – eigenlijk een meisje van hooguit zeventien – die schreeuwend door de gang liep, hysterisch aan haar kleren trok en tegen de muren op botste. Kennelijk had ze een slechte trip.

De eerste verdieping was te vol, maar op de tweede verdieping was bijna niemand en hij vond al snel een kamer met een telefoon. Hij liet de deur open om te kunnen zien of er iemand aankwam, draaide het nummer en begon in het Engels te spreken. 'Ja,' zei hij als begroeting. Aan de andere kant van de lijn antwoordde een stem fluisterend, ook in het Engels.

'Ze is in Rome, intact.'

'Ja, dat weet ik,' zei hij arrogant, terwijl hij naar de titels in de boekenkast bij de telefoon keek. 'Ik heb de mannen al bij elkaar om haar af te handelen.'

De stem aan het andere eind werd messcherp. 'We hadden *afgesproken*: niet doden...'

'Je hoeft mij niet te vertellen wat we hebben afgesproken,' onderbrak Sepsis met een stem die ietsje wreder klonk dan welke feestganger hier ook. 'Ik ben nergens mee akkoord gegaan, behalve dan met jouw luimen *als* ik het kon. Als.'

'Als je niet doet wat ik heb gevraagd, zal ik je niet helpen.'

'Als je mij niet helpt, ben je erbij,' zei hij achteloos. Hij meende het. Sepsis luisterde naar de stilte terwijl de bron overlegde wat hij daarop ging zeggen.

'Maar er is goed nieuws,' zei de infobron verzoenend, die niet met Sepsis in de clinch wilde.

'O ja?' zei hij. Zijn oog viel op een titel. Het was Eco's *L'Isola del*

180

Giorno Primo. De rug was ongebroken, het was ongelezen. Hij trok het uit de boekenkast en begon het door te bladeren, tevreden met zichzelf dat hij Italiaans kon lezen en tegelijkertijd Engels spreken.

'Het andere doelwit is hier ook,' ging de infobron verder.

'Aha...' zei Sepsis.

'Met *dat* doelwit kun je doen wat je wilt.'

'Ik doe waar ik zin in heb,' zei hij minachtend.

De contactpersoon was pisnijdig. 'Ik ben alleen met deze krankzinnige zaak akkoord gegaan als die op *mijn* condities werd uitgevoerd...'

'*Ik* heb de leiding,' siste Sepsis ombarmhartig. Hij voelde zich... *heerlijk* nu hij – eindelijk – de overhand had. 'Ik leid deze zaak nu, dit is mijn werk, zoals ik je van begin af aan heb gezegd. Als je mijn orders niet opvolgt, maak ik je zonder een seconde na te denken kapot. Goed onthouden: één telefoontje en je wordt gewipt.' Sepsis lachte. 'En dat bedoel ik niet dubbelzinnig.'

De infobron sprong bijna uit zijn vel, er kwam een scherp gesis van de andere kant, terwijl de infobron zich opmaakte om een belangrijke tirade af te steken. Maar toen klonk er een geluid alsof er iemand hikte, bijna alsof de bron door iemand werd gewurgd en toen was het stil. Sepsis glimlachte. De bron begon het eindelijk te snappen. Sepsis was de baas, eindelijk.

'Dit is mijn show, dus zeg me waar ze zijn,' zei Sepsis en hij keek glimlachend op. En daar zag hij iets verbijsterends.

In de deuropening stond een vrouw voor wie hij graag een moord zou plegen. Ze had hem overvallen, zozeer was hij afgeleid door *L'Isola del Giorno Primo* en de hitte van het gesprek. Lang, mager, maar met een lichaam in een jurk die het bedekte als een laag verf, stond ze daar naar Sepsis te kijken. Hij kon haar gezicht niet zien, omdat ze door het ganglicht van achteren werd belicht, maar hij was er zeker van dat ze toegeeflijk tegen hem glimlachte. Om die glimlach te zien stapte hij uit het binnenvallende licht naar het donker waardoor de vrouw zich naar hem toedraaide en het licht op haar glimmende geile schoenen en glanzende donkere slaapkamerogen viel. Ze waggelde een heel klein beetje, bijna onmerkbaar, slechts een tikje tipsy, maar die glimlach lag nog steeds op haar gezicht. Alleen het zien van die glimlach en haar ogen wekte bij Sepsis een sexy, katachtig gevoel op, een 'in de

181

stemming'-stemming, terwijl de stem aan de andere kant van de lijn maar doorzeurde.

'Ze zit op een veilige ondoordringbare locatie, en ik denk dat je er nooit met alle mannen van...'

Zonder drift, afstandelijk, starend naar de prachtige vrouw in de deuropening, reageerde Sepsis razendsnel: 'Nee. Ondoordringbaar voor een bom, misschien. Maar ik ben verder. Er bestaat voor mij niet zoiets als een ondoordringbare locatie. Geef me het adres. Geef me een plattegrond. Geef me de weg die ze zullen nemen,' zei hij, terwijl de schitterende vrouw, Italiaans, zwartharig, regelrecht op Sepsis af kwam, waarbij haar manier van lopen en het wiegen van haar lichaam een eindeloze caleidoscoop van uitnodigende welvingen en aangename contrasten van licht en donker teweegbrachten.

'Je weet wat je te doen staat?' vroeg zijn contactpersoon, die nog steeds probeerde de zaken op een rijtje te krijgen.

'Dat is mijn zaak. Zorg maar dat ik die informatie krijg. Ik houd contact.'

De stem aan de andere kant van de lijn aarzelde een fractie van een seconde. 'Begrepen,' werd er gezegd toen Sepsis ophing en nog steeds naar die beeldschone vrouw staarde. Toen glimlachte hij.

In het duister van zijn appartement lag kardinaal Barberi diep te slapen, zoals alleen oudere mensen en kleine kinderen dat kunnen. Hij zou weldra sterven, zo wist hij. De renovaties van de Sint-Pieter hielden hem misschien nog in leven, maar vroeg of laat zou zijn oude lichaam het opgeven, zoals te verwachten was.

Hij betreurde de dood niet en zag die ietwat heidens als een verschillende entiteit. Maar het maakte hem kwaad dat hij er niet zou zijn om de uiteindelijke resultaten van zijn krachtsinspanningen te zien. Kardinaal Park had geboft. Hij was Barberi's voorganger geweest in de Kunstcommissie en hij had het geluk gehad te sterven vlak na de renovatie van de Sixtijnse Kapel. Bofferd. Barberi hoopte dat hij nog zo lang zou leven dat hij de versterking van de steunzuilen en muren zou meemaken, het werk van zuster Marianne. Maar vanaf dat punt tot aan de laatste restauratie van het binnen- en buitenwerk... vijftien jaar, minimaal. Kardinaal Barberi draaide zich om in zijn slaap.

Monseigneur Neri sliep niet zo goed. Vanaf de explosie in het klooster, drie weken geleden, had hij zijn contacten in Amerika aangespoord om uit te zoeken wat er gaande was, zonder resultaat. Waarom de kapel was opgeblazen, waarom er op zuster Marianne was geschoten – geen antwoorden en nu deze stilte. Opus Dei had contacten met de Arabieren, vooral met de soennieten in Saoedi-Arabië, die altijd wisten wat er bij de sjiïeten aan de hand was, en ze hadden hem niet geantwoord. Dat betekende ogenschijnlijk niets, maar Neri wist wel beter. Als Arabieren zeggen dat ze niets weten, dan weten ze iets. Als Arabieren niet reageren, komt het omdat ze zich te veel schamen om toe te moeten geven dat ze in feite niet weten wat er gaande is.

Zonder het licht aan te doen stond Neri op en begon oefeningen te doen om zodoende vermoeid te raken om de slaap te kunnen vatten. Het zwijgen zat hem dwars.

'Hoe waterdicht is uw veiligheid?' had hij aan Frederico Lorca gevraagd.

'In de schuilplaats is ze niet te benaderen en de Amerikaanse FBI-agente zal het grootste deel van de tijd met haar samen zijn.'

'En uw mensen?' drong Neri aan.

'Monseigneur, u moet wel begrijpen dat ik geen mankrachten heb voor zoiets als dit en aangezien de FBI-agente bij haar is, lijkt het zinloos.'

'Stel dat ze weer proberen haar iets aan te doen? Ze hebben in een Amerikaans politiebureau op haar geschoten.'

'Dat weet ik. Maar u moet begrijpen dat we Sepsis zoeken, zo goed als we kunnen. Ofwel ik laat mijn mensen die man zoeken of ik bescherm de non. Als de non in Amerika was, zouden we deze problemen niet hebben.'

'We hebben haar hier nodig,' zei Neri.

En dat was het fundamentele risico dat Neri nam. In werkelijkheid was zuster Marianne *niet* in Rome nodig voor de renovaties. Edmund Gettier zou het gehele werk even goed kunnen doen, zoals kardinaal Barberi hem had gezegd.

'De gedachte dat die afschuwelijke man Marianne iets aandoet… ik zou liever sterven als haar iets vreselijks overkomt,' had Barberi tegen hem gezegd. 'Dus heb ik besloten dat ze in Amerika moet blijven. Gettier kan het werk doen. Het zal meer tijd kosten, maar hij is intelligent…'

'Nee,' zei Neri, die besloot het erop te wagen. 'Als ze in Amerika blijft, zal haar ziel sterven.'

Barberi keek naar Neri op en zijn reusachtige wenkbrauwen kromden zich bijna tot boven zijn voorhoofd. 'Waar héb je het over?'

Neri voelde zich slecht, onzuiver, en tandenknarsend gebruikte hij zijn geestelijke troef. 'Als ze in Amerika blijft terwijl al haar zusters gedood zijn, met alle respect, maar bedenk eens wat voor effect dat zal hebben: al die tijd niets doen en alleen één ding om aan te denken.'

'Juist…' zei de kardinaal, in de war.

Aartsbisschop Neri dankte de hemel dat kardinaal Barberi politiek zo naïef was. Hij begreep niet wat zuster Marianne voor Opus Dei vertegenwoordigde, het prestige dat het gaf omdat een gewone non aan het hoofd stond van een belangrijke renovatie als deze. Maar Neri was niet zonder geweten. Net als Gettier – net als iedereen, eigenlijk – nam hij aan dat de moordenaar nog een keer een poging zou wagen en dan zeer wel zou kunnen slagen. Zeer waarschijnlijk zou slagen. Hij hield op met zijn gymnastiek en begon zich op te drukken.

Kardinaal Barberi was een voortreffelijke kardinaal, dacht Neri. Goed, godvrezend, genereus, nederig en in elk opzicht verbazingwekkend. Maar Neri had een beetje een hekel aan hem, omdat hij Neri's machinaties niet doorzag en er geen einde aan maakte. Een beetje minachtend dacht hij aan Gettiers loze dreigement en vond het om praktische redenen iets waarvan hij zich niets hoefde aan te trekken. Maar Neri wist dat, als het zijn leerling was die in gevaar verkeerde, hij net zoiets had gedaan als zo'n dwaas telefoontje plegen.

Midden in een opdrukoefening realiseerde Neri zich dat het zijn leerling *was* die in gevaar verkeerde. Tenslotte kende hij zuster Marianne langer dan Gettier. En toch liet hij haar het risico lopen.

De twijfels kwamen. Neri stopte met zijn opdrukoefeningen en knielde naast zijn bed om te bidden. Maar het gebed maakte zijn twijfels over wat hij aan het doen was, niet minder. In feite werden ze nog verscherpt, nog werkelijker.

Het was nacht. Zuster Marianne werd rond halfdrie in de ochtend wakker. Haar hoofd tolde van de gedachten die niet weg wilden gaan, wat niet ongewoon was.

Vanaf de explosie, nachtenlang, of zodra ze niet werkte, was het enige waaraan ze kon denken het gezicht van de anonieme man. En wat ze bleef voelen, was een bitterheid die haar zou opslokken, zo wist ze.

Ze wilde vergeven. In haar geest, in haar intellectuele geweten wilde ze die jonge anonieme man vergeven voor alle verwoesting die hij in haar leven had aangericht – hem vergeven voor alle doden die hij had gemaakt, hem vergeven voor alle pijn die ze voelde. Ze wilde vergeven – niet onbarmhartig zijn.

Maar haar hart haatte hem. O, wat haatte het hem.

Ze draaide zich op haar rug en begon het Onze Vader te bidden, zich uit alle macht concentrerend op de woorden en hun betekenis. Maar door haar gebed heen bleven splinters haat en bitterheid steken. Toen ze klaar was met haar gebed, ademde ze geconcentreerd om haar hart te kalmeren. Maar het werd niet beter.

Om te slapen begon ze de priemgetallen op te sommen, maar bij 61 had ze geen geduld meer. Dus stapte ze, slechts gekleed in haar nachthemd, uit bed en liep stilletjes naar de begane grond van de villa.

Het was stil. Er kwamen weinig straatgeluiden van buiten, helemaal niets, eigenlijk. En het was die nacht nieuwe maan, wat het onmogelijk maakte iets te zien terwijl ze zich tastend een weg door het huis baande met de plattegrond van de villa in haar hoofd. Toen ze bij de keuken aankwam, tastte ze rond en probeerde zich te herinneren waar de schakelaar was, die ze ten slotte vond. Ze knipte het licht aan.

'Jezus Christus!' zei ze geschrokken. Toen vlogen haar handen naar haar mond terwijl ze 'O nee!' tussen haar vingers zei.

Daar zat agente Chisholm in haar nachthemd te staren naar een half leeggedronken glas melk dat op de keukentafel stond. Ze keek naar Marianne op zonder met haar ogen te knipperen en scheen geen last van het plotselinge licht te hebben.

'Alles oké?' vroeg ze aan Marianne.

Marianne was te zeer in de war om te antwoorden. 'O nee,' mompelde ze, woedend op zichzelf dat ze alweer de naam van de Heer ijdel had gebruikt.

'Alles oké?' vroeg agente Chisholm nog een keer, ditmaal met een scherpe ondertoon, maar nog steeds onbeweeglijk. Marianne keek haar aan.

'Met mij gaat het goed, ik schrok van u en ik…' Haar stem stierf weg en ze zuchtte. 'Ik heb…' Ze stopte en voelde zich dwaas in de aanwezigheid van deze vrouw. Ze had het gevoel dat zij, Marianne, op de een of andere manier niet serieus genoeg overkwam. 'Een slechte gewoonte van me, die ik… niets. Ik, bah!'

Agente Chisholm fronste haar voorhoofd over dit vreemde gedrag, maar zette het uit haar gedachten, dronk een beetje melk, zette het glas op tafel en staarde ernaar met haar handen in haar schoot. Marianne bleef gewoon naar haar staan kijken. Tussen hen gaapte de stilte.

'Ik neem alleen maar wat te drinken en dan ga ik weer,' zei Marianne zwakjes.

Agente Chisholm reageerde er niet op en Marianne liep naar de kast om een glas te pakken.

Nadat ze een glas sap voor zichzelf had ingeschonken, draaide Marianne zich om om agente Chisholm goedenacht te wensen. Dat was ze tenminste van plan. Maar in plaats daarvan zei Marianne: 'U mag me niet erg, hè, agente Chisholm?'

Dat was het laatste dat beide vrouwen van Marianne verwacht hadden. Margaret keek op en knipperde met haar ogen. In de stilte sloeg de generator van de koelkast aan en zoemde kalmerend.

'Ik mag u best. Waarom zegt u dat?'

De pinguïn wierp haar een blik toe met het glas sap tussen haar beide handen en boog lichtjes haar hoofd, maar haar ogen lieten die van Chisholm geen moment los. Het was geen scherpe blik, maar een veelbetekenende.

'Nou nee… ik mag u niet erg graag.'

'Waarom? Heb ik iets krenkends gezegd of gedaan?'

Chisholm keek haar aan. Maar ze was te moe om een verdediging op te bouwen, dus keek ze opzij. 'Nee, nee, het is niets, het is… uzelf. Uw… godsdienstigheid. Uw vuur. Elke keer als ik naar u kijk, bent u niet uzelf. U bent uw godsdienst. U bent een lopende reclame voor de katholieke Kerk.'

Marianne glimlachte een beetje. 'Elke keer als ik naar u kijk, zie ik een lopende reclame voor de FBI. Dat maakt nog niet dat ik u meer of minder graag mag,' zei ze, terwijl ze op de stoel rechts naast Chisholm ging zitten.

'Wat ik voel is, denk ik, dat elke keer als u me aankijkt, u me… beoordeelt, alles wat ik doe beoordeelt, of u het me ziet doen of niet. Ik heb een hoop dingen in mijn leven gedaan waarop ik niet trots ben en elke keer als ik naar u kijk, doet u me daaraan denken. U lijkt zo zuiver als ik naar u kijk, en dan haat ik het dat u zo zuiver bent, terwijl ik zo… bezoedeld ben door de dingen die ik heb gedaan.'

Marianne keek haar verbluft aan en barstte in lachen uit, wat Margaret verbaasde en nijdig maakte.

'Wat is er zo grappig? Wat is er zo godvergeten grappig?'

Marianne hield abrupt op, een beetje onbehaaglijk. Erg onbehaaglijk, eigenlijk. Bang, in feite.

'Het spijt me. Wat u zei… vond ik grappig.'

Chisholm keek opzij alsof er een deur zo definitief dichtging dat Marianne dacht dat die nooit meer open zou gaan.

'Echt waar,' zei Marianne, en ze legde haar hand op agente Chisholms onderarm. Door het gebaar keek ze Marianne weer aan, wat Marianne weer bang maakte. Maar ze liet niet los. In plaats daarvan keek ze Chisholm een seconde langer aan alvorens haar hand weg te halen en beide handen op tafel te vouwen. Ze staarde ernaar en keek toen kalm naar Chisholm op.

'Agente Chisholm, weet u hoe ik non ben geworden?… Op een ochtend werd ik wakker in mijn appartement, ik moet negentien zijn geweest, nog geen twintig. Ik had een heroïnekater. Mijn vagina deed pijn. Er stroomde bloed uit mijn anus. Er lagen twee mannen in mijn bed. Ik wist niet meer dat ik ze had meegenomen, maar ik herinnerde me de avond tevoren. Ik herinnerde me hun grijns en ik… ik voelde me – dood. Alsof ik een levend lijk was. Alsof mijn ziel stinkend aan het rotten was… ik wilde mezelf doden, maar ik was zo stoned dat ik niet wist hoe. Dus besloot ik een eindje te gaan wandelen… ik ging naar buiten, het was prachtig weer. Gewoon, ik weet het niet… prachtig. En ik dacht: hoe ben ik zo ver gekomen? Mijn familie was rijk, ik was intelligent, knap. De beste scholen, de beste opvoeding. In alle opzichten perfect. En daar stond ik… Het was vroeg en het was koud. Dus liep ik een kerk binnen. Het is tamelijk gek als je erover nadenkt: ik heb het koud, ik ben stoned, ik wil sterven – ik ga het in de kerk overdenken. Ik wilde alleen zijn, dus ging ik in het biechthokje zitten. Ik dacht dat het leeg was, maar er zat een priester om de biecht af te nemen. Ik was in die tijd niet eens katholiek, maar ik was zo stoned en zo in de war dat ik alles heb opgebiecht. Over de mannen en vrouwen met wie ik had geslapen. Over alle drugs die ik had genomen. Over de leugens die ik mijn familie en vrienden had verteld, hoe ik ze keer op keer had bedrogen en gekwetst. Ik biechtte... alles. En daarna voelde ik me... op de een of andere manier beter. Ik liep de kerk uit en ik ben nooit meer naar die bewuste kerk gegaan, maar... vier jaar later, ben ik non geworden... Ik ben nu twaalf jaar non. En er gaat geen dag voorbij waarop ik niet denk dat ik de meest... bezoedelde mens ben die ik ken. Daarom lachte ik,' zei ze, terwijl ze haar hand weer op Chisholms arm legde. Ze staarde Chisholm aan om zich ervan te vergewissen of die het begreep. 'Omdat u denkt dat ik zuiver en rein ben. Maar u kent me niet. U kent me absoluut niet. Daarom lachte ik. Ik wilde u niet kwetsen. Ik lachte om wat u dacht dat ik was... maar ik wilde u niet kleineren.'

Zuster Marianne trok haar hand van Chisholms arm en dronk nog wat sap, zonder naar iets speciaals te kijken. Margaret staarde Marianne aan tot de non zich een beetje gegeneerd voelde.

'Zeg iets,' zei de non, waarmee ze Margaret met een klap terug tot de werkelijkheid bracht, als een hypnotiseur tijdens een truc.

'Ja, eh, nee, zeker, ja... ja... Je hebt gelijk, ik ken je totaal niet.'

Marianne keek naar haar glas met sap, besloot nog een paar slokken te nemen, maar bedacht iets en wendde zich tot Margaret. 'Ik beoordeel u niet, als u daarover in zit. Ik *kan* u niet beoordelen. Alleen God kan dat. En zelfs al zou ik niet in God geloven, dan heb ik het te druk met mezelf veroordelen om me druk te maken over u.' Ze nam een paar slokken van haar sap.

Margaret wist niet wat ze moest zeggen, dus vroeg ze het eerste het beste dat haar voor de geest kwam. 'Zou je ooit terug kunnen naar je oude leven?'

Zuster Marianne verslikte zich bijna in haar sap bij deze vraag, slikte en zei lachend: 'Goeie genade, nee! En al zou ik het kunnen, dan zou ik het niet willen!'

'Nee, je begrijpt het verkeerd,' zei Chisholm afkeurend, en vroeg nog eens: 'Ik bedoel, zou je het aankunnen om geen non meer te zijn?'

Marianne dacht na alvorens antwoord te geven. De twijfels kwamen weer eens opborrelen alvorens ze vastberaden zei: 'Nee.

En dat zou ik ook niet willen. Ik heb veel opgegeven, maar... Ik heb niet echt alles gewonnen door non te worden – ik heb een gelofte van armoede afgelegd. Maar... ik weet het niet. Het is moeilijk uit te leggen. Ik weet alleen maar dat wat ik doe, het leven dat ik leid – het is eenzaam, het is erg moeilijk, we zitten niet de hele dag alleen maar te bidden, maar... het is Gods wil. Ik weet waarvoor ik op deze aarde ben. Dat weet ik gewoon.' Dat was waar, in ieder geval het laatste.

'Maar wil je niet méér?' drong agente Chisholm aan.

Ze weet het, dacht Marianne. *Op de een of andere manier kent ze de waarheid.* Voor Marianne was het altijd een open vraag hoe iemand een onderdeel van de rechtspleging kon worden – hoe iemand kon pretenderen de waarheid te zoeken in deze wereld en de arrogantie kon hebben te denken dat hij die had gevonden. Maar bij deze vraag dacht ze niet verder. *Ze weet het,* was het enige dat ze dacht.

'Nee,' antwoordde Marianne. 'Nee, ik wil niet meer méér.'

Margaret kon de leugen voelen en draaide langzaam haar hoofd opzij zonder haar ogen één moment van de non af te wenden. Het was een blik om de waarheid uit haar te scheuren, en Marianne kon agente Chisholm niet meer aankijken nu die leugen tussen hen in stond.

'Voor dit alles,' zei ze snel, en gebaarde om aan te geven dat ze de explosie en de schietpartij bedoelde, 'had ik die aandrang, gevoelens. Een verlangen naar meer opwinding in mijn leven. Dat baarde me zorgen omdat het me afleidde van wat ik deed. Maar *nu*... nu niet meer, geloof me. Bent u gelukkig met uw leven, agente Chisholm?'

'Ik heet Margaret.'

'Margaret.'

'Ik weet het niet. Ik heb een zoon...'

'O ja?' vroeg Marianne, oprecht verbaasd. 'Hoe oud is hij?'

'Twaalf. Ik maak me zorgen dat ik de tijd niet voor hem heb, dat mijn werk me bij hem weghoudt.'

'U boft,' zei Marianne, die nog een slok sap nam.

Margaret keek haar aan. 'Ik bof niet. Als het me meezit, eten we twee keer per week 's avonds samen.' Ze zweeg even en dacht na. 'Over mijn werk ben ik ook niet meer zo zeker. Ik vind het te leuk.'

Margaret staarde nadenkend naar haar knieën. Marianne bleef

zo lang naar haar zitten kijken tot het staren werd. 'Wat bedoel je?' vroeg ze bijna fluisterend.

Margaret keek Marianne aan. 'Die keer toen ik die mannen achternazat in Washington – dat vond ik leuk. En er was een incident in het stadion. En dat vond ik ook leuk. Ik bedoel dat ik het *echt* leuk vond. Misschien heb jij genoeg opwinding voor de rest van je leven gehad, maar ik kan er niet genoeg van krijgen. God helpe me maar ik heb echt de smaak te pakken gekregen en daar word ik doodsbang van.'

'Ik houd ook te veel van mijn werk. En ook ik denk dat het mijn einde zal zijn,' mompelde Marianne voor zich uit, maar Margaret ging zo op in haar gesprek dat ze haar niet echt hoorde.

'Bijna altijd is het zo – als iets niet gaat zoals ik het wil, dan wil ik het vernietigen – of *iets* vernietigen, wat dan ook. Iets kapotmaken waardoor ik me beter kan voelen.' Ze keek de non aan. 'Als ik alleen ben, wil ik alleen maar ergens heen om iets kapot te maken. En ik ben altijd alleen.'

'Heb je niemand?'

'Nee, alleen mijn zoon.'

'Heb je met hem gepraat over…'

'Nee,' viel Margaret haar in de rede en ze keek de non strak aan. Haar stem werd zachter. 'Hij heeft mij nodig. Niet omgekeerd. Het zou… *obsceen* zijn om hem tot mijn steun te maken. Misschien doen alle anderen het wel. Maar dat is nog geen reden waarom ik het zou doen.' Margaret nam nog een slok melk en liet het daarbij.

Marianne glimlachte. 'Er gaat iets komen, dat weet ik zeker. Je vindt een aardige man die van je houdt.'

Margaret lachte bijna om het vertrouwen in Mariannes stem. 'Hoe weet jij dat, jij bent een non.'

Marianne wierp haar een blik toe. 'Ik heb enige ervaring,' zei ze, en ze lachten.

'Wat vind je van agent Denton?' vroeg Marianne zich hardop af. 'Hij is erg aantrekkelijk.'

Margaret sputterde bijna. 'Agent Denton? Nu ben *jij* degene die *mij* niet kent.'

'Hij heeft een erg goed lichaam en een erg mooi kontje.'

Chisholm keek Marianne onthutst aan. Maar de non keek met een komische blik terug en beiden barstten in lachen uit.

Rond de tijd waarop zuster Marianne en agente Chisholm over zijn mooie kontje spraken (wat hem enorm gevleid zou hebben), deed Nicholas Denton, nauwelijks een etage verder, zelf een paar verbijsterende ontdekkingen, met name over wat zijn personeel wel en niet kon doen als het er echt op aankwam.

Hij lag onder de dekens met een stapel aantekeningen om zich heen, half overeind op drie kussens, een sigaret te roken en leek een beetje op een van die mandarijnenmatriarchen die zich uitsluitend in de wijdere wereld wagen in een met zijde afgedekte draagstoel. Hij praatte door een telefoon waarop een zwart plastic apparaat over het mond- en het oorstuk zat. Dit apparaat, een draagbare stemvervormer, was een van de voordelen van een hoge positie bij de CIA – je moest allerlei interessante speeltjes gebruiken, die eigenlijk onnodig waren maar waarmee je jezelf heel belangrijk vond.

'Ja, ik begrijp het. Goed. Ja, maar eerst wil ik dat je iets voor me doet. Ik wil dat je Margaret Chisholm nog eens natrekt.'

'Zoveel hebben we de eerste keer niet gevonden,' zei Amalia Bersi aan de andere kant, die haar werkdag op Langley beëindigde.

'Nee, ik ben niet geïnteresseerd in haar privé-leven,' zei Denton. 'Ik wil weten aan wat voor zaken ze heeft gewerkt en met name de zaken die ze op dit moment behandelt.'

'Meneer Denton, zo gemakkelijk is er niet achter te komen wat een FBI-agent doet.'

'Amalia, hoe moeilijk kan dat zijn? Ik vraag niet om de notulen van het Chinese Politbureau, alleen maar een lijst van Margaret Chisholms zaken.'

'Meneer Denton, meneer Wilson wil u spreken.'

'Zet hem op de luidspreker.'

'Hé chef, luister: de enige manier om uit te vinden wat ze doet, is in haar kantoor inbreken en haar rapporten doornemen. Ik zou in hun computer kunnen inbreken en de financiële verslagen doornemen, dan krijg ik de naam van de operatie en de kosten. Maar we vinden er niet mee uit waar die operaties over gingen *en* we kunnen gepakt worden.'

'*Jij* kunt gepakt worden.'

Wilson aarzelde. 'Eh, ja, *ik* kan gepakt worden.'

'Amalia en Wilson, hoeveel krijgen jullie betaald?'

'Officieel achtentwintigduizend zevenhonderdtwaalf dollar. Onder tafel krijgen we nog eens drieëndertigduizend en zeventien dollar de man.'

'Het was een retorische vraag, Amalia. Is het niet vreemd dat, met al dat geld dat jullie krijgen, jullie niet zoiets eenvoudigs kunnen als uitzoeken wat een FBI-agente doet zonder in haar kantoor in te breken?'

Amalia Bersi en Matthew Wilson zeiden er niets op.

Toen het enige tijd stil bleef, raakte Dentons geduld op. 'Zoek uit wat ze doet met zo min mogelijk sporen. Ik bel je overmorgenavond met code Romeo. O, en nog iets: doe het niet via Lehrers mensen, doe het via ons eigen netwerk.'

Niemand zei iets, de stilte – en daarmee de implicatie – werd zo lang dat het bijna kwellend was. Wilson had eindelijk iets te zeggen.

'We laten meneer Lehrer in het duister?'

'Totaal,' zei Denton instemmend. 'Geen papierspoor, geen telefoontjes, dit gesprek is tussen volwassenen, is dat duidelijk?'

'Ja chef.'

'Gesnopen.'

'Goed. Goedenacht en ik spreek jullie overmorgenavond.'

Denton hing op, haalde de codeerder van de telefoon en gooide die in zijn aktetas die vlak bij hem open op het bed stond. Hij ging achterover liggen, dacht na en doofde zijn sigaret.

Van haar kant begon Amalia Bersi een lijst op te stellen van contactpersonen ter plaatse, bronnen die toegang konden hebben tot het soort informatie dat Denton wilde hebben. Matthew Wilson, echter, ging er nog niet toe over om in het FBI-computersysteem in te breken. In plaats daarvan probeerde hij in te breken in het nog verbodener terrein van Amalia Bersi's aandacht.

'En Amalia, eh, wat dacht je van een kop koffie na het werk?'

Matthew Wilson, grote, potige, dwaze Matthew Wilson, keek haar voor de zoveelste keer met zijn angstaanjagende, droevige glimlach aan.

'Ik kan niet, meneer Wilson. Ik heb te veel te doen. Dank u.'

'Waarom noem je me voor de verandering niet "Matt"?' zei hij, onzeker glimlachend. 'Waarom noem je Nick geen "Nick"?'

'Dat zou geen pas geven, meneer Wilson,' zei ze, en ze boog zich weer over haar werk.

En dat was zo ongeveer dat. Wilson sloop weg om met de FBI-computers te spelen en te kijken wat hij kon vinden. Hij snapte niets van zijn fixatie op Amalia Bersi. Waarschijnlijk was het waar, dacht hij afgunstig. Ze *moest* iets met Nicky Denton hebben.

Amalia Bersi had met niemand iets. Ze woonde in een eenvoudig appartement niet ver van Langley, alleen, zonder huisdieren of vrienden, na vier jaar nog steeds niet bekomen van haar verkrachting.

Ze was niet al te ver van het CIA-hoofdkwartier verkracht toen ze nog een dom analistje was op Dentons afdeling, drie rangen lager dan hij toen hij nog voor Roper werkte.

Net als alle functies op dat niveau, bestond Amalia Bersi's werk uit wieden en zwoegen. Een paar jaar meelopen en interessant kunnen doen op party's was wat de meeste gerekruteerden in hun werk op Langley zochten. Maar Amalia wilde een carrière bij de CIA. Werken bij de CIA was iets heel anders dan mest kruien op een koeienfarm in Minnesota. Dus verstandig meisje als ze was, werkte ze, werkte echt hard en ging nooit voor twaalf uur 's nachts naar huis in de hoop dat iemand met enige autoriteit haar zou opmerken.

Op een avond, anderhalve kilometer van Langley, kreeg ze een lekke band. Dus stapte ze de regen in en probeerde haar band te verwisselen, toen er een auto stopte en de bestuurder aanbood haar te helpen. Maar de man hielp haar helemaal niet. In plaats daarvan sleepte hij haar naar een lege akker langs de kant van de weg.

Amalia was klein, een meter zestig op haar hoogste hakken. En ze was zwak. De man had daarop gerekend en verkrachtte haar zonder al te veel moeite, terwijl zij om hulp schreeuwde naar onzichtbare passerende auto's. Hij had haar polsen met één hand bij elkaar gepakt en ze pijnlijk op haar rug gedraaid. Ze kon niet ontsnappen.

Ze schreeuwde. Ze worstelde. Ze riep om hulp. Ze gilde vanwege de onrechtvaardigheid. Maar desondanks werd ze verkracht.

Toen het voorbij was, seconden of eeuwen later, had ze geen gevoel in haar armen door het gebrek aan doorbloeding. Maar haar benen waren prima. Dus trapte ze de verkrachter in zijn kruis, waardoor hij onderuit ging en steeds verder van de weg af rolde.

Zijn adem was zo hard uit zijn longen getrapt, dat hij alleen maar kon hoesten en zich niet kon bewegen.

In plaats van naar haar auto te rennen om naar de politie te rijden, had Amalia afgewacht. En nagedacht. Toen liep ze met loden armen naar haar auto, pakte met gevoelloze handen de kruissleutel en liep terug naar de nog immer hoestende verkrachter die met zijn handen in zijn kruis over de grond rolde en probeerde overeind te komen. En toen deed ze het.

Ze kon haar armen niet goed voelen, maar ze had er genoeg kracht in om hem met de kruissleutel op het hoofd te slaan. De verkrachter viel weer achterover, maar probeerde nog eens overeind te komen. Dus sloeg Amalia hem nog een keer. En nog een keer. En nog een keer. Ze sloeg hem zo vaak dat zijn gezicht onherkenbaar tot moes werd geslagen, zijn tanden tot splinters. Daarna sloeg ze hem op zijn borst, zijn kruis, de armen, de benen, overal. Ze sloeg hem letterlijk urenlang.

Rond drie uur in de ochtend liep Amalia uitgeput terug naar haar auto, bleef daar zitten en vroeg zich af wat ze nu moest doen. Ze reed naar huis.

In haar appartement had het allemaal een droom kunnen lijken, als ze niet al dat bloed op haar kleren en handen had gehad. Botsplinters hadden haar gezicht gewond. Ze wist nog steeds niet wat ze moest doen. Dus belde ze haar sectiehoofd, de aardigste van alle rekruteerders die haar *college* hadden bezocht, Nicholas Denton.

Denton regelde alles. Het eerste probleem was het lichaam en de auto. Maar daar was Arthur Atmajian voor. Atta-boys mannen zorgden er via hun bliksemsnelle contactmensen voor dat het lijk en de auto van de verkrachter verdwenen.

Het was Denton die Amalia aanstelde als zijn persoonlijke assistente, om een oogje op haar te houden. En het was Denton die de CIA zover kreeg dat ze de beste psychiaters voor haar betaalden.

Maar het was ook Denton die een beroepsmoordenares van haar maakte.

'We hebben een ontdekking gedaan, Nicky,' zei Atta-boy hem veertien dagen na het 'incident', zoals ze het noemden. 'Ik heb de vertrouwelijke psychiatrische rapporten gezien. Dat meisje voelt geen wroeging over de dood van die vent. Ze zit ergens anders mee, iets dat ze de psychiaters niet wil vertellen. Maar dat ze die vent koudgemaakt heeft, interesseert haar geen snars. Weet je wel hoe zeldzaam dat is?'

En toen kreeg Denton het idee: zijn eigen persoonlijke koppensnelster.

'Train haar,' zei hij tegen Atmajian, 'maar ze is van mij. Uiteindelijk heb ik haar gerekruteerd.'

En zo kwam het dat Amalia Bersi, eens een boerenmeisje uit Minnesota, rechtstreeks voor de assistent van de onderdirecteur van de CIA kwam werken als zijn eigen persoonlijke beroepsmoordenaar.

Amalia Bersi was in veel opzichten een vrouw die geluk had. Geluk en ongeluk. Anders dan de meeste mensen – dan bijna alle mensen, in feite – kon ze op één incident in haar leven wijzen en met totale zekerheid zeggen dat het dát ene moment, dat dát het was geweest – dat dat de kern en de oorzaak was. Al het andere was maar een naschok van dat ene. De meeste andere mensen, als Denton en Chisholm en zelfs Marianne, hadden een hele zak vol gebeurtenissen en herinneringen die een, soms verwarrende, schaduw wierpen op wat ze nu deden. De bofferd Amalia had slechts één groot moment.

Maar Amalia was ook ongelukkig. De verkrachting beheerste haar leven zozeer dat geen liefde, geen haat, geen ander lijden of vreugde die ooit kon overschaduwen. Die ene grote gebeurtenis vervlakte haar leven en vernauwde het tot een smalle straal, wat van haar bijna een levende machine maakte.

Natuurlijk deed ze andere dingen, het was niet zo dat ze haar dagen besteedde aan het links en rechts doden van mensen. Onder Denton had ze slechts vijf mensen gedood. Maar het doden was de belangrijkste reden waarom Denton haar als onmisbaar beschouwde. Tegen de tijd dat Amalia daarachter was, kon het haar niet veel schelen. Ze was zo ver heen dat alleen de dood een zekere indruk kon maken.

Haar laatste karwei was nog maar drie weken geleden geweest, een contactpersoon die slim wilde zijn en vervelend begon te worden. Dus had Amalia Bersi hem op bevel van Denton gewurgd op een parkeerplaats, hem flink de strot afgeknepen, waardoor ze nu kalm genoeg was om tot in de kleine uurtjes te werken aan het zoeken naar contactpersonen die konden vinden wat Denton wilde. Maar zoals ze al verwacht had, was FBI-informatie niet zo gemakkelijk te krijgen. Matthew Wilson van zijn kant vond de FBI-computers moeilijker te kraken dan hij had gedacht.

In zijn bed in Rome stak Denton zijn laatste sigaret van die dag op. Amalia wist wat ze te doen had en Wilson ook. Als ze zeiden dat de enige manier om te ontdekken waaraan Chisholm precies werkte, een inbraak in haar kantoor was, wilde Denton hen best geloven. Maar het stond hem tegen dat ze zo hun handen vuil moesten maken. Het risico dat ze gepakt werden, bleef altijd bestaan. Vlak voor de vlucht naar Rome had hij de Macintosh in de depositosafe in DuPont Circle doorgekeken, voor het onwaarschijnlijke geval dat het schaduwarchief iets interessants over Chisholm te melden had, maar haar naam werd niet eens genoemd. Het was waar, Amalia en Wilson en Paula Baker hadden wat achtergrondinfo over Chisholm weten op te duiken, maar niet zoveel als Denton zou willen of tegen Chisholm had gesuggereerd tijdens hun gesprek in de vrouwentoiletten.

We moeten een pijplijn in het Hoover-gebouw hebben, dacht Denton ten slotte. Hij had er een hekel aan om in het duister te tasten.

Hij rookte zijn sigaret op, stopte al zijn papieren op goed geluk in zijn aktetas (Denton was stiekem een sloddervos) en deed het licht uit. Amalia kon niet, dacht hij. Te nuttig om verspild te worden aan een pijplijnkarwei. Wilson was uitgesloten. De FBI had zelf een oog op Wilson laten vallen, dus *hij* kon helemaal niet, en bovendien had Denton hem nodig. Dus: een onervaren iemand, een loyaal iemand, iemand die niet al te intelligent of te nuttig was. Denton glimlachte terwijl hij wegdoezelde, terwijl hij in gedachten een lijst opmaakte van jonge CIA-mensen die loyaal aan hem waren en die perfect waren voor een infiltratie op de lange termijn van de Ef Bie Aai.

Het was nacht. Het was duister in de kamer van de vrouw. Het plafond was zwart, de gordijnen waren zwart en zelfs het licht uit het open raam was zwart. Maar het waren allerlei tinten zwart. Sepsis lag met de dekens over zich heen en de vrouw van het feest lag tegen zijn rug. Ze waren in haar appartement en hoewel er een lichte bries van buiten kwam, was de lucht zwaar van de doordringende, bijna scherpe geur van seks, die, naar Sepsis had gemerkt, het best werkende afrodisiacum van de wereld was.

196

'Dat was lekker,' zei ze dromerig, soezerig maar wakker.

'Daar ben ik blij om,' zei hij.

Ze bleven zwijgend liggen. Sepsis keek rond, zich bewust van elke beweging, elke verandering in zijn omgeving. Maar terwijl de seconden wegtikten, begon hij zich af te vragen wat er zo lekker was geweest aan de seks. Zijn ego won het van hem.

'Wat was het lekkerste?' vroeg hij ten slotte.

'De tweede keer. De derde keer deed het pijn, je bent zo groot als een huis.'

'Zo zo,' zei hij achteloos, stiekem gevleid.

Hij had al zes maanden geen seks gehad. Niet omdat hij het niet wilde – de gelegenheid had zich gewoon niet voorgedaan. Dat en een Duitse liftster in Wenen die hem had afgewezen en liever met haar reisgenoot ging slapen, wat zijn seksuele zelfvertrouwen ernstig had ondermijnd. Sepsis beschouwde de afwijzing bijna als een persoonlijke belediging. Maar nu was hij er zeker van dat hij in de toekomst vaker seks zou bedrijven.

Hij had opgemerkt dat seks tot seks leidde en was ervan overtuigd geraakt dat het de geur van seks was die vrouwen onweerstaanbaar vonden. Wanneer hij seks bedreef, schenen de vrouwen bij bosjes met hem te willen slapen. Maar als hij een paar weken lang niets had gedaan, vonden de vrouwen hem niet seksueel aantrekkelijk meer. Sepsis dacht niet dat het aan zijn manier van doen lag. Hij was onveranderlijk dezelfde, of hij nou seks had gehad of niet. Dus was hij er zeker van dat het de subliminale geur van seks was waarop de vrouwen moesten reageren, zoals vrouwen alleen getrouwde mannen echt aantrekkelijk vonden – dat was willen hebben wat anderen aantrekkelijk vinden. Sepsis vond dat het een gebrek aan vertrouwen in hun eigen beoordelingsvermogen was.

Hij draaide zich om in bed en keek naar de vrouw naast hem. Hij had haar naam vergeten, maar andere, essentiëlere details wist hij nog heel goed.

'Moet je horen, toen we elkaar leerden kennen, toen ik aan de telefoon was... heb je toen iets gehoord?'

De vrouw keek hem vreemd aan, op de een of andere manier verbaasd. 'Wat?' vroeg ze.

Sepsis kon geen risico nemen. Hij greep de vrouw bij de keel en begon haar te wurgen. Met zijn ellebogen hield hij de handen van de vrouw uit zijn gezicht weg.

Haar wangen zwollen op en haar ogen puilden uit. Ze begon te trappen, haar knieën klapten tegen hem aan, maar Sepsis was voorzichtig geweest. Zijn lichaam lag niet helemaal met de voorkant naar het hare en zijn linkerbeen beschermde zijn kruis. Haar knie klapte pijnlijk tegen zijn dijbeen, terwijl haar handen zijn gezicht probeerden open te krabben. Maar haar handen konden er niet bij, en ten slotte raakte ze door zuurstofgebrek bewusteloos.

Ze lag roerloos met haar ogen wijdopen. Sepsis hield nog een kwartier lang haar keel dicht, al lang nadat haar ingewanden waren leeggelopen, geduldig drukkend om zeker te weten dat ze dood was. Hij was niet van plan de fout te herhalen die hij in Ierland had begaan, toen hij een man had verdronken en hem op zijn buik in de goot had laten liggen. De man was wonderlijk genoeg bijgekomen en dus moest Sepsis hem nog een keer verdrinken. Dus ditmaal drukte hij geduldig en negeerde de kramp die in zijn rechterhand begon te prikken. Hoewel ze met seks bezig waren geweest, had Sepsis nog steeds zijn horloge om, een Zwitsers legerhorloge dat hij niet goed kon vastmaken. Op het gaatje waarop het nu vastzat, hing het te los, een gaatje strakker was te strak. Maar aangezien het loszat, schudde hij zonder los te laten zachtjes met zijn pols en keek toe hoe de lichtgevende minutenwijzer vijftien minuten aftikte.

Gelukkig maar dat niemand op het feest hen samen had zien weggaan. Maar dat was geen geluk geweest. Sepsis had ervoor gezorgd dat niemand hen samen zag weggaan, aangezien hij toen al wist dat hij haar zou doden omdat ze hem aan de telefoon had horen praten. Pech voor haar dat het Eco-boek zijn aandacht had getrokken. Als hij niet in dat boek had gebladerd, had hij haar zien aankomen en was hij niet zo expliciet geweest aan de telefoon.

Toen hij er zeker van was dat ze dood was, ging hij rechtop zitten en trok behoedzaam het condoom los, altijd een pijnlijke operatie. Daarna pakte hij de twee andere gebruikte condooms die bij het bed lagen van de grond en knoopte ze zorgvuldig dicht om ervoor te zorgen dat er geen sperma werd achtergelaten als hij met zijn hand langs het kleed zou strijken. Hij liep naar de badkamer zonder zich om voetafdrukken te bekommeren aangezien hij zijn sokken nog aanhad, naast zijn horloge het enige aan zijn lichaam. Hij scheurde een stuk toiletpapier af zonder iets aan te raken, gooide de drie gebruikte condooms in de wc en gebruikte het papier om op de doorspoelknop te drukken. Hij piste. Daarna spoelde hij de pis weg. Hij spoelde nog een keer door. En toen, om aan de veilige kant te blijven, spoelde hij nog een keer door, overtuigd dat er geen sperma- of urinesporen meer achterbleven.

Hij wist niet zeker of ze hem via urine- of spermamonsters op het spoor konden komen, dat betwijfelde hij ten zeerste, zoals hij ook betwijfelde of de vrouw iets belangrijks had gehoord toen hij aan de telefoon was. Het was alleen de *gedachte* dat hij risico's nam door niet voorzichtig te zijn, die Sepsis dwarszat. Sepsis was netjes en ordelijk met alles in zijn leven, anders dan andere moordenaars. Hij geloofde niet in dom geluk.

Hij liep naar de slaapkamer terug. Zelfs op het hoogtepunt van zijn passie, zoals sommige mensen graag zeggen, was Sepsis zich ten volle bewust geweest van alles wat hij aanraakte of had kunnen aanraken terwijl hij met de vrouw neukte. Dus ging hij met het dotje toiletpapier naar de drie plekken waar hij misschien vingerafdrukken had achtergelaten en zorgde ervoor dat hij hard wreef om elk eventueel spoor uit te wissen.

Toen dat gedaan was, trok hij zijn kleren aan en zorgde ervoor dat zijn naakte penis het bed niet raakte. Zelfs na het plassen konden er spermasporen op zijn penis zijn blijven zitten en hij wilde geen risico nemen.

Aangekleed, klaar om te vertrekken, maakte Sepsis nog een zorgvuldige ronde door het appartement, terwijl hij met de handschoenen in zijn overjas zijn handen beschermde. Het appartement was eigenlijk erg mooi en als de storende geur van de uitwerpselen van de vrouw er niet was geweest, zou Sepsis niets ongewoons hebben opgemerkt. De slaapkamer had een eigen hal en werd door dubbele deuren van de rest van het appartement gescheiden. De geur zou zeker storen, dus ging Sepsis op zoek naar een spuitbus met verfrisser en vond die onder de gootsteen. Daarna liep hij methodisch spuitend door alle kamers. Hij spoot vooral krachtig in de slaapkamer van de dode vrouw alvorens de deuren tussen de slaapkamer en de rest van het appartement te sluiten.

In de hal bij de hoofdingang spoot Sepsis op ongeveer twee meter afstand van de voordeur. Tevreden stapte Sepsis het appartement uit en deed de deur stevig achter zich dicht. Hij vroeg zich af of hij in de gang moest spuiten, maar terwijl de lift arriveerde en hij erin stapte, besloot hij het niet te doen. De geur van de spuit-bus kon iemand het vermoeden geven dat er iets niet in orde was. Hij stopte de spuitbus in de zak van zijn overjas, liep toen hij op de begane grond kwam nonchalant weg en wierp een blik naar de slapende nachtportier. De portier had zich sinds al die uren niet bewogen, vanaf het moment waarop de vrouw en hij het gebouw waren binnengekomen en zachtjes hadden gegiecheld om zijn slapende gestalte. Gelukkig dat die portier lui was, dacht Sepsis. Op dit uur van de nacht, zo dicht tegen de ochtend, zou het hondsmoeilijk zijn om nóg een lijk op te ruimen.

NEGEN

Dingen om te zien en mensen om af te maken

Aquardientes werkdagen leken bijna allemaal op elkaar, aldoor maar weer. Iedere ochtend deed hij de winkel open, stofte alle toonbanken af en stalde zijn postzegels uit terwijl Andolini, de zwakbegaafde, de stoep voor de winkel veegde. Daarna, als er geen klanten voor documenten kwamen (die zag hij alleen 's morgens, één klant per dag), liep hij naar zijn achterkamer om aan het werk te gaan en liet Andolini de gewone klanten afhandelen.

Postzegelverzamelaars zijn overal op de wereld dezelfde besluiteloze oude zeurkousen die door de waren worden aangetrokken als door seks met een tiener. Ze komen naar de winkel, kijken wat ze willen, kwijlen er een tijdje bij, gaan dan weg en laten zich een paar dagen niet zien om dan weer terug te komen en het hele ritueel van uitgestelde begeerte nog een keer door te nemen tot ze eindelijk in een opwelling, als zenuwachtige maagden, door de knieën gaan.

Aquardiente besteedde geen aandacht aan hen en bleef in zijn achterkamer werken tot een van de klanten eindelijk besloot een zegel te kopen. Daar in die achterkamer, alleen door het gordijn en het halletje van de winkel gescheiden, werkte hij 's morgens aan documenten en 's middags aan postzegels. Aan die routine werd op elke werkdag bijna godsdienstig vastgehouden. In de weekends gaf hij zich over aan zijn enige dwaze hobby, het vervalsen van eerste uitgaven van beroemde boeken. Hij verkocht de boeken niet. Hij las ze ook niet, want lezen verveelde hem. Maar toch vond hij het erg leuk om boeken te vervalsen met een kleine handpers uit de negentiende eeuw die hij thuis had.

Maar door de week vervalste hij postzegels en documenten. En op deze ochtend was hij druk bezig met het vervalsen van de zeven documenten voor de baas van Tonio. Absoluut geen probleem.

Aquardiente was een goede vervalser. Geboortebewijzen waren zijn specialiteit, maar als hij identiteitspapieren en paspoorten die maar kort als dekmantel moesten dienen, vervalste, gebruikte hij geen *geldige* documenten. Hij vervalste documenten die al verlopen waren.

Allereerst moest de koper hem, afgezien van het totale bedrag ineens, een globale persoonsbeschrijving geven. Een foto was meestal niet nodig. Daarna nam Aquardiente een foto van een toevallig persoon wiens gezicht leek op de beschrijving en die gebruikte hij op het document dat hij vervalste. Het deed er niet toe dat de foto helemaal niet leek op de persoon die het document zou gebruiken, omdat het document dat Aquardiente met zoveel zorg maakte, niet het document was dat gebruikt zou worden. Het document dat de koper uiteindelijk zou gebruiken, werd door de autoriteiten uitgegeven.

Zodra hij zijn vervalste, verlopen documenten had, deed een klant het volgende: hij ging naar de autoriteiten om te zeggen dat hij een nieuw paspoort (of persoonsbewijs of wat dan ook) nodig had, want 'het mijne is verlopen, ziet u wel?'. De ambtenaar keek dan naar het document en zag dat de foto slechts vagelijk leek op de aanvrager van een nieuw document, maar wat maakte dat uit? Haar en ogen waren hetzelfde, leeftijd klopte, lengte klopte. De persoon was misschien wat dikker of magerder geworden, misschien wel aanmerkelijk, maar alweer, wat maakte dat uit? Mensen veranderen, vooral als een document vier, vijf of tien jaar geleden was uitgegeven. Wat belangrijk was dat de foto in het oude (vervalste) document bij benadering leek op de man die een nieuw document aanvroeg en dat de computer aangaf dat het goed zat. De autoriteiten verstrekten dan een nieuw, volkomen legaal document en de koper kon op weg met de zekerheid dat zijn document legaal was, omdat het in feite *echt* legaal was – de autoriteiten hadden het uitgegeven. Vervalsers als Aquardiente waren meestal vóór het feit bijna niet te vangen.

Daarom brachten Lorca en Chisholm de vervalser een bezoek. Gekleed in smaakvolle sportieve kleren, met een donkere zonnebril op, liepen ze die heldere, zonnige ochtend langzaam arm in arm over het trottoir. Beiden droegen een wijd sportjasje over hun schouderholster. Ze zagen eruit als een echtpaar van middelbare leeftijd dat een ochtendwandeling maakt.

'Deze straat doet me zo aan Georgetown denken,' zei Chisholm tegen Lorca, toen ze langs de etalages liepen. Ze bleef staan bij een zaak voor jongenskleding, geschokt over het aantal nullen op de prijskaartjes, totdat ze zich realiseerde dat ze in lires waren, een geldsoort die weinig waard was.

'Ik ben nog nooit in Washington geweest. Wel in New York, voor een conferentie. Ik vond het er mooi.'

'Washington is mooier. Help me onthouden dat ik iets voor mijn zoon koop,' zei ze afwezig, terwijl ze hun wandeling hervatten. 'Laat je deze locatie in de gaten houden?'

'Ja,' zei Lorca, 'twee van mijn mannen houden die winkel dag en nacht in de gaten.' Hij keek op zijn horloge. 'Rechercheur Buttazoni en rechercheur Cabrillo hebben nu dienst. Ik zal ze later aan je voorstellen.'

'Graag,' zei ze.

Zwijgend liepen ze verder, ongehaast. Ze liepen langs de postzegelwinkel zonder er ogenschijnlijk een blik in te werpen. Maar beiden zagen een klant in onderhandeling met Aquardiente.

'Is dat die vervalser? Die man met die misvormde arm?'

'Hij is een erg goede vervalser.'

'Waarom heb je hem niet eerder opgepakt?'

'We hebben pas vijf maanden geleden van hem gehoord via een van onze Zwarte Hand-informanten.'

'Ik dacht dat die allemaal zwijgplicht hadden,' zei Chisholm met een glimlach naar Lorca.

'Nee, de omertá wordt voortdurend verbroken. Een van die verlakkers…'

Chisholm lachte en legde haar hoofd op Lorca's schouder, waardoor hij geduldig glimlachend op haar uitleg wachtte. 'Verklikkers,' zei ze. '"Verlakker" is iets anders. Toepasselijk, maar wel iets anders. Verklikkers.'

'Ja, een van hun verklikkers vertelde ons over die vervalser. We hebben hem met rust gelaten tot we hem voor iets speciaals nodig hadden. Dit is iets speciaals.'

'Goed bedacht,' zei ze. 'Hij is niet alleen, of wel?'

'Nee, hij heeft een man in dienst, Andolini. Erg omvangrijk, maar hij is geestelijk niet helemaal bij. Hij is er meer voor de show dan om zijn spieren te gebruiken.'

'Goed.'

'De vervalser spreekt Engels. Wil jij hem ondervragen terwijl ik de rotsmeris speel? Aangezien je mijn gast bent, zou het me een eer zijn. Ik neem Andolini voor mijn rekening.'

'Ja, dat staat me wel aan. Kom, dan gaan we terug.'

Ze draaiden zich om en liepen terug naar de winkel, waar ze vluchtig in de etalage keken alvorens naar binnen te gaan. Aquardiente was bezig met een klant, een oude man met een net pak aan en een das om, hoewel het te betwijfelen was of de man de afgelopen twintig jaar op een kantoor had gewerkt. Andolini was nergens te zien, maar na een blik op de hal aan de achterkant, nam Chisholm aan dat hij in een achterkamer was. Ze liet Lorca los en ging naar een andere bak met postzegels kijken om de andere kant van de winkel te dekken.

Om deze tijd in de ochtend zou Aquardiente klaar zijn met zijn vervalsingen in de achterkamer, voordat hij de winkel dichtdeed om te gaan lunchen. Maar die oude vent die hij bediende, Don Constantino, kocht meestal ter plekke wat hem aanstond, zonder zich te realiseren, de sufferd, dat hij vervalste zegels kocht. Aquardiente keek minachtend naar het echtpaar dat zojuist was binnengestapt. Ze zagen er rijk uit, maar het waren geen postzegelverzamelaars, kon hij wel zien. Gewoon kijkers. Te verwaarlozen.

Ten slotte betaalde de oude man en hij draaide zich om om weg te gaan. In het voorbijgaan boog hij zijn hoofd en glimlachte galant tegen Chisholm, die terug glimlachte, haar teken om op de vervalser af te stappen.

'Hallo, Meneer de Vervalser,' zei ze in het Engels, terwijl Lorca achter Don Constantino de voordeur op slot deed en de blinden omlaag trok.

'*Non capisco*,' zei de vervalser, nerveus glimlachend. Op de

204

toonbank bij de kassa zat een bel, zoiets als in een hotel. De vervalser belde er drie keer mee.

Onmiddellijk kwam Andolini van achteren aangeschoten en rende op Chisholm af. Maar toen hij zag dat ze een vrouw was en dat er nog een andere man was, veranderde hij met een ruk van richting en ging op Lorca af.

Andolini maakte geen enkele kans. Hoewel hij gemakkelijk tien centimeter langer was dan Lorca en twintig kilo zwaarder, was Lorca erg sterk en erg snel. Hij stapte op het laatste moment opzij, hief zijn knie op ter hoogte van de maag van de imbeciel en sloeg hem de adem uit zijn longen. Lorca had bijna medelijden met hem, maar niet zoveel dat hij hem verder met rust liet. Zonder een moment te aarzelen haalde hij een kleine spuitbus uit de zak van zijn sportjasje en spoot Andolini in een diepe bewusteloosheid.

'Niet bewegen,' zei Lorca in het Engels tegen de vervalser. Als bij toverslag had hij zijn pistool in zijn hand.

Chisholm keek naar Aquardiente en deed er een schepje bovenop om hem te intimideren. 'Lange dag? Wil je geen klanten meer? Of was dat je lievelingsgorilla?'

'Dieven!' blufte Aquardiente in het Engels. 'Dieven! Om een arme hardwerkende man te beroven!' Hij deed een stap naar de toonbank toe en ging er met zijn buik tegenaan staan terwijl zijn goede hand uit het zicht verdween.

'Leg die hand neer waar ik hem kan zien. Leg je...'

Zo traag als een oude dame, en net zo onmiskenbaar stak Aquardiente zijn hand uit naar een revolver die hij onder de kassa bewaarde. Chisholm beloonde hem met een karatetik op de plaats tussen zijn nek, schouder en zijn goede arm, waardoor zijn hele arm even verlamd was en aanvoelde alsof hij met spelden en naalden werd bekogeld. Aquardiente keek verbijsterd naar de boosaardig uitziende roodharige vrouw. 'Wat doet u nou?' gilde hij.

Kalmpjes stak Chisholm haar vingers uit en stootte ermee in Aquardientes maagstreek, vlak boven de ronding van Aquardientes buik, net onder zijn borstbeen, waardoor hij onmiddellijk achter de toonbank op de grond belandde.

'Ik *zei* dat u uw hand daar moest houden waar ik hem kon zien,' zei ze bedaard.

Ze stapte om de toonbank heen en pakte de revolver die Aquardiente had willen grijpen. Het was een tamelijk goedkoop automatisch ding, het Europese equivalent van een Saturday Night Special. Totaal onbruikbaar ook, want het kostte Chisholm veel kracht om een kogel in de kamer te krijgen, wat ze deed, waarna ze de veiligheidspal losklikte en bij de languit liggende vervalser ging zitten.

Chisholm staarde naar de vervalser en siste even. 'Weet je, schat?' vroeg ze aan Lorca zonder haar blik van Aquardiente af te houden.

'Ja, lieve?' zei Lorca terwijl hij de rest van de winkel afsloot.

'Ik heb nooit begrepen waarom de slechteriken altijd een revolver te voorschijn trekken in plaats van gewoon te schieten als ze de kans hebben. Ik denk dat ze moeten laten zien hoe vastbesloten ze zijn voordat ze schieten, denk je ook niet?' Chisholm was een slechte actrice, maar Lorca deed er niet voor onder.

'Ik ben het altijd eens met alles wat je zegt, mijn lief,' zei hij met alle acteerconcentratie van iemand in een slechte B-film, zonder naar Chisholm of de vervalser te kijken omdat hij de winkel onder schot hield.

'Goed, *meneer* Aquardiente,' ging Chisholm verder. 'Ik ga u een paar vragen stellen en u gaat me een paar antwoorden geven, akkoord?'

Aquardiente had eindelijk zijn adem terug. 'Ik weet niets. Ik verkoop postzegels, dat is het enige!'

'Lieve? Wat zou er gebeuren als we de klanten van meneer Aquardiente vertellen dat hij eigenlijk een informant van Interpol is?'

'O, dat zou heel erg zijn, schat,' zei Lorca, die geen moment stilstond om ervoor te zorgen dat hij geen onbeweeglijk doelwit was. 'Al die slechte misdadigers zouden meneer Aquardiente heel graag willen doden, ook als het niet waar was.'

'Een vreselijk gerucht om te verspreiden,' zei ze, terwijl ze Aquardiente strak aanstaarde met de revolver op zijn voorhoofd gericht. Heel even keek hij naar de loop van de revolver en zag daarbij komisch scheel. In Margaret Chisholms buik kwam een misselijkmakende trage golf opzetten. Maar ze zette door en plaatste de revolver tegen Aquardientes voorhoofd. Zijn ogen concentreerden zich op de hare.

'Ga weg! Ga weg!' schreeuwde hij angstig. Hij lag met zijn schouders en achterhoofd tegen de muur terwijl de rest van zijn lichaam roerloos languit lag. '*Ga weg! Ik heb niets gedaan!*'

Chisholm stak haar vrije hand uit en sloeg Aquardiente uit alle macht op zijn gezicht. 'Kop dicht!' gromde ze, woedend om Aquardientes gedrag, en het hare.

'Ik weet niets, niets,' mompelde hij zielig en hij begon te huilen. Chisholm had hem alleen maar een paar keer geslagen en loze dreigementen toegevoegd, maar hij was nu al gebroken. 'Ik weet *niets*. Wat wilt u?' griende hij.

'Informatie,' zei ze. Ze stak haar hand in haar zak en haalde een kleine foto van Sepsis te voorschijn, de foto die zuster Marianne in Washington had geïdentificeerd. 'Zie je deze man?'

'Waa…'

'*Zie je deze man!?*' schreeuwde ze bijtend en angstaanjagend scherp.

'Ja ja ja!' schreeuwde hij terug.

'Heb je hem eerder gezien? *Nou?*'

'*Nee!*'

'Dan zul je hem binnenkort te zien krijgen,' ging ze kalm verder. 'En wanneer je hem ziet, neem je contact op met ons.'

De vervalser keek haar zo bang aan dat zijn mond openklapte, maar er kwam geen geluid over zijn lippen.

Ze wist niet waarom ze het deed. Misschien kwam het doordat zijn mond zo openstond, wie weet. Maar Chisholm haalde de revolver van zijn voorhoofd en stopte die in zijn mond. Zijn ogen werden kogelrond, in doodsangst. De revolver smaakte een beetje naar olie. Ze stopte de revolver zo ver in zijn mond dat hij bijna kokhalsde en het zou doen als de angst zijn reflexen niet had onderdrukt. Met haar vrije hand greep ze de achterkant van zijn hoofd en boog zich voorover tot haar gezicht vlak bij het zijne was. Haar mond was zo dicht bij zijn oog dat toen hij ermee knipperde, zijn wimpers langs haar lippen streken.

'Ik schiet je kop van je romp,' fluisterde ze kalm, met uiterst verleidelijke stem. 'Ik schiet je overhoop. Als je doet wat ik zeg, blijf je misschien in leven.'

Ze ging rechtop zitten, zonder haar blik van Aquardiente af te wenden. De loop van de revolver zat nog steeds in zijn mond, als een stalen lolly, of een pik. Ze glimlachte tegen Aquardiente zonder het te beseffen, geheel in haar nopjes en totaal onbewust van haar voldoening.

'Als de man op de foto in je winkel komt,' zei ze zachtjes, 'dan trek je de blinden omlaag. Helemaal omlaag. Dat is je sein. Als je ze maar een klein beetje omlaagtrekt en we komen hierheen en we vinden hem niet, dan pak ik je. En het zal minder leuk zijn dan nu.'

Zo snel dat hij het niet volgde, haalde ze de revolver uit zijn mond en kuste hem op de lippen en verslond hem hongerig met tanden en tong, voordat ze overeind kwam. Ze keek naar Lorca, die verwonderd keek en toen weer naar de vervalser.

Hij was gebroken. Er was... een leegte in zijn ogen. Maar niet alleen in de ogen, het leek uit zijn hele lijf te komen, alsof de misvormde vervalser op de een of andere manier, onmerkbaar, in een lijk was veranderd. Op een bepaalde manier was de man dood, een soort metamoord zoals Sepsis in de zin had. Chisholm keek hem niet aan toen ze zei: 'Goed onthouden: de blinden omlaag als de man op de foto in de winkel komt.'

'Ik heb zo'n man nog nooit gezien,' kreunde de gebroken vervalser.

'Je *zult* hem zien,' zei ze, en ze liet de foto op zijn schoot vallen. 'Die kun je houden, als souvenir.'

Ze stak de goedkope revolver in haar zak en liep aan Lorca's arm de deur uit, zonder één keer om te kijken.

Zwijgend liepen ze naar de straathoek voordat een van hen animo kreeg om iets te zeggen. Maar ten slotte kon Frederico Lorca zich niet bedwingen. Hij pakte Chisholms hand en zwaaide er onder het lopen mee heen en weer, waardoor ze leken op een gelukkig getrouwd paar of innige geliefden die na het werk een afspraakje hebben.

'Ik geef toe dat ik uitermate onder de indruk was van je optreden. Die revolver in zijn mond en dan die kus! O, je was zo angstwekkend als de Engel des Doods.'

'Mijn god, wat heb ik de pest aan dit werk,' was het enige dat ze zei. Ze was moe en had hoofdpijn.

'Hè? Waarom?' vroeg hij verbaasd, terwijl ze de andere voetgangers passeerden. 'Ik vond je optreden uitstekend.'

'Misschien,' zei ze niet overtuigd. Getweeën liepen ze door de late middagzon van Rome.

Terwijl Chisholm bezig was nieuwe vrienden te maken, zocht zuster Marianne oude vrienden op en besteedde haar eerste ochtend in Rome aan een bezoek aan de plaats van de renovatie.

Eigenlijk zou ze er die donderdag niet heengaan. Iedereen verwachtte haar maandagochtend, op zijn vroegst vrijdagmiddag. Maar haar ongeduld had de overhand gekregen en dus had ze een van de agenten overgehaald om haar naar de bouwplaats te brengen. Denton ging mee en deed halfhartig alsof hij zich aan zijn afspraak hield en de non beschermde.

Het Vaticaan is een stadstaat midden in Rome. Een geverfde streep van veertig centimeter scheidt Vaticaanstad van Rome, een grens waar toeristen, straathandelaren en priesters achteloos overheen stappen zonder het te beseffen. Maar om in de ingewanden van de Sint-Pieter te komen, waar Marianne en Edmund Gettier hun dagen zouden slijten, was iets gecompliceerder dan gewoon over een witte streep wandelen en vrolijk naar de kleurig geklede Zwitserse garde lachen. De Sint-Pieter binnenkomen was een moeizame onderneming.

De officiële hoofdingang naar de Sint-Pieter is uiteraard het Sint-Pieterplein. Zuster Marianne en Denton gingen daar niet heen. In plaats daarvan reed de politiechauffeur, Quintilio, hen langs de linkerarm van het plein naar een discrete hoek met een dik, hoog groengeverfd metalen hek vol puntige uitsteeksels aan de bovenkant. Op het eerste gezicht leek het een dienstingang. Een Zwitserse garde, onopvallend gekleed in een modern uniform, zat in iets dat eruitzag als een witgeverfd houten wachthok. Toen hij naar buiten kwam om de naderende auto tegen te houden, zag Denton dat de wacht niet alleen een Uzi had, maar dat zijn 'houten wachthok' in werkelijkheid van dik beton was.

'Het spijt me dat het zo moet,' zei Marianne verlegen tegen Denton.

'Maakt u zich geen zorgen,' zei hij, en hij vertelde haar hoe voorzichtig ze op Langley waren terwijl hij terloops de wacht opnam.

Met zijn Uzi in de aanslag sprak de wacht in het Italiaans met Quintilio en controleerde zijn papieren terwijl hij in een mobilofoon sprak. Toen hij genoeg had gezien, stapte de wacht opzij en gebaarde dat ze naar binnen konden.

Met een zacht geruis rolde het groene hek open. Twee Zwitserse gardes met lichte geweren en een fors lijkend bovenlijf vanwege hun kogelvrije vest, kwamen achter het hek vandaan. Ze gingen aan beide zijden van de auto staan en hielden die scherp in de gaten terwijl hij de binnenplaats op reed. Toen de auto door het hek schoof, keek Denton naar buiten en realiseerde zich dat het ruim tien centimeter dik was, dik genoeg om een zelfmoordbom tegen te houden.

De auto stopte op de binnenplaats terwijl het groene hek achter hen dichtschoof.

'Dit is erg gênant,' zei zuster Marianne nog een keer, 'maar stapt u alstublieft niet uit voordat de wachten zeggen dat het oké is. En als u uitstapt, moet u geen plotselinge bewegingen maken.'

Denton keek haar aan met een blik dat het oké was. Dit was veel strenger dan alles wat hij op Langley had gezien, of waar dan ook, trouwens. Hij keek rond.

De binnenplaats was klein en overvol, nauwelijks groot genoeg voor twee of drie auto's. Afgezien van het groene hek werd het omgeven door de gladde, raamloze, grijsbruine zijmuur van de Sint-Pieter. Aan het eind van de min of meer ovale binnenplaats was een dikke bruine deur zonder handvat aan de buitenkant. Nu het dikke groene hek achter hen was gesloten, zaten ze volkomen in de val.

Tamelijk langzaam kwamen de twee Zwitserse gardes aangelopen en gingen op ongeveer drie meter aan weerskanten van de auto staan wachten tot ze uitstapten. Ze maakten geen aanstalten om de portieren open te doen, laat staan hen te helpen met uitstappen.

'Kom mee,' zei zuster Marianne tegen Denton. Ze stapten uit en ze overhandigde een persoonsbewijs aan een van de Zwitserse gardes die hem controleerde terwijl de andere garde afstand hield van Marianne, Denton en Quintilio. Niemand zei een woord.

'Hebben ze een identificatie nodig?' vroeg Denton, die zich opeens erg nerveus voelde.

'Nee, maakt u zich geen zorgen, ik ben hoofd van het renovatieproject – ik kan twee ongeïdentificeerde gasten meenemen,' zei ze een beetje te flink, alsof ze zichzelf moest overtuigen, waardoor Denton besefte dat ook zij nerveus was.

Zonder een woord te zeggen en met een argwanende blik gaf de wacht Marianne haar persoonsbewijs terug en gebaarde naar de bruine deur. Denton en zij stapten eropaf, terwijl Quintilio bij de auto bleef. Nog vóór ze er waren, ging de deur zoemend open.

Ze liepen een kleine witte wachtkwamer in. De deur ging achter hen dicht en automatisch op slot. De wachtkamer was geheel kaal, op één raam met kogelvrij glas na. Naast het raam zat een luidspreker en een cijferslot en daarachter zat één bewaker achter een computer. De bewaker herkende zuster Marianne van haar voorgaande bezoeken en glimlachend begon hij door de luidspreker tegen haar in het Italiaans te praten en gebruikte het gekeuvel om de gêne te verbergen dat hij haar identiteit nogmaals op de computer moest controleren om te zien dat ze bevoegdheid had om binnen te gaan. Het was vervelend, ja, maar het waren de regels, iedereen werd gecontroleerd voordat hij binnen mocht, zelfs de paus. Dubbelgangers hadden het ook al geprobeerd.

'Uw toegangscode, alstublieft,' zei de wacht in het Italiaans. Marianne toetste een aantal cijfers in op de muur. Denton realiseerde zich dat de non niet alleen een toegangscode had gekregen. Als ze een gijzelaarster was die gedwongen werd om iemand naar binnen te smokkelen, kende ze waarschijnlijk een kleine variatie van de code die de veiligheidsmensen zou alarmeren.

Toen alles in orde was, liet de wacht een bijna verborgen deur in een van de muren zoemend opengaan, waarachter een andere wacht stond die hen binnenliet.

Zodra ze echt binnen waren in de Sint-Pieter, slaakte Marianne een onopvallende zucht van verlichting die Denton niet ontging.

'Ik vraag me af of je ook zo moeilijk in de hemel komt,' zei hij.

Marianne lachte. 'Veiligheid nemen we erg serieus,' zei ze.

Denton verborg zijn verbazing over het gebruik van het persoonlijk voornaamwoord. 'Vast wel,' zei hij instemmend.

'We moeten wel,' ging ze verder. 'We willen niet dat hem iets overkomt,' zei ze, en ze wees met een korte blik naar boven.

'God?' vroeg Denton verward.

'Nee!' lachte ze. 'De paus.'

'Aha...'

Voor hem uit liep ze door gangen en uitgestrekte, onbegrensde ruimtes die alle donker en rustig waren, ook al was het al ochtend.

'Werken hier mensen?' vroeg Denton ten slotte, benieuwd waarom er niemand anders te zien was.

'Natuurlijk, maar boven. Dit zijn de ruimtes voor processies en grote ceremonies. U zou hier op een zondag moeten zijn.'

Toen ze in de buurt van de bouwplaats kwamen, kon Denton een rustige, ordelijke activiteit voelen. De non voelde het ook en versnelde haar pas.

'Kom mee,' zei ze tegen Denton en trok hem aan zijn pols mee. 'U moet iedereen leren kennen.'

'U moet hun niet vertellen wat ik doe,' zei hij snel, waardoor ze bleef staan om hem niet-begrijpend aan te kijken.

'Waarom niet, in vredesnaam?' vroeg ze, oprecht naïef.

'Wij CIA-mensen hebben geen grote fanclub,' zei hij glimlachend.

'O. Oké,' zei ze, en trok Denton mee.

Ze sloegen een hoek om en daar, in een grote open ruimte stond Edmund Gettier boven een werktafel terwijl om hem heen werklieden en technici, door hun kleding niet van elkaar te onderscheiden, rustig rondliepen en rondkropen over steigers die langs de muren en om de dikke zuilen liepen.

Met uitzondering van Edmund Gettier waren alle werklieden en technici jong. In feite was zuster Marianne de oudste van het stel. Al die twintigers en begin dertigers werkten geduldig aan de renovatie van het Vaticaan. Buiten realiseerde geen van de fotograferende toeristen zich dat er binnen een nieuwe kerk van de fundamenten af aan werd opgebouwd, van binnenuit, terwijl al die jonge mensen onzichtbaar een nieuwe structuur aanbrachten die ze in stilte hun eigen bouwwerk konden noemen.

Een bebaarde, bebrilde jonge bouwkundige was de eerste die de non in het vizier kreeg toen ze met Denton binnenstapte. 'Marianne!' riep hij, waardoor iedereen zich naar hen omdraaide en het werk bijna stilviel omdat de mensen haar kwamen begroeten.

Denton stond het van een afstandje aan te kijken. Hij voelde een nodeloze afgunst ten opzichte van de non. Niet echte afgunst, meer een soort melancholie. Het tafereel van de non met haar vrienden deed hem, enigszins bedroefd, denken aan de tijd in het souterrain van Langley.

Ze stelde Denton aan iedereen voor en vermeed, zoals hij gevraagd had, zorgvuldig te zeggen wat hij deed. Door het simpele feit dat hij een vriend van Marianne was, werd hij door iedereen geaccepteerd.

'Je bent nu in het land van koning Edmund,' zei de kleine, bebaarde technicus die hen als eerste had opgemerkt lachend tegen Denton.

'Kom mee,' zei Marianne, 'laten we naar *mijn* domein gaan.'

Samen met Gettier en de bebaarde technicus, Rob Rijke, liepen ze de begane grond over naar een brede, onopvallende trap die achter een paar zuilen verscholen lag. Met flauwe draaiingen liep hij zeker tien meter omlaag.

'Deze trap was afgesloten,' raadde Denton, die kapotgeslagen bakstenen en cement bij de ingang van de trap opmerkte.

'Ja,' zei Rijke, een Nederlandse ingenieur die behoorlijk goed Engels sprak maar wel met een vreemd accent, waardoor hij als een NewYorker klonk. 'Dit is de afdeling die eeuwig en altijd werd uitgesteld,' zei hij, naar beneden gebarend. 'Zodra de kerk geld vond om de Sint-Pieter te repareren, ging het altijd om de begane grond, de koepel, de *façade*, hoe zeg je "façade" in het Engels?' vroeg hij Marianne.

' "Façade",' zei ze afwezig, terwijl ze met grote ogen om zich heen staarde en de muren van het trappenhuis aanraakte.

Rijke knipperde en glimlachte flauwtjes, omdat hij zich belachelijk voelde. 'Ja, natuurlijk, de façade. Maar nu pas, nu het ongelooflijk duur zal zijn om de zaak te repareren, hebben ze geld voor de fundamenten.'

Toen ze onder aan de trap kwamen, stonden ze in een donkere catacombe die werd verlicht door felle, provisorische tl-buizen. De hele ruimte stond vol stalen steunbalken die het lage plafond ondersteunden.

'Dit zijn de catacomben,' zei ze trots, en ze baande zich behoedzaam een weg door de steunbalken, aan het oog onttrokken door de duisternis die het tl-licht leek op te slokken. Denton hoorde werklieden op iets metaligs hameren.

'Wie is hier begraven?' vroeg hij schertsend, terwijl ze door het netwerk liepen.

'Dat weten we niet precies,' zei de non ernstig. 'Er zijn graven bij die uit de twaalfde eeuw dateren. De gegevens zijn verloren geraakt.'

'Geen geesten, hè?' vroeg hij gespeeld zenuwachtig, waardoor Rijke en de non moesten lachen en Gettier om haar lach moest glimlachen.

213

Werklieden waren bezig een steiger te timmeren rond de zuilen, die sterk leken op die van de begane grond. Maar aangezien de catacomben, anders dan de verdieping erboven, een veel lager plafond hadden, waren de steigers hier lager en niet zo ingewikkeld of stevig.

'Zit er een ruimte tussen de catacomben en de begane grond?' vroeg Denton aan de non.

'Erg goed,' antwoordde Gettier op een toon die ongewild een beetje neerbuigend klonk, hoewel hij het als een compliment bedoelde.

'Ja,' zei ze. 'Boven ons? Daar is een begraafruimte. Voor kerkautoriteiten, een paar pausen. Edmunds werk is fase één van het project: de zuilen versterken die het dak steunen. Mijn project, de catacomben hier, is fase twee en die begint maandag. Fase drie is het openen van de tussenruimte om de steunzuilen daarin te restaureren.'

'Dat is mijn project,' zei Rob Rijke. 'Maar *zij* is de baas,' zei hij, en impulsief omarmde hij Marianne. Hij was minstens tien centimeter kleiner dan zij, dus was het een beetje komisch om te zien.

Ze doorliepen de catacomben, die bijna eindeloos leken te zijn, waarmee Dentons aanvankelijke indruk dat ze vrij klein waren, werd gelogenstraft. De non, Gettier en Rijke legden hem dingen uit, terwijl ze achteloos tussen de steunbalken en steigers rondliepen, maar ze zorgden er wel voor uit de buurt van de steunzuilen te blijven, waarvan sommige duidelijk afbrokkelden. Denton vroeg zich afwezig af waar ze door de eindeloze catacomben heen gingen, tot ze eindelijk, minstens tweehonderdvijftig meter van de trap, bij een andere trap aankwamen, die identiek was aan de eerste. Ze liepen naar boven.

'Hoe groot is het daar beneden?' vroeg hij verbaasd toen ze op de begane grond aankwamen. 'Zo groot als de hele Sint-Pieter,' zei Gettier. Marianne knikte opgewekt.

'En het is allemaal van mij!' zei ze hebberig. Iedereen lachte.

De volgende maandag bracht Chisholm de non naar haar werk en begon de routine.

Maggie Chisholm was niet happig op een achtervolging zoals in Washington, dus plande ze zorgvuldig een aantal routes naar de Sint-Pieter en hield waakzaam in de gaten of ze werden gevolgd.

Aangezien de villa zo ver van de Sint-Pieter lag, was het gemakkelijk om elke dag een andere route te nemen. Maar toch schreef Chisholm elke dag op welke straten ze had genomen zodat ze zich niet per ongeluk zou vergissen.

's Morgens, rond acht uur, vertrokken Chisholm en Marianne naar het Vaticaan. Gettier kwam meestal te voet vanaf zijn appartement. Denton vertrok ook rond acht uur om zijn 'verbindingswerk' te doen, wat dat ook maar mocht betekenen. Chisholm vermoedde dat het niets anders inhield dan bij de chargé d'affaires in de ambassade rondhangen.

In het Vaticaan gingen Marianne, de werklieden en de technici van haar ploeg aan het werk in de catacomben, terwijl Chisholm voornamelijk wat rondhing met haar geladen revolver in haar holster onder het jasje dat ze altijd aanhad. Ze volgde Marianne overal en hield de zaak voortdurend onder controle.

'Waarom volg je me overal?' vroeg de non op de eerste dag, verbijsterd over haar schaduw toen ze naar boven ging om voor iedereen frisdrank te halen.

'Marianne, dat is mijn werk. Er wordt van mij verwacht dat ik je bewaak.'

Marianne lachte. 'Wat kan er hier nou gebeuren?'

Daar zat wat in. Met al die veiligheidsmaatregelen in het Vaticaan had Chisholm het gevoel dat het tijd verknoeien was om naar Sepsis uit te kijken, die ze trouwens toch niet zou herkennen. De vervalser had nog geen sein gegeven en het surveillanceteam bij de winkel had geen resultaten opgeleverd. Van de honderden foto's die ze van de klanten hadden genomen, konden vier verschillende mannen Sepsis zijn geweest, maar vanwege het licht en de hoek, was het onmogelijk te zeggen. De foto's die het surveillanceteam maakte, bleken bijna net zo nutteloos als de foto die de non had geïdentificeerd – de rotzak was zo anoniem dat hij vrijwel iedereen kon zijn. Maar Chisholms plichtsgevoel had het gewonnen en dus volgde ze de non trouw waar ze maar liep en keek uit naar Sepsis.

Het moeilijkste was het tijdens de lunchpauzes.

'Margaret,' riep de non, terwijl ze allemaal om haar werktafel zaten, die als eet- en theetafel dienstdeed, 'dit is Umberto Penola. Hij heeft ooit in New Jersey gewoond.'

'Zo...' zei ze, en ze glimlachte tegen een lange, magere Italiaanse ingenieur die opgewekt terug glimlachte en probeerde met haar over New Jersey te praten, waar Chisholm de pest aan had.

De non probeerde het. Ze probeerde Chisholm in de kring op te nemen, maar iedereen wist dat het onmogelijk was. Terwijl de non en alle anderen aan de catacomben werkten, had Chisholm niets anders te doen dan te wachten en uit te kijken. Ze zag een keurig, ordelijk wereldje waar ze niet thuishoorde en voelde zich buitengesloten. Het was niet de schuld van de non, want die deed haar uiterste best om haar erbij te betrekken. Maar Chisholm kon het niet. En na een tijdje begon ze zich af te vragen of ze het eigenlijk wel wilde.

Sepsis was aan de late kant, maar hij deed niets om zich te haasten. Een man die zich haast, is een man die wordt opgemerkt. In plaats daarvan wandelde hij nonchalant naar Aquardientes winkel en was er zeker van dat hij door de zieke rotzak zou worden lastig gevallen.

Maar dat was niet wat hem bezighield. Sepsis was eerder verontrust door het gebrek aan gelijkmatigheid in zijn doelwitten.

Sinds hij het karwei had aangenomen, voelde Sepsis wrevel over het overgrote deel aan vrouwen op zijn lijst van doelwitten. Hij had alle nonnen in de kapel gedood, daarna geprobeerd Chisholm te vermoorden en daarna de vrouw omgebracht die hij op Giancarlo's feest had opgepikt. Allemaal vrouwen, hoewel Sepsis vergat dat er een priester in de kapel was geweest toen de bom ontplofte.

De gedachte dat de een of andere criminoloog zou concluderen dat Sepsis een vrouwenhater was, zat hem ernstig dwars. Natuurlijk, nooit zouden ze kunnen ontdekken dat hij die vrouw van het feest had gedood, en dat was goed. Dat zou niet bijdragen aan het foute idee dat hij vrouwen haatte. Maar als hij eindelijk Chisholm en misschien de non vermoordde (hij had nog geen besluit genomen), vroeg hij zich af of de inlichtingendiensten dit karwei de 'roes van de vrouwenkiller' of zo'n verschrikkelijke bijnaam zouden geven. Verontrustende gedachte.

Terwijl hij de straat doorliep en zorgvuldig Tonio's achterlijkheid imiteerde, kwamen er een paar absoluut schitterende vrouwen voorbij. Het enige dat hij kon doen om te doen alsof hij ze niet zag, was verder schuifelen met een idiote grijns. Hij meende

216

dat hij het er erg goed af bracht, zonder te beseffen dat alle mooie vrouwen die hij tegenkwam, zich afvroegen waarom hij hen niet opmerkte. Zwakbegaafden zijn zo onbevangen dat ze altijd nadrukkelijk naar passerende vrouwen staren. Hij moest homo zijn, dachten ze, of zo imbeciel en onvolgroeid dat hij geen enkele seksuele begeerte had.

Hij kwam bij Aquardientes reeds gesloten winkel, stapte naar binnen en zwaaide naar Andolini die bij de kassa nauwgezet de inkomsten van die dag stond te tellen.

'Hoi Tonio,' zei Andolini met een brede glimlach en zwaaide hard terug alsof er een enorme afstand tussen hen was, hoewel ze hooguit een meter van elkaar af stonden.

'Hallo, meneer Andolini,' zei Sepsis op diezelfde opgeruimde manier. Hij mocht hem graag. 'Waar is meneer Aquardiente?' vroeg hij, gewend dat de zieke rotzak met hand en pik in de aanslag op hem stond te wachten.

'Hij is binnen, ik zal hem zeggen dat je er bent,' zei Andolini, maar hij begon te beven, keek naar het geld en toen naar Sepsis, die zijn gedachten las. 'Niet het geld pakken,' zei hij tegen Sepsis, en hij zwaaide streng met zijn vinger, in een groteske imitatie van een schoolmeester. 'Als je dat doet, ga ik je slaan.'

'Ik pak geen geld!' zei hij op gekwetste toon. 'Eerlijk niet!'

'Oké.' Andolini liep naar de gang, bleef staan, draaide zich met een ruk om om zich ervan te vergewissen dat Sepsis geen geld pakte en glimlachte breed. 'Ik wist wel dat je geen geld zou pakken. We hebben problemen gehad met dieven.'

'Ik ben geen dief!' zei Sepsis, die Tonio speelde, en dacht na. 'Hebben er dieven ingebroken?'

'Ja, een, twee, drie, vier, vijf dagen geleden, ja vijf dagen geleden. Ze kwamen binnen en hebben geld van meneer Aquardiente gestolen. Ze hebben mij ook geslagen.'

'Wauw. Wie waren dat?' vroeg hij onschuldig.

'Een man en een vrouw. Ze leken *aardig*. Maar ze waren niet aardig. Het waren dieven.'

'Wauw,' zei Sepsis-als-Tonio nadenkend.

'Ze hebben me in mijn buik geslagen en me toen in slaap gemaakt. Ik haal meneer Aquardiente.'

Andolini liep naar de achterkamer. Zonder aarzelen deed Sepsis de winkeldeur op slot en trok alle blinden omlaag alvorens

217

achter Andolini aan naar de achterkamer te lopen.

Aan de overkant zagen Buttazoni en Cabrillo de blinden omlaag komen en wachtten om te kijken of het het sein was of dat Aquardiente gewoon de winkel sloot.

'Als hij niet binnen de drie minuten naar buiten komt, is hij het,' zei Buttazoni. Cabrillo zei niets. Hij had het te druk met zijn holster omgespen.

Binnen kwam Sepsis in de achterkamer op het moment waarop Andolini zijn komst aankondigde.

'O! Daar is hij al!' zei Andolini. Zodra hij de achterkamer binnenstapte, wist Sepsis dat het fout zat.

De vervalser was zo te zien zenuwachtig en gepreoccupeerd, alsof hij problemen had. Maar hij leek niet gespannen om hem te zien, wat Sepsis deed aarzelen.

'Mijn baas stuurt me, zoals u zei – rond sluitingstijd.'

'Goed zo Tonio – eh, hoe gaat het met je – laat ons alleen, wil je?' zei hij tegen Andolini die terugliep naar de kassa. 'Hoe gaat het?' vroeg hij, terwijl hij een stapeltje documenten, die door een elastiekje bijeen werden gehouden, uit een muurkast pakte.

'Goed,' zei Sepsis, van zijn stuk gebracht omdat Aquardiente hem niet lastig viel. Sepsis had uiteraard een revolver. Als de zieke rotzak had geprobeerd iets uit te halen, zou Sepsis die gebruiken, had hij besloten.

'Goed zo, goed zo,' zei de vervalser, die het pak documenten met zijn goede hand omhooghield en het aantal papieren telde met zijn misvormde hand alvorens de bundel aan Sepsis te geven. Van zijn kant telde Sepsis ze langzaam, stompzinnig, terwijl hij zich afvroeg wat er was gebeurd.

'Bent u beroofd?' vroeg hij argeloos tijdens het tellen, vergetend dat geestelijk gehandicapten niet eens in staat zijn om kauwgom te kauwen en tegelijk door te lopen.

'Niets om je ongerust over te maken,' zei Aquardiente nerveus, maar hij klaarde op en kwam van zijn kruk af en legde zijn goede arm om Sepsis' schouders. Toen hij klaar was met tellen, glimlachte Sepsis een beetje verlegen tegen hem en probeerde zich voor te stellen wat 'Tonio' nu zou doen.

Aquardientes adem rook naar drank en zijn ogen waren een tikje waterig. Maar wat hem ook dwarszat, het weerhield hem er niet van met zijn kruis tegen Sepsis' dij te wrijven, terwijl hij veel na-

218

tuurlijker glimlachte en zijn begeerte hem naar het hoofd steeg. 'Ik ben blij dat je bent gekomen, ik heb ernaar uitgekeken.'

Hij liet zijn goede arm vallen en greep naar Sepsis' billen. Maar deze keer probeerde Aquardiente zijn anus te betasten en er door de stof van zijn jeans heen een vinger in te steken. Sepsis vergat zichzelf en zijn ogen flitsten heel even – een fractie van een seconde. Aquardiente vond het leuk, die woeste blik, maar het deed hem aan iets anders denken – de foto. De foto die de vrouw hem had gegeven.

'Niet…' zei Sepsis, toen hij Aquardientes reactie zag. En toen wist hij dat de vervalser ontdekt was.

Zonder enige aarzeling duwde Sepsis Aquardiente opzij, haalde zijn pistool met knaldemper te voorschijn en schoot hem ter plekke twee kogels in het hoofd, een boven elke wenkbrauw. Sepsis gebruikte een .22 die door kogelvrij glas heen kon schieten, met een lange knaldemper. De twee schoten maakten een geluid als een zacht kuchje. Nog voor Aquardiente dood op de grond viel, keek Sepsis langs hem heen en dacht na.

Aan de overkant waren Cabrillo en Buttazoni op twee minuten gekomen, alvorens ze besloten om op onderzoek uit te gaan. Ze hadden niets gehoord. Ze hadden ook niets gezien. Maar beiden klikten de veiligheidspal van hun wapen los, terwijl ze de trap afrenden.

In de achterkamer stond Sepsis te knarsetanden en brulde: 'Meneer Andolini?' met die ijle hoge, Tonio-stem, die bang en wanhopig klonk. 'Er is iets met meneer Aquardiente!'

Andolini liep naar het halletje bij de achterkamer, juist toen Buttazoni en Cabrillo op straat uitkwamen.

'Wat is er gebeurd?' vroeg Andolini op de achterkamer af stappend. Hij keek naar binnen en zag Aquardiente op zijn buik in een plas bloed liggen. 'Wat is er gebeurd?' schreeuwde de zwakzinnige doodsbang. Sepsis richtte het pistool op zijn voorhoofd en schoot hem dood.

Buttazoni en Cabrillo slaagden erin door het eindeloos toeterende verkeer te zigzaggen.

Sepsis keek naar de twee lijken en daarna naar zijn pistool, het enige wapen dat hij bij zich had. Hij had zeven kogels over en slechts één volle clip in zijn achterzak. Hij besloot te handelen – *nu*.

219

Hij stopte de stapel documenten in zijn zak en liep de hal in. Er was daar uiteraard een achterdeur en de winkel lag vóór hem. Moest hij door de achterdeur of door de voordeur? Instinctief, beseffend hoe nauw het achterstraatje zou zijn, ging Sepsis in de richting van de voordeur.

Buttazoni en Cabrillo kwamen bij de voordeur en rammelden dom aan de deurknop, die op slot zat en niet meegaf.

Sepsis zag de schaduwen van de beide rechercheurs door de blinden van de voordeur en schoot zonder erbij na te denken twee keer op beide mannen, draaide zich om en rende naar de achterdeur.

Buttazoni kreeg een kogel in zijn schouder en een andere in zijn keel. De kogel drong door zijn strottenhoofd, doorsneed zijn ruggengraat, vloog aan de achterkant uit zijn nek en stopte niet. De kogel schoot door en raakte een passerende bestuurster, boorde zich door haar linkerslaap en halverwege in de hersens. Ze verloor de macht over het stuur en knalde tegen het tegemoetkomende verkeer. Tegen die tijd was Buttazoni dood.

Cabrillo kreeg een kogel in zijn borst, een paar centimeter boven zijn rechtertepel en een andere in zijn buik. Door de kracht werd hij op zijn achterste op de grond geworpen. Zijn rechterarm was verlamd. Maar Cabrillo was linkshandig, dus toen hij de dode bestuurster op het tegemoetkomende verkeer zag botsen en haar dode lichaam op haar eigen stuurkolom werd gespietst, liet Cabrillo zijn revolver afgaan en schoot op de postzegelwinkel, hoewel hij door de blinden niets kon zien.

Sepsis had geluk. Geen van de kogels van Cabrillo bezorgde hem zelfs maar een schrammetje, maar hij rende in paniek de achterdeur uit. Als daar iemand had gestaan, zou dat zijn einde zijn geweest. Maar er was niemand toen Sepsis de deur uit en door het achterstraatje stormde. Hij rende naar de hoek, bleef met een ruk staan en haalde diep adem alvorens de hoek om te gaan. Hij liep alsof er niets aan de hand was. De voetgangers om hem heen gedroegen zich als koeien, koeien die gehoord of gezien hebben dat er wordt geslacht, maar niet goed weten wat ze moeten doen of hoe ze moeten reageren.

Voor de postzegelwinkel begon Cabrillo te hoesten, verloor zijn bewustzijn en zakte op het trottoir in elkaar. Zijn rechterlong vulde zich met bloed en zou hem doen verdrinken. Hij zou 'op slag dood' worden verklaard. Maar hij werd door niemand opgemerkt, want iedereen staarde naar de spectaculaire botsing en ging eropaf. Door de botsing was het verkeer naar beide kanten geblokkeerd.

Sepsis liep zonder enig probleem weg, een beetje geschokt maar niet aangeslagen. Toen hij omkeek, leek de commotie enorm: auto's stopten en bleven staan, mensen stapten uit hun auto om te kijken wat er was gebeurd. Sepsis liep van de chaos weg, nieuwsgierig naar wat er aan de hand was, maar toch niet nieuwsgierig genoeg.

Niemand hield hem tegen. Zijn pistool zat achter in zijn broekband onder zijn losse jack, maar hij hield zijn handen in zijn achterzak om het ding snel te kunnen trekken. Hij maakte zich niet echt zorgen. Ze hadden hem niet opgewacht, en dat was goed. Als ze hadden geweten dat hij zou komen, zouden ze mensen in het achterstraatje hebben gezet, nog meer mensen voor de winkel en waarschijnlijk iemand in de achterkamer om hem op te wachten. Goed zo, ze hadden hem dus niet verwacht.

Sepsis nam een bus en hield op met te doen alsof hij Tonio was. Niemand zou hem nu nog kunnen beschuldigen van vrouwenhaat. Hoewel, met een dode geestelijk gehandicapte en een dode gehandicapte homo, begon hij zich af te vragen of iemand hem een homohater zou noemen, of een nazi. Vervelend.

'Godverdomme,' zei Chisholm, naar het lijk van Aquardiente starend.

Assistenten van de politiearts waren net de achterkamer uitgelopen met het lichaam van Andolini op een brancard, waardoor Lorca en Chisholm met de dode vervalser alleen bleven. De levenden stonden zwijgend na te denken, terwijl de dode vervalser, tja, de dode vervalser peinsde ook over wat hem bezighield.

'Hij heeft ze niet gewoon gedood,' zei ze starend. 'Hij heeft ze geëxecuteerd. Hij wist dat we zouden komen.'

'Kom mee,' zei Lorca, toen de politiearts binnenkwam met een stel assistenten. De kamer was te klein voor vijf mensen en een lijk. 'We moeten even praten.'

Ze liepen de winkel uit, over het trottoir waar ze nog geen week geleden etalages hadden lopen kijken, even onopvallend als alle andere voetgangers. Het gebied rond de winkel was afgezet, maar

221

er hing een sfeer alsof het er weer normaal begon te worden, nu alle aasgieren van de pers hun aas binnen hadden.

'We hebben een serieus probleem, Margaret. Nu de vervalser dood is, hebben we geen aanknopingspunten.'

'Ik weet het,' zei ze verslagen. Oppas spelen van de non begon haar te vervelen.

'Ik heb het volgende bedacht: als ik Sepsis was, wat zou ik dan doen als ik de non wilde doden?'

'Haar neerschieten op de plek waar ze volgens mij is,' antwoordde ze, hardop meedenkend met Frederico.

'Precies. Welke plek is dat?'

'De Sint-Pieter en...'

'En de villa, Margaret. Ik denk dat Sepsis zou kunnen proberen om de villa te overvallen.'

'In zijn eentje?'

'Mogelijk, maar volgens mij niet waarschijnlijk. Echter, niets in de winkel van de vervalser wijst erop dat Sepsis meer dan één stel documenten kwam ophalen.'

'Eén persoon zou in zijn eentje de villa binnen kunnen komen? 's Nachts? Moeilijk, maar mogelijk.'

Ze hielden halt bij een herenkledingzaak en keken naar de etalage zonder iets te zien. 'Wat ik je ga vertellen, is vertrouwelijk en uitsluitend mijn mening,' zei Lorca. 'Mijn superieuren zijn het niet met me eens. Zeg wat je denkt. In je Washingtonse rapport zei je te denken dat zuster Marianne het doelwit was vanwege haar werk in het Vaticaan, klopt dat?'

'Ja. En?'

'Zuster Marianne is in het Vaticaan, zwaar bewaakt door de Zwitserse garde en door jou. Maar in de villa zitten slechts vijf man, van wie twee bij de ingang, die met een beetje moeite weg te krijgen zijn.'

'Juist,' zei Chisholm, die het niets aanstond. 'Een serieuze aanval op de villa.'

'Ja. Mijn superieuren zijn het niet met me eens omdat leden van de Zwarte Hand, getuigen, tijdens hun verblijf in de villa nooit een haar zijn gekrenkt. De villa heeft in dat opzicht een onberispelijke reputatie. Maar Sepsis is een uiterst drieste en buitengewoon vastberaden moordenaar. Zijn vastberadenheid is bijna psychotisch.

'Daar ben ik het helemaal mee eens,' zei ze, denkend aan de drie doden in Rivercity. Ze draaiden zich om en liepen verder. 'Kun je meer mensen krijgen om de villa te bewaken?'

'Dat is het probleem – ik heb het geprobeerd, maar het kan niet. De villa is van het ministerie van Justitie. Ze zijn niet bereid toestemming te geven om meer bewakers bij de villa neer te zetten, als het hun operatie niet is.'

'Het oude liedje.'

'Hebben jullie in Amerika ook dat soort problemen?'

'Ja, natuurlijk,' zei ze verbaasd. 'Dacht jij dat het allemaal koek en ei was?'

'Ja,' zei Lorca eerlijk. 'Jullie Amerikanen lijken zo ordelijk, het verbaast me dat jullie net zulke territoriumproblemen hebben als wij.'

'Zo zie je maar weer...' Zwijgend liepen ze door. Margaret piekerde over het probleem, maar haar gedachten gingen onvermijdelijk terug naar de dode vervalser. 'Ik vind het vreselijk als er zoiets met iemand gebeurt, als mensen op die manier worden neergeknald,' zei ze, denkend aan Aquardiente, maar Frederico begreep haar verkeerd.

'Ja, Buttazoni en Cabrillo waren uitstekende krachten. Niet erg intelligent, maar moedig en betrouwbaar. De man die dit heeft gedaan, zal ik met genoegen doden,' zei hij met ijzingwekkende kalmte.

'Kun je mensen in de villa zetten?'

'Ja, dat kan. Mijn superieuren zullen er niet gelukkig mee zijn, maar ik denk wel dat het kan, drie hooguit vier man, meer niet. Ik vraag je nu officieel: ben je het met me eens dat Sepsis een poging kan doen om de villa aan te vallen?'

'Ja, ik denk dat het zo aannemelijk is dat we ons erop moeten voorbereiden,' zei ze, waarmee ze hem de munitie gaf om met zijn superieuren in de slag te gaan.

'Goed, dank je. En ik denk verder: als Sepsis documenten voor zichzelf nodig had, is dat één ding. Kennelijk gebruikt hij de Tirso Gaglio-documenten niet.'

'In ieder geval niet om te reizen, nee.'

'Dus moet hij al documenten hebben. Waarom zou hij dan nog meer documenten kopen?'

'Voor iemand anders,' begreep ze. 'Hij heeft documenten voor

223

andere mensen, mensen die hij misschien nodig heeft, mannen die hij gebruikt om de villa te beschieten – ik begrijp het...' zei ze, zijn gedachtegang volgend. 'Die mannen zijn nog niet gearriveerd.'

'Precies,' zei hij. 'Als die mannen arriveren, komt hij tot actie. De eerste mogelijkheid is dat hij rechtstreeks het Vaticaan aanvalt: onmogelijk en zinloos. De tweede mogelijkheid is dat hij probeert zuster Marianne te pakken als jullie op weg naar of van het Vaticaan zijn. Maar jullie nemen elke keer een andere weg?'

'Ja. Ik betwijfel of hij nog zoiets als in Washington zal proberen.'

'Misschien wil hij het juist weer proberen omdat het daar mislukt is.'

'Zit wat in.'

'Maar de derde mogelijkheid is dat hij probeert de villa aan te vallen. Daarom moeten we haar ergens anders onderbrengen.'

Onder het lopen pakte Margaret de arm van Frederico Lorca met een erg intiem gebaar en zette haar lippen dicht tegen zijn oor, waardoor ze eruitzagen als een zorgeloos gelukkig stel. Maar Lorca hoorde echte angst in haar stem.

'Frederico, ik moet je iets heel belangrijks vertellen, maar het moet onder ons blijven. Dit is mijn eigen vermoeden, iets waarover ik heb nagedacht nadat dit allemaal begonnen is. Ik denk dat we iemand hebben die informatie doorgeeft aan Sepsis, iemand die heel dicht bij het vuur zit. Ik bedoel, kijk eens naar die vervalser – Sepsis *wist* dat de vervalser verraden was, hij kan het niet gewoon hebben vermoed en hem gedood hebben voor het geval het waar mocht zijn. Hij *wist* het. Iemand moet het hem hebben verteld.'

'Juist,' zei hij, verbaasd met zijn ogen knipperend. 'Dus de zuster uit de villa weghalen, zal niet helpen.'

'Nee,' zei ze. Ze staarde recht voor zich uit en keek rusteloos om zich heen.

'Wie is het?' vroeg hij ten slotte.

De woorden bleven op haar lippen hangen. 'Ik kan het nog niet zeggen,' zei ze. Maar ze was er na aan toe geweest om de naam te noemen van degene die ze begon te verdenken: Denton.

224

TIEN

Metamoord en kassiewijle

Hij was bezig er een puinhoop van te maken. En daarbij kwamen de twijfels in groten getale opzetten. Verdomme.

Nadat hij de vervalser en zijn lijfwacht had gedood, moest Sepsis die avond in de haven zijn om het Valladolid-team op te pikken. Dus toen hij met de bus door de stad was gereden, ging Sepsis met drie verschillende taxi's terug en stapte uit, een paar straten vóór de schuilplaats die hij in een arbeiderswijk had gevonden, ver van zijn gebruikelijke milieu. Daar, in het straatje erachter, had hij een busje geparkeerd waarmee hij wegreed om de mannen op te pikken. Tijdens de hele rit bleef hij vloeken.

Het waren zes mannen uit Valladolid, Baskische separatisten met veel ervaring. Net als de QuébecoisLibre-mannen die hij in Washington had gebruikt, hadden de mannen uit Valladolid geen idee van wat ze deden, alleen maar dat hun superieuren bevel hadden gegeven om Sepsis te helpen bij een karwei waarover hij hen bij aankomst in Rome zou inlichten.

Uiteraard kwamen ze allemaal illegaal met een schip van een Baskische sympathisant. Sepsis moest hun documenten klaar hebben als hij hen in de haven oppikte – zo was overeengekomen. Maar nu de vervalser dood was, durfde hij geen van de zeven stel documenten te gebruiken.

Het ophalen van de mannen verliep probleemloos.

'Geen moeilijkheden gehad?' vroeg hij in zijn Caribische Spaans tijdens de rit naar de schuilplaats.

'Geen probleem,' zei Gallardo, de leider van de zes, een man die maar een paar jaar ouder was dan Sepsis, nog geen zevenentwintig. Hij had een zwaar Baskisch accent en net als de anderen, net als de mannen van Québecois Libre, geen enkel eigen idee, alleen dat Baskenland zich moest afscheiden.

'We hebben een ernstig probleem, we kunnen jullie tijdens je verblijf niet buiten de deur laten.'

'Wat?'

'Dat is een klerestreek, man.'

'Barst, ik wil terug.'

'Rustig,' zei Gallardo. De andere vijf jongere mannen hielden besmuikt hun mond. 'Wat is het probleem?' vroeg hij Sepsis.

'De documenten die we hebben, zijn Europese documenten, maar we weten niet of ze veilig zijn.'

'Wat is er gebeurd? Mijn baas zei dat je een contactman voor die papieren had.'

'De contactman – is tegen de lamp gelopen.'

'Verdomme,' zei Gallardo.

'De schuilplaats is geen probleem. Het is er schoon, prettig en comfortabel.'

'Maar we kunnen er niet uit,' zei Gallardo.

'Maar jullie kunnen er niet uit,' zei Sepsis.

'Voor hoe lang?'

'Dat horen we van mijn superieur, mijn baas, en dan kunnen we op het doelwit afgaan,' zei Sepsis.

Gallardo zuchtte, ervaren genoeg om te weten hoe zoiets in zijn werk ging. 'Dat wordt dus wachten.'

Maar het wachten was zo ondermijnend als het maar kon. Het huis dat Sepsis had gehuurd was van een weduwe die bang was om huurbelasting te betalen, wat de reden was waarom het Sepsis aanstond. Ze verhuurde het hele huis zwart en hij betaalde in contanten, en de oude vrouw had hem zover gekregen dat hij anderhalf keer de normale prijs betaalde. Op die manier liet de oude dame, signora Sylvia, hem met rust en gaf de transactie niet aan de autoriteiten op, bang dat ze het goede geld zou kwijtraken. Dus was het huis veilig. Het probleem was dat geen van de zes mannen het mocht verlaten.

'Stel, jullie gaan de straat op – jullie spreken geen Italiaans, of wel?' zei hij tegen hen. 'Een politieman kijkt jullie raar aan, wat dan? Dan ben je erbij. Mijn baas wil niet dat ik dat risico neem.'

De zes Valladolid-mannen gromden en kreunden, maar ze wisten dat het waar was, al maakte die wetenschap het er niet gemakkelijker op.

'Wie is je baas eigenlijk?' vroeg Gallardo hem.

Sepsis keek hem aan. 'Je kunt hem "Carlos" noemen, als je wilt.'

'Ja, juist,' zei Gallardo.

Sepsis was geërgerd. Carlos had nooit een operatie zover uit de hand laten lopen als Sepsis nu had gedaan. En het was zijn eigen schuld – hij had meer tijd moeten nemen tussen het krijgen van de vervalste documenten en de komst van de Valladolid-mannen. Zijn vervloekte haast had deze janboel veroorzaakt. Overdag was Sepsis voortdurend in touw om alles te krijgen wat hij nodig had – de wapens, de kaarten, de timing en deed dus in zijn eentje wat, naar hij had gehoopt, de Valladolid-mannen voor hem zouden doen. Verdomme, het was zijn eigen vervloekte schuld.

En, wat hem razend maakte, in zijn achterhoofd kon hij zijn connectie, de man die hem had geleerd hoe je moordenaar moest zijn, almaar horen praten over hoe een 'waterdichte' bomaanslag moest verlopen. Alles opblazen tot er niets meer over was. Sepsis vroeg zich af of Carlos een meerdere had gehad die altijd in zijn hoofd zat om hem te zeggen hoe kloterig hij bezig was. Waarschijnlijk wel.

De mannen uit Valladolid hadden weinig anders te doen dan televisiekijken, en zelfs de tv was in het Italiaans. Dus moest Sepsis zorgen dat er kabel kwam met een paar zenders in het Spaans. De mannen waren misschien toch nog in opstand gekomen, maar gelukkig was er erg veel voetbal op de buis, aangezien het voetbalseizoen in volle gang was. En wat nog beter was, de kabel had drie Spaanstalige programma's met eindeloze soapseries die de tijd van de terroristen opslokten. Dus, terwijl Sepsis bezig was de afstanden te meten voor de aanval en de timing – taken die de mannen uit Valladolid anders voor hem zouden hebben gedaan – volgden de Baskische separatisten AC Milan tijdens hun onstuitbare opmars en daarna op een ander kanaal de listigheden van Doña Isaura in 'La Madrastra' ('De stiefmoeder').

Vrij snel werd het een dagelijkse routine. Sepsis kwam elke ochtend langs met etenswaren, sigaretten en net genoeg marihuana om de dag door te komen. De zes uit Valladolid keken televisie en raakten stoned, terwijl Sepsis afstanden ging meten. Sepsis was zo verstandig om geen drank mee te nemen – met alcohol zouden ze elkaar naar de keel vliegen. Met marihuana zaten ze alleen maar om de televisie te giechelen.

's Avonds kwam hij terug met nog meer etenswaren, liet de mannen eten koken en at met hen mee om hun moreel te peilen, alvorens de nacht in het huis van Giancarlo Bustamante door te brengen.

'Hoe lang nog?' vroegen ze elke dag, maar elke dag ietsje minder scherp.

'Binnenkort,' herhaalde hij. Eerst waren ze spraakzaam en vonden ze het leuk, maar tegen de vierde dag waren ze rusteloos en tegen de zesde dag gedeprimeerd en ziek van elkaars gezelschap.

Iedere avond reed Sepsis terug naar het huis van Giancarlo Bustamante en dan kwam dezelfde gedachte bij hem op: wat was hij aan het doen?

Hij zat niet zozeer in over een eventuele mislukking. Mislukken was niet zo erg. Sepsis kon leven met een mislukking, zoals Carlos dat had gedaan, en hij moest denken aan een El Al-vlucht, een geplande kaping in '75, die geheel verkeerd was gelopen. Carlos was er ternauwernood levend vanaf gekomen. Ook Sepsis had een keer gefaald, één keer: in het begin van zijn loopbaan, toen hij negentien was, had hij een brandbom in het huis van een Colombiaanse rechter gegooid, die het kon navertellen.

Maar Carlos' mislukking was, net als die van Sepsis, snel in zijn werk gegaan. Carlos was met zijn ploeg Palestijnse terroristen op het vliegtuig gestapt en geconfronteerd met een Israëlische commando-eenheid – boem, vlak voor zijn neus. Hetzelfde was met de Colombiaanse rechter van Sepsis gebeurd. Hij had het huis opgeblazen en toen – boem, op de voorpagina's van de ochtendkranten had hij ontdekt dat de rechter in die warme zomernacht achter in zijn tuin in een hangmat had liggen slapen.

Echter, het karkas van andermans mislukking onder de loep houden, was nog heel wat anders dan een mogelijke mislukking van jezelf te beleven.

Het ging niet om de mislukking. Als hij faalde, jammer, als hij slaagde, prima. Het was de onzekerheid die hem de das omdeed. Bij het verstrijken van de tijd kwam de onzekerheid opzetten en nestelde zich in zijn verbeelding, waardoor hij ondermijnende vraagtekens plaatste bij al zijn methodes en plannen, alsof er een bestuursvergadering plaatshad waarin tien ruziënde mannetjes twistten over het wat en hoe van de zaak. Sepsis vroeg zich af of Carlos ooit met die mannetjes te maken had gehad. Hij betwijfelde het. Sepsis dacht niet dat Carlos de fantasie had om over zichzelf na te denken. Tenslotte was Carlos gewoon een hersenloze moordenaar geweest.

Tandenknarsend reed hij verder en probeerde de mannetjes te doden. Het had geen zin om nu te stoppen. Sepsis wist dat hij te ver was gegaan om de zaak nu stop te zetten.

Zonder dat iemand van hen het zich realiseerde, gleed hun leven, als alle routines van vastbesloten, hardwerkende mensen, in een keurige, ordelijke sleur voorbij, die pas werd verstoord als Margaret Chisholm nerveus werd en voor opschudding zorgde door alle voorspelbare, kwetsbare patronen te doorbreken. Maar nu er niets gebeurde, de vervalser dood was en alle mogelijke aanknopingspunten uitgeput waren, maar Sepsis zelf geen aanslag op de non pleegde, begon het idee dat hij zo gevaarlijk was bij iedereen te vervagen, als onbetaalde rekeningen waarvoor een crediteur nog een laatste incassopoging deed en het dan scheen te laten zitten.

De non werkte – heel hard. Voor Denton en Chisholm was het verbazingwekkend hoe hard ze werkte. Om zes uur 's morgens was ze al opgestaan en aangekleed als Chisholm voor het ontbijt naar beneden kwam, en ze werkte de hele dag door, zelfs tijdens het avondeten, wanneer Edmund Gettier en zij regelmatig naar kardinaal Barberi's huis aan de Piazza Colomo gingen.

229

De kardinaal teerde snel weg, zo zag iedereen. Hij nam nu voortdurend zuurstof, wat zijn huis nogal brandgevaarlijk maakte. Als hij te opgewonden raakte over iets dat ze bediscussieerden, had hij de neiging om in slaap te vallen zodra het gesprek kalmer werd.

Maar het was niet uit beleefdheid of een goedkoop soort medelijden dat Edmund Gettier en zuster Marianne bij hem te rade gingen. Hij wist gewoon meer over de geschiedenis van de bouw van de Sint-Pieter dan wie dan ook. Dus aten ze de meeste avonden bij hem en spraken over kleine, ogenschijnlijk triviale details die doorslaggevend waren voor het bedenken van wat er wanneer moest gebeuren.

En overdag schaduwde Margaret Chisholm de non zonder mankeren en begon haar steeds meer te mogen, ondanks het feit dat ze het oppaswerk vreselijk vervelend vond. Ze zat dag in dag uit in de catacomben vast, precies zoals ze in Washington had voorspeld, zonder dat de eentonigheid werd doorbroken, maar ze bleef op haar hoede dat het kon gebeuren, wat haar ook niet veel gelukkiger zou maken.

In het begin ging Denton niet met Chisholm, Gettier en de non mee. In plaats daarvan deed hij zijn 'verbindingswerk' – hield contact met de chargé d'affaires van de ambassade, ging op bezoek bij de plaatselijke CIA-chef en hield zich op de hoogte van Lorca's vorderingen. Na een tijdje merkte Denton echter dat, aangezien er niets was te verbinden, zoals Chisholm het zo gedenkwaardig had uitgedrukt, hij steeds vaker duimen zat te draaien en zich dood verveelde, maar zijn verlangen naar telefoonmarathons onderdrukte.

Nee, nee, Denton wist dat bellen het zekerste teken zou zijn dat zijn positie dalende was. De mensen in Langley zouden zich gaan afvragen waarom hij de hele tijd opbelde, zich afvragen wat hij in Rome deed als hij zoveel vrije tijd had en misschien beginnen te denken dat hij in Rome op een zijspoor was gemanoeuvreerd. Dus belde Denton uitsluitend met Amalia Bersi en Matthew Wilson en tergde hen mateloos, terwijl hij de rest van de tijd probeerde ideeën voor een nieuwe roman te krijgen. Af en toe ging hij naar de renovatie kijken om te zien hoe het was. Het was saai.

In de catacomben kwam een werkman met een baksteen bij zuster Marianne. Die bekeek ze dan zorgvuldig. Daarna zette ze er een potloodstreepje op en wees ernaar. Dan brabbelden zij en de werkman een half uur onbegrijpelijk in het Italiaans. Daarna ging het mannetje weer aan het werk en droeg de baksteen als een kroonjuweel, terwijl de non hem nakeek met een tevreden poezengrijns. Rare boel.

Op de begane grond, waar Gettier aan het werk was, had de professor weinig op met Dentons gesnuffel. De professor was niet echt oud, hooguit begin zestig, maar hij scheen de sikkeneurige houding te hebben aangenomen van een norse oude zak zonder geduld voor leken. Ook was hij veel meer aan het beleren dan gewoon aan het praten, wat het Denton onmogelijk maakte een relatie op te bouwen die hem naderhand van pas zou kunnen komen. Bovendien werd Denton er gek van altijd eerbiedig zwijgend naar de man te moeten luisteren of het gevaar te lopen iets te zeggen waardoor het gezicht van de man een hard afkeurend masker werd, omdat Gettier misprijzen toonde bij alles wat de mensen, behalve de non, zeiden, hoe banaal ook.

In de loop van de tijd realiseerde Denton zich, zonder er erg veel doorzicht voor nodig te hebben, dat zuster Marianne de enige persoon was die door Gettier aardig werd gevonden. De man deed ook belerend tegen haar, maar hij luisterde aandachtig naar wat ze te zeggen had.

Het was niet de non zelf die Gettier zover had gekregen, dat zag Denton wel. Het kwam omdat Gettier had verkozen haar aardig te vinden, wat Denton totaal niet begreep. Denton was, tegen beter weten in, veel mensen aardig gaan vinden in zijn leven. Roper, zijn vroegere baas van de Noord-Amerikaanse contraspionage, had hij echt een charmante vent gevonden. Natuurlijk had zijn genegenheid voor Roper hem er niet van weerhouden de man aan *60 Minutes* uit te leveren. Maar het een had niets te maken met het ander. Iemand mogen was voor Denton een reflex, geen bewuste beslissing. Voor Gettier lag dat klaarblijkelijk anders.

'Blijft u de hele dag naar me staren?' vroeg Gettier, die aan zijn tafel met papieren bezig was, zonder de moeite te nemen Dentons kant op te kijken.

'Ik kijk gewoon wat rond,' zei Denton, die wegliep met de vraag hoe hij die man voor zich kon winnen en zich tegelijkertijd afvroeg waarom hij in vredesnaam door die man aardig gevonden wilde worden.

Hij liep de trap af naar de catacomben, waar Marianne aan het werk was, en ging naast Chisholm staan die geduldig op wacht stond.

'En hoe is het om babysitter te spelen?'

'Lachen, gieren, brullen en naatje met een pet op,' zei Chisholm onverschillig, terwijl ze geen oog van Marianne afhield.

'Dat is een leuke,' zei Denton, die zijn zwarte boekje te voorschijn trok en de zin opschreef. 'Echt goed. Je zou moeten schrijven.'

'Gebruik je dat zwarte boekje eigenlijk echt?' vroeg Chisholm, zonder Denton aan te kijken.

'Natuurlijk,' zei hij, maar hij bedacht zich. 'Nou, nee, de laatste tijd niet vaak. Ik krijg maar geen ideeën voor mijn nieuwe roman.'

'Wat voor soort boeken schrijf je?'

'Spionageboeken,' antwoordde hij.

'Grapje, zeker,' zei ze, en keek hem even aan om haar woorden kracht bij te zetten. Of misschien om te kijken of hij stond te grijnzen. Nee, dus.

'Nee, echt waar. Ik schrijf spionageverhalen. Voor het extra geld. Je weet hoe het is bij de CIA – lange uren, miezerig loon, povere winst.'

'Zelfs zonder te kijken, kan ik zien dat je grijnst,' zei ze. Denton lachte.

Hij keek rond en hunkerde naar een sigaret, maar was gewaarschuwd dat hij in het souterrain niet mocht roken. Op dat moment verscheen Gettier tussen de steunbalken, op weg naar Mariannes tafel waar ze in rap Italiaans begonnen te praten.

'Wat is er?' vroeg Denton achteloos aan Chisholm, terwijl hij naar Edmund en Marianne keek, die er helemaal niet blij uitzagen.

Margaret, meer gewend aan de verveling van het wachten dan Denton, schudde haar hoofd en haalde haar schouders op. Dus liep Denton op de non en Gettier af.

'Is er iets aan de hand?'

Zuster Marianne keek naar Denton, toen naar Margaret en weer terug. Ze zuchtte. 'Meneer Denton...'

'Nicholas, alsjeblieft,' zei hij glimlachend.

Ze glimlachte terug, maar sprak tegen Margaret. 'We moeten naar kardinaal Barberi,' zei ze.

'Nu meteen?'

Marianne knikte en keek Edmund aan die ongelukkig knikte. 'Ja. Het is trouwens toch bijna lunchtijd. We hebben een ernstig probleem dat we met de kardinaal moeten bespreken,' zei ze tegen Denton en Chisholm.

'Oké,' zei Margaret.

Gettier en zuster Marianne zeiden tegen iedereen dat het lunchpauze was. Ze rolden een paar blauwdrukken op, pakten een van de laptop-computers en stapten naar de auto.

Tijdens de rit zat zuster Marianne voorin naast Margaret Chisholm, terwijl Edmund Gettier en Nicholas Denton achterin zaten. Denton probeerde de professor gladjes tot een oppervlakkig gesprek te bewegen, wat niet al te best lukte. De twee vrouwen babbelden maar door.

'En wat vond je ervan?' vroeg Marianne aan Margaret.

'Ik begrijp niet echt wat je doet,' biechtte deze op.

'We hebben de structureel verzwakte punten geanalyseerd, ons model vergeleken met de huidige staat. Weet je, het verbaast me hoezeer een model kan verschillen van de situatie zoals we die aantreffen. Dat is het probleem waarmee we nu zitten... de kardinaal zal woedend zijn.

'Waarom dat?' vroeg Margaret beleefd, en had bijna meteen spijt van haar vraag.

'Een van de steunbalken in het plafond is *veel* zwakker dan we dachten...' zei Marianne, dol op de ingewikkelde details van haar werk, waarover ze eindeloos doorging.

Bij een pauze in de monoloog zei Margaret, een tikje geamuseerd: 'Je klinkt alsof je echt geniet.'

'Dat is ook zo,' zei ze enthousiast, en ze streek over de computer op haar schoot.

Ze parkeerden de auto naast de Piazza Colomo, stapten op de zuidwesthoek uit en liepen langs de palen die de auto's uit de voetgangerszone weghielden. Het plein was vol mensen, die net als zij lunchpauze hadden. Terwijl ze over de keien liepen, baande een rij schoolkinderen die elkaar allemaal bij de hand hielden, met een onderwijzeres aan beide kanten van deze keten, zich een weg over het plein. Het waren hooguit eersteklassers, kinderen van vijf en zes op een schooluitstapje, die een slang over de piazza vormden.

Marianne liep een beetje voor de anderen uit en kreeg in de drukte de kinderen in het oog. Ze zwaaide naar hen in het voorbijgaan. De meisjes giechelden en sommige jongens deden verlegen. Maar de laatste jongen van de rij liet het staartstuk en de hand van de onderwijzeres los en maakte spottend een diepe buiging voor Marianne, een kleine wijsneus die liet zien hoeveel lef hij had. Marianne maakte even spottend een buiging terug, zelf een niet meer zo kleine wijsneus. Ze kon zien dat hij een lieve jongen was, een clown misschien, maar een goed kind. Hij was een goed kind, omdat hij lachte om het feit dat zij met hem spotte, hij was niet beledigd en giechelde en zwaaide naar haar alsof *zij* de clown was. Ook Marianne lachte tegen de glimlachende jongen, lachte blijmoedig in de zon. Toen ploften zijn hersens uit zijn schedel.

Het gebeurde zo snel. Zo snel. Elk levend, ademend menselijk wezen straalt een bewustzijn uit. Iedereen kent het. Het is onmogelijk om dit bewustzijn dat mensen van voorwerpen doet verschillen, niet op te merken. Een stenen toonbank heeft het niet. Een schaal vruchten ook niet. Zelfs een dier heeft het niet. Aan een dood dier ontbreekt iets, dat wel, iets dat op bewustzijn lijkt, maar dat anders dan dat van een mens is. Alleen mensen stralen dat uit.

Hoe donker het ook is, hoe stil ook, dat bewustzijn verraadt de aanwezigheid. Het gezichtsvermogen is beperkt. Het gehoor is wispelturig. Reuk misleidend. Tastzin ongebruikt. Maar het zintuig om de aanwezigheid van levende mensen te bespeuren... dat simpele, ene zintuig is de enige perceptie die altijd aanwezig is, altijd volmaakt en alert.

Toen het hoofd van de jongen ontplofte, verdween het bewustzijn van de jongen. Het gezicht van de jongen glimlachte nog toen zijn hersens werden weggerukt door de kogel uit de hemel en hoog over het plein werden geworpen alsof het niets was. Maar voor zuster Mariannes ogen was het wezenlijke, onloochenbare bewustzijn van de jongen veranderd.

Zijn ziel had hem verlaten. Dat was wat er zo snel was gebeurd. De levende, ademende menselijke ziel van de jongen had hem verlaten. Ze stond nog tegen hem te glimlachen toen ze zijn hersens zag ontploffen, omdat haar gezicht de snelheid waarmee het allemaal gebeurde, niet had kunnen bijhouden.

De onderwijzeres aan het uiteinde van de processie was de volgende die geraakt werd, in haar rug. Ze viel voorover op de grond terwijl overal om haar heen de mensen op het plein naar de lucht keken. Sommigen schreeuwden, sommigen wisten niet goed wat er gebeurde.

Zuster Marianne stond roerloos, terwijl de mensen om haar heen begonnen te sterven.

Van hen vieren was Chisholm de eerste die reageerde. Ze greep haar revolver uit haar tas en rende naar voren. Ze wist niet waar de kogels vandaan waren gekomen, maar ze concentreerde zich op de non.

'Rennen!' schreeuwde ze, terwijl ze zuster Marianne vastgreep en haar naar voren duwde en al zag waar ze veilig zouden zijn.

Ze waren van de zuidwesthoek het plein op gekomen om naar de oostkant te lopen waar het appartement van kardinaal Barberi was. Ze waren niet al te ver van beide westhoeken van de piazza, maar dichter bij de oosthoeken. Maar daar, in het noordoostelijke stuk van het plein, zag Chisholm mensen, door kogels geraakt, vallen. Sommigen probeerden aan de schietpartij te ontsnappen via de doorgang bij de hoek. Lichamen sloegen tegen de onbeweeglijke palen die het plein tegen auto's afschermden. Maar velen werden gedood, een enorme hoeveelheid bloed stroomde uit de lichamen, alsof ze waren gedood met kanonskogels.

Maar bij de zuidoosthoek kwamen de mensen ongedeerd weg, dus schoof Chisholm de non die kant op. Ze draaide zich snel om en keek naar Denton en Gettier, die vlak achter hen liepen. Denton duwde de professor vooruit zoals zij met de non deed. Chisholm wierp een blik naar de zuidoosthoek, hooguit dertig meter verderop, en rende eropaf. Dat deel liep leeg, iedereen rende door een smalle drie meter hoge stenen overwelfde gang, die eruitzag als een toegang naar een gebouw, een soort pseudo-gotische ingang.

Het geluid was ongelooflijk. Het was een oorverdovend vuren, zo hard dat de richting van de schoten gemakkelijk vast te stellen leek te zijn. Maar dat was niet zo. Toen Chisholm omhoogkeek naar de platte daken rond de piazza, kon ze geen enkele geweerloop zien en ook niet horen waar het schieten vandaan kwam, aangezien de echo aan alle kanten van het plein werd weerkaatst. En overal vielen de kogels neer.

De kogels kwamen van de daken. Op de daken aan de westzijde van de piazza stonden vier mannen uit Valladolid geduldig kogels af te schieten. Ze lagen op hun buik met hun geweer vast in de aanslag, te schieten. Zij waren het die de schoolkinderen hadden beschoten. Zij beschoten de onschuldige voetgangers die naar de noordoosthoek van de piazza liepen. De mannen uit Valladolid hadden orders om iedereen op het noordelijke deel van het plein te doden, en dat was wat ze deden. Ze hadden geen idee waarom.

Chisholm zag dat ze de overwelfde gang in de zuidoosthoek kon halen, waar niemand leek te worden beschoten. Toen de non en zij er nauwelijks vijftien meter vandaan waren, draaide ze zich om. Denton en Gettier raakten achter.

'*Rennen!*' schreeuwde ze overbodig, wat ze wel besefte maar ze was niet in staat hen te helpen. Ze rende verder met de non.

Achter hen, bij de zuidwesthoek van de piazza waar ze vandaan waren gekomen, begonnen er nu ook mensen dood neer te vallen, vier van hen snel achter elkaar. Hersenen en lichamen barstten open als geplette druiven. Denton en Gettier renden sneller, naar het oosten, weg van het bloedbad.

De kogels in de zuidwesthoek kwamen van de daken aan de noordkant. Gallardo en een van zijn mannen uit Valladolid lagen, in sportkleren gekleed alsof ze naar de sportclub gingen, plat op de grond. Zij waren geduldig bezig met het doden van de mensen in de zuidwesthoek door met hun geweer langzaam van west naar oost te maaien. Ze doodden iedereen die zich bevond achter de non, de roodharige vrouw, de blonde man en de grijsharige man, die – als op commando – naar de overwelfde boog in het zuidoosten renden.

'Doelwitten naderen maximale positie,' zei Gallardo in een kleine radio die om zijn hoofd zat gegespt. De laatste technologische snufjes om de juiste mensen te doden.

'Goed,' zei Sepsis. Ook hij lag op een van de daken, aan de zuidkant van het plein. Maar hij mikte niet op de mensen op het piazza. Hij mikte op de plaats waar de non en die Chisholm binnenkort zouden verschijnen.

De Piazza Colomo was min of meer vierkant. Op drie van de hoeken kwamen straten uit. Maar de vierde hoek, de zuidoosthoek, had die hoge, smalle overwelfde gang naar een smalle voet-

236

gangersstraat die van het noordoosten naar het zuidwesten liep. Dat straatje en de zuidkant van de piazza omgaven een driehoekig gebouw met een unieke geveltrap. Vanaf zijn positie mikte Sepsis op het straatje, waarlangs de mensen in paniek van het plein wegrenden. Binnenkort zouden de doelwitten – zijn doelwitten – door dat smalle straatje rennen, regelrecht op hem af. En Sepsis zou zijn slachtoffers kiezen en zich overgeven aan het ideaal van de metamoord.

Chisholm rende over de piazza en duwde de non voort als aansporing om harder te rennen, met Denton en Gettier achter zich aan. De vier mensen waren nog maar een paar meter van de doorgang en de veiligheid erachter verwijderd.

Alicia was met haar vriendinnen. Ze was zes. Ze stond stil, terwijl iedereen begon te lopen. Ze had een vrolijke bloemetjesjurk aan. Ze keek rond naar de rennende mensen. Ze begon in paniek te raken, maar wist niet goed waarom. Toen keek ze om de een of andere reden langs haar jurk omlaag. Haar linkerschoen zat op de plaats waar hij moest zitten, maar haar rechtervoet was weg.

Als een torenhoog beeld van een beroemde Goliath keek het schoolkind Alicia naar haar voeten toen ze achterover op haar billen viel en haar jonge lijfje op de keistenen ketste. Maar ze viel niet op haar rug. Ze bleef zitten en voelde zich dom, als een driejarige die nog niet zo goed heeft leren lopen. Maar geen moment verloor ze haar voeten uit het oog. Ze fronste tegen haar voeten en merkte op dat haar linkervoet zat waar hij hoorde en recht voor haar uit stak. Maar haar rechtervoet lag op zijn kant, verder weg dan hij hoorde te zijn. Hij was van de rest van haar lichaam gescheiden. Alicia raakte haar dijen aan en streek met haar handen langs haar benen. Maar toen ze bij haar knieën kwam, was de rechterknie weg. Ze boog zich voorover en probeerde haar geamputeerde been te grijpen.

'Ze komen bij de doorgang aan,' zei Gallardo toonloos. Sepsis telde de seconden in zijn hoofd. Hij had uitgerekend dat het drie seconden kostte om de gang door te lopen en in maximale doelwitpositie te komen.

De vier bereikten de doorgang met de laatste groep voetgangers die zich in veiligheid brachten terwijl ze op de piazza nog steeds werden achtervolgd door een eindeloze kogelregen. De doorgang was vier meter lang, het uiteinde boog scherp af naar rechts, in een diagonaal, zo uitnodigend als Chisholm nog nooit had gezien. Ze zou er binnen een seconde doorheen zijn gerend, maar de non bleef halverwege de doorgang stokstijf staan.

'Stop!' schreeuwde de non, terwijl Denton en Gettier de doorgang in kwamen.

'*Rennen! – rennen! – rennen!*' schreeuwde Chisholm, die haar bij de arm greep en meetrok.

'Nee,' zei de non, die zich losrukte en zich omdraaide om naar het plein te kijken.

Sepsis was klaar met tellen en nog steeds was er geen doelwit. Maar hij was geduldig en hij begon nog eens drie seconden af te tellen die hij voor hen had uitgetrokken.

'Wij kunnen ze niet zien, jij wel?'

'Ik weet het, ik weet het, ze zijn in de blinde hoek van de doorgang.'

Zuster Marianne stond stokstijf in de doorgang en keek over haar schouder naar de piazza waar de mensen nog steeds stierven onder de kogelregen.

Dit moest het zijn. Dit moest het moment zijn. Ze had zichzelf altijd voor de gek gehouden. Ze had altijd gedacht dat het een geleidelijke, stijgende afrekening zou zijn, de betalingen voor de vreugde over het leven dat ze leidde. De dagen van lesgeven, de nachten van research plegen, de opoffering van een leven zonder eigen kinderen, het opgeven van een familie van wie de leden haar bij intieme koosnaampjes noemden – die dingen had ze opgegeven met de gedachte dat het de echte en ware offers waren voor het leven dat ze leidde. Maar het waren geen offers geweest, en dat wist ze. Haar leven als non, dat anderen zo moeilijk leek, was een zegen, een prijs, een geschenk voor Marianne. Het was de reden waarom er altijd, achter het scherm van haar leven, de zekerheid – de vrees – het *weten* was geweest dat op een dag de echte rekening zou komen om de ware offers voor het volmaakte leven dat ze leidde te bepalen.

Dit moest het zijn.

'*Waar wacht je op, rennen rennen RENNEN!*' schreeuwde Chisholm.

Marianne nam een besluit. Ze rende regelrecht naar de piazza, de arena waarin ze de prijs zou betalen die ze schuldig was voor het leven dat ze had gehad.

Denton, Edmund Gettier en Chisholm waren zo verbijsterd dat het niet bij hen opkwam om Marianne vast te grijpen toen ze uit de doorgang naar de piazza schoot. Maar de mannen uit Valladolid zagen haar de piazza op rennen. Gallardo riep Sepsis op.

'Ze loopt terug het plein op,' zei hij in zijn verbazing hardop.

'Ik zie haar,' zei Sepsis, die zijn geweer al terugtrok van het straatje en met zijn ellebogen zich al een weg baande naar de rand van de zuidkant van het piazza om beter zicht op de rennende non te hebben.

Een paar achterblijvers op de piazza bereikten de veiligheid, gezonde mannen en vrouwen die nog steeds in het spervuur liepen en zich verspreidden via de kruisingen op de hoeken. De moedigen, of misschien de bangeren, drukten zich tegen de deuren van de huizen rond het plein. Sommigen bonsden in hun radeloosheid op de deuren om in vreemde huizen binnengelaten te worden en zo aan de schietpartij te ontkomen. Anderen bleven eenvoudig in de deuropening staan, verstijfd van angst kijkend naar de dood voor hen. Niemand dacht eraan de gewonden en de stervenden te helpen. Niemand dacht eraan om iemand te redden, behalve het eigen vege lijf. De enige bewegende persoon op het hele plein was Marianne.

'Ik heb haar onder schot,' zei Gallardo kalm.

'*Niet* op de non schieten, ik herhaal *niet* op de non schieten. Als je die roodharige vrouw ziet, moet je haar ter plekke neerschieten. Maar de non is voor mij.'

Over het plein verspreid lagen ongeveer twintig mensen dood op de hobbelige keien. Een paar kinderen van de schoolgroep leefden nog en zaten midden op het plein te huilen, te bang om zich te bewegen. Er was maar één gewonde volwassene. Hij was beursmakelaar en zijn werkdag zat erop. Hij was op weg geweest naar een late lunchafspraak. Hij was de enige levende volwassene op de piazza. De rest was dood. En nog steeds vuurden de mannen uit Valladolid hun kogels af en doorboorden met hun knallen het geschreeuw van paniek, angst en pijn van de onschuldigen.

Marianne rende recht het plein over. Haar normale menselijke zintuigen waren verward en tegenstrijdig. Ze voelde met een volkomen zekerheid een licht en glanzend iets dat zich een stuk verderop bevond. Ze had geen idee op wie of wat ze af rende tot ze er bij was, een schoolkind met een been dat een bloederige misselijkmakende brij was. Daar knielde zuster Marianne neer, met haar rug naar Sepsis toe.

Ze zat stil, op vijftig meter en knielde zonder zich te bewegen. In zijn telescopische vizier zag hij niets anders dan het zwart van haar habijt dat de achterkant van haar hoofd bedekte. Uitgesloten dat hij mis kon schieten. Vanuit de rechter onderkant van zijn vizier kwam de witte lange hand van de non omhoog en greep het habijt. Met haar rechterhand trok ze de zwarte doek van haar hoofd, de haarspelden vlogen in het rond en de gesteven witte haarband sprong weg en viel op de grond.

Sepsis had geen idee van wat ze deed, maar hij bleef nieuwsgierig toekijken. Hij probeerde tot een besluit te komen: haar lichamelijk doden of, een grotere uitdaging, haar ziel doden, metamoord begaan. Spannende beslissingen.

Marianne greep twee punten van het vierkante kleed en draaide ermee als met een springtouw. Ze fluisterde tegen het meisje.

'Ssst... sssst...' Ze voelde geen angst. Niet eens gelatenheid.

Alicia hield op met haar hand naar haar verloren been uit te steken en keek op naar de non. Ze had nog nooit een non haar kap zien afnemen. Ze stak haar hand uit om haar haar aan te raken, maar raakte het gezicht van de non. De non glimlachte tegen haar en bleef met haar hoofddoek draaien alsof ze touwtje wilde springen.

'Wat doet u?' meende Alicia zichzelf te horen vragen. Haar afgehakte been was ze vergeten en ze voelde zich kalm door de rust van de non.

Marianne zei niets, glimlachte tegen het meisje en keek naar het geamputeerde been. Het been bloedde niet zo erg als zou moeten, vanwege de shocktoestand. Het been hoestte alleen maar korte, krampende straaltjes bloed. Ze legde het gedraaide hoofddoek onder de bloedende stomp, vijf centimeter boven de wond en knoopte de uiteinden heel strak vast met een gewone knoop.

Alicia keek achterom naar het afgeschoten been en stak er nogmaals haar hand naar uit, maar de handen van de non zaten in de weg. Toen hield de non op met knopen, en *deze* keer, zo wist Alicia zeker, zou haar hand bij het been kunnen komen.

Marianne pakte het meisje op dat niets woog. Moeizaam, het leek een eeuwigheid te duren, slaagde ze erin overeind te komen om naar de blinde hoek te rennen.

Alicia liet zich zonder tegenspartelen door de non optillen. Maar ze voelde een droefheid die ze in haar jeugdigheid niet kon uiten toen ze over de schouder van de non toekeek hoe ze haar been achterlieten. 'We vergeten mijn been,' zei Alicia, of ze meende het te zeggen. Ze wilde haar been hebben, maar ze wilde niet terug. Dus greep ze de zuster heel stevig om haar nek en keek toe hoe het been uit het gezicht verdween.

Sepsis bezag dit alles door zijn telescopisch vizier. Hij mikte op een plek achter de non, vuurde een enkele kogel af en keek toe hoe die tegen de keien achter haar sloeg en een witte rooksliert achterliet. Daarna richtte hij op een punt vóór het hoofd van de non, schoot weer één kogel af en miste opzettelijk. Beide kogels floten zo dicht langs het hoofd van de non, dat Sepsis zeker was van haar reactie. In elkaar krimpen, struikelen, het kind laten vallen of in doodsangst schreeuwen. Maar dat gebeurde niet. Het enige dat de non deed, was zonder aarzeling en zonder vrees over de keistenen rennen.

'Ah, zuster,' zei Sepsis glimlachend, terwijl hij haar door zijn telescopisch vizier bekeek en de non volgde tot ze in de blinde hoek verdween. Hij was geduldig. Hij wist dat ze terug zou komen.

'Stop!' schreeuwde Margaret, toen Marianne bij hen aankwam. Margaret stak haar armen uit om Marianne te grijpen en haar vast te houden in de dekking van de blinde hoek. Maar Marianne gaf haar het schoolkind Alicia, dat nog steeds verwezen keek naar de plek op de piazza waar ze haar been had achtergelaten.

'Stop!' schreeuwde Margaret Marianne achterna, toen die uit de veiligheid van de blinde hoek naar de piazza terugrende. Margaret zette het kind neer en stapte uit de dekking van de doorgang om Marianne te volgen. Onmiddellijk floten de kogels om haar heen en deden haar terugspringen in de veiligheid van de doorgang. Snel inspecteerde ze zichzelf, wetend dat ze niet was geraakt, en staarde naar de lege piazza en naar Marianne.

Ook Sepsis keek toe hoe de non nogmaals vanuit de dekking het plein op rende. Maar deze keer werd hij door iets overvallen. Sepsis voelde geen minachtende bewondering meer. Door zijn armen en benen stroomde angst, wat hem een fractie van een seconde duizelig maakte.

De non zou niet stoppen. Dreigementen, pijn, folteringen,

ogenschijnlijk noodlottige, dodelijke aanslagen – niets zou haar tegenhouden. Sepsis kon haar lichaam doden, ja, dat stond buiten kijf. Maar het was uitgesloten dat hij haar kon doden op de manier die hij wilde. Met een metamoord zou hij haar niet tegenhouden. Hij keek door zijn telescopisch vizier en richtte trefzeker op haar hoofd, maar zijn lichaam was als verlamd.

Sepsis was bang voor de non.

Marianne wist niet waar ze heen ging, wie ze moest redden. Ze rende gewoon de piazza over, zonder te zien waar ze liep. Ze gleed uit en struikelde over de zoom van haar habijt en viel op de keien. Bijna onmiddellijk schoot ze weer overeind en keek naar de grond. Haar zintuig zei haar waar ze heen moest, het zintuig verkende de hele piazza en leidde haar naar de zielen die nog leefden, terwijl ze om zich heen zwarte puntjes voelde, lichamen van zielen die verdwenen waren.

Ze rende naar rechts, weg van Sepsis en naar het gebouw waarop Gallardo en zijn assistent lagen. Sepsis volgde haar met zijn vizier, nog steeds verlamd door zijn vrees voor de non.

De twee kinderen op de grond voor haar kon ze niet zien noch horen. Ze schreeuwden luidkeels in paniek, doodsnood, zesjarige kinderen die door mensenhand omver waren geworpen. Het enige dat ze voelde was een felle vurige emotie, een zekere wetenschap dat ze er waren en zich in doodsangst aan elkaar vastklampten. Ze greep beiden om hun middel, een kleine jongen en een klein meisje, nam ze ieder onder een arm en rende terug naar de blinde hoek.

Door zijn vizier kon Sepsis haar korte haar, onmodieus en happerig afgeknipt, zien wapperen. Langzaam, met tegenzin, bewoog hij het dradenkruis over zijn gezichtsveld, richtte het op doelwit zuster Marianne en volgde haar. Uitgesloten dat hij mis kon schieten. En terwijl het geschreeuw wegstierf en de lichte cordietgeur als door een bries oploste, terwijl alles zich toespitste op het moment van de actie, nam Sepsis zijn besluit niet uit zelfverzekerdheid, maar uit angst.

'Vaarwel, zuster,' zei hij zacht.

Hij haalde de trekker over. Hij zag hoe de kogel zich uit de loop van zijn geweer boorde, één enkele zwarte stip die kleiner en kleiner werd in zijn vlucht naar beneden, volmaakt bestemd voor haar hoofd. En toen verdween haar hoofd.

Er zat iets fout. Hij kreeg niet dat gevoel zoals na de Canadese politicus. Geen gevoel van voltooiing, geen suizende luchtledigheid die trok en floot als de zwarte leegheid van de ruimte. Er was iets waar niets had moeten zijn en hij zag, op de keien beneden, een korte rooksliert door zijn telescopisch vizier. Sepsis haalde zijn oog van het vizier en keek omlaag naar de piazza.

De non lag languit voorover op de grond, terwijl ze de twee kinderen nog stevig om hun middel had, die beiden tegenspartelden en kronkelden van de pijn en de paniek en het lijk van de non deden bewegen. Maar het was geen lijk. De non kwam op een knie overeind en schoot naar voren, bijna te ver naar voren, wat haar vaart gaf terwijl ze doorrende naar de veiligheid van de blinde hoek. Ze leefde en ademde weer alsof geen kogel haar had geraakt. Ze was niet geraakt.

Ze was uitgegleden. Dat was alles. Ze was gevallen. Het gladde leer van haar harde schoenen was uitgegleden op de keien en had haar op de grond geworpen toen de kogel over haar hoofd floot. Haar God had een soort klein wonder laten gebeuren – niet om haar te redden, nee – om hem te kwellen.

'*Scheisse...*'

Een duistere woede overspoelde hem, doorstroomde hem, een haat die zo verfijnd en zijdeachtig glad was als melk die over een brandend hart wordt gegoten, en ontdeed zijn geest van elke gedachte of bewustzijn. Het was de razernij tegen een wrede vader, die spot en hoont en voor zijn eigen genoegen kwelt en overdondert. Sepsis zette zijn oog weer terug aan het vizier. Zijn woede en frustratie maakten hem beverig en hij draaide aan de telescopische lens, nam een eeuwigheid om zijn doelwit terug te vinden, gewoon een doelwit, ja, niets dan een laag soort onderkruipsel dat nog nooit van zijn ellendige leven een wapen had gedragen. Geen serieuze bedreiging of kracht die respect afdwong.

Marianne rende. Voor zich uit zag ze nauwelijks de blinde hoek waar Edmund, Margaret en Denton ineengedoken zaten. Maar het was Denton die op haar af kwam rennen, de tien korte meters van de blinde hoek aflegde en een van de kinderen van Marianne overnam.

'Rennen!' schreeuwde hij hysterisch in haar oor. Zelf rende hij naar de veiligheid van de blinde hoek met het kind in zijn armen, het kleine meisje dat schreeuwend spartelde in paniek en doodsangst.

Ze was verdwenen. Sepsis kon haar niet meer zien. De non was in de blinde hoek.

'We kunnen haar niet meer zien,' kwaakte de stem in zijn oordopje.

'Hou verdomme je bek,' mompelde hij geduldig, wachtend tot ze weer zou opduiken, toen het geluid van naderende sirenes zijn aandacht afleidde.

Op de blinde hoek liet Marianne het kind dat ze vasthield, bijna vallen, zo snel draaide ze zich om om de piazza weer op te lopen.

'Nee!' schreeuwde Chisholm, die haar met al haar kracht vastgreep en tegen de harde stenen muur duwde.

Marianne vertrok haar gezicht van de pijn vanwege de harde duw en werd zich van haar omgeving bewust. 'Ik moet terug, *ze gaan dood, ik moet terug!*'

'Stop! – Stop! – Zo is het genoeg.'

'*Ze vermoorden ze!*' schreeuwde Marianne hysterisch tegen het geduldige gezicht van Margaret.

'Maar erheen rennen om ook te sterven, zal niets helpen,' zei ze, terwijl ze Marianne tegen de muur bleef drukken.

Gettier sputterde, evenzeer in paniek als iedereen. 'De politie is er, je hebt genoeg gedaan.'

En daar was inderdaad de politie. Drie gepantserde politiebusjes arriveerden bij de noordwesthoek van de piazza. Vanwege de metalen palen konden de busjes het plein niet op, dus stroomden de politiemannen uit de achterdeuren van de gierende, toeterende busjes vol zwaailichten.

Met machinegeweren en een zwart kogelvrij vest over hun lichtblauwe overhemd, renden de politiemannen het plein op, richtten hun geweren naar de daken en probeerden de sluipschutters te ontdekken. Op het plein zelf waren de doden en de gewonden de enige liggende mensen. De man met het dure pak aan kroop stuurloos over de keien. Het lijk van de onderwijzeres lag er roerloos bij, al wapperden haar kleren in de wind.

Sepsis zag de politie, maar wachtte nog steeds.

'We moeten weg,' kwam Gallardo's stem in zijn oor.

'Nog niet,' fluisterde hij.

'De politie is er,' hield Gallardo aan.

'Nou en?' zei Sepsis achteloos. Om zijn woorden kracht bij te zetten, zwaaide hij met zijn geweer en vuurde vijf kogels af op het hoofd van vijf verschillende politiemannen, waarmee hij hen alle vijf doodde.

De politiemannen vlogen alle kanten op om dekking te zoeken tegen de zijkanten van de gebouwen rond de piazza, schreeuwden in angst en paniek tegen elkaar en wezen naar de daken om hen heen.

'Het zijn maar politiemannen,' mompelde hij, gekalmeerd door het luchtledige gevoel dat de dood van de vijf mannen hem had gegeven. Hij was gekalmeerd maar nog niet bevredigd. Alleen de non kon hem dat gevoel bezorgen. Hij installeerde zich weer bij de opening van de blinde hoek om te wachten tot de non nog een keer naar buiten kwam, terwijl de begeerte, aangewakkerd door zijn angst, groeide.

Ze zou naar buiten komen. Hij wist dat ze naar buiten zou komen. Haar gezicht, de manier waarop ze had gekeken, beloofde dat ze naar buiten zou komen. Die belofte was de reden waarom hij bang voor haar was en waarom ze dood moest, afspraak of geen afspraak.

Een van de politiemensen die recht onder Sepsis stond, laadde hysterisch zijn traangaswerper en vuurde naar het dak aan de overkant van de piazza, tien meter van Gallardo en zijn man vandaan.

'Ze gebruiken traangas,' was alles wat Gallardo zei, kalm en beheerst, heel anders dan de schreeuwende, hese voetbalfan van een paar dagen geleden. Een echte professional, dacht Sepsis, en over het plein heen keek hij naar hem zonder de loop van zijn geweer van het doelwit, de opening van de doorgang, weg te halen. Het gas schuimde van een plek links van de mannen. De wind waaide het de andere kant op, zodat ze er geen last van hadden.

'Blijf op je post,' zei Sepsis.

Een volgend traangaspatroon vloog het dak op, en dit belandde bijna boven op Gallardo en zijn man, Barahona. Kalm, maar zonder aarzeling, zette Barahona zijn geweer neer, greep het traangaspatroon en gooide het terug naar het plein.

'Verdomme,' zei Sepsis. Het was een slimme zet geweest van Barahona om dat patroon terug te gooien. Het stootte rook uit als een betrouwbaar machientje en benam de politiemannen het zicht. Maar het benam eveneens het zicht van Sepsis en de Valladolid-mannen, aangezien de wind naar rechts blies, naar het oosten, naar de doorgang, die omhuld werd.

'Kelere,' zei Barahona zachtjes. Hij realiseerde zich zijn fout toen het plein vol rook stond.

Nooit zou Sepsis weten of hij het uit voorzichtigheid of uit angst voor de non zei. Hij deed zijn ogen een seconde dicht en begon toen in de zender te praten. 'Terugtrekken,' zei hij ten slotte.

'Kelere!' zei Barahona nog een keer.

'Over precies drie uur op de afgesproken plaats.'

Sepsis rolde weg van de dakrand, zorgde er daarbij voor dat hij niet omhoogkwam en een doelwit zou vormen, rukte zijn oordopje uit, haalde zijn geweer uit elkaar en schoof de delen tussen de smerige, bezwete kleren van een grote sporttas die hij had meegebracht. Hij keek naar de daken aan de overkant, maar de Valladolid-mannen waren al weg. Goed zo.

Hij had zin om naar de rand van het dak te gaan en omlaag te kijken of hij de non kon zien. Maar Sepsis was geen dwaas, dus beheerste hij zich en liep over het dak naar de dienstingang die naar binnen leidde. Hij ging niet omlaag kijken, omdat hij wist dat hij niets zou zien, niet vanaf de plek waar hij stond. Maar hij mompelde: 'Volgende keer, zuster,' terwijl hij de knop van de deur greep. Hij wilde zo graag iets vernietigen – wat dan ook – misschien nog een paar smerissen doden – maar in plaats daarvan deed Sepsis zorgvuldig de deur achter zich dicht, liep de trap af en was weg.

Beneden in de doorgang dreef het traangas rond als een kwaadaardige gele wolk en omhulde Margaret en Marianne, die er nog steeds stonden. Margaret drukte Marianne nog steeds tegen de muur.

'Traangas,' zei Denton, die zijn gezicht met een zakdoek bedekte en een andere zakdoek aan Edmund Gettier gaf.

'Niet bewegen,' zei Chisholm tegen Denton en Gettier zonder haar blik van Marianne af te wenden. 'Ze schieten je neer als je gaat rennen, vanwege het gas.'

Marianne stond moedeloos te huilen. Ze worstelde niet, verslagen door Margaret en de waarheid die ze was gaan beseffen. Ze had geen angst gekend op de piazza. Geen spijt, noch verdriet. Die wetenschap deed haar begrijpen dat ze de hele verschrikkelijke prijs van haar leven nog te betalen had.

Tegen de tijd dat de politie de daken rond de piazza had afgezet, waren Sepsis en de mannen uit Valladolid allang weg.

ELF | Gewoon een bureaucraat

'Daar, daar,' zei Lorca, naar het scherm wijzend.

Margaret stapte uit haar stoel, ging op haar knieën voor het televisietoestel zitten en keek naar het stilgezette beeld. Te zien waren vier geweerlopen, die aan het uiteinde dikker waren, alsof ze met geluiddempers waren uitgerust.

'Wat zijn dat voor dingen?' vroeg ze kalm, en ze wees naar de dikkere uiteinden.

'Geluiddempers?' nam Lorca aan, met een blik naar Denton.

'Nee, we hoorden ze luid en duidelijk,' zei Denton behoedzaam. 'Het kwam door het *geluid* van die schietpartij dat iedereen in paniek raakte.'

'Ik denk dat het versterkers zijn,' concludeerde Margaret ten slotte. 'De kogels waren zeven punt zes tweeërs? Ik verwed er alles onder dat die dingen versterkers waren, waardoor een zeven punt zes twee klinkt als een vijfenveertig.'

Voor hij de kans had te bedenken wat hij zou zeggen, vroeg Denton: 'Waarvoor dat?' Hij beet op zijn lip toen de vraag hem ontschoot, maar de vraag was onschuldig genoeg.

'Versterkers? Om mensen bang te maken, te laten weten dat er op hen wordt geschoten,' zei Chisholm peinzend naar het scherm starend. 'Oproerpolitie is er *gek* op. De mensen krijgen het er doodsbenauwd van.'

Dat wist Denton niet. Hij stak een sigaret op, terwijl een van de miljoen jaar oude bedienden van de villa thee en sandwiches bracht en het grote blad op de tafel van de werkkamer zette, waar ze gedrieën zaten. Margaret besefte verbaasd dat ze uitgehongerd was, al was het nog maar nauwelijks het begin van de middag. Zwijgend pakten Margaret, Denton en Frederico Lorca hun koffie en thee op en bedankten de vrouw, die glimlachte en wegschoot.

Margaret knielde weer voor de televisie neer, gehypnotiseerd door het beeld, het enige duidelijke shot van de schutters. Maar door de hoek van het shot was het uitgesloten dat een van de vier schutters kon worden geïdentificeerd. 'Wat voor kogels heb je gevonden?' vroeg Margaret.

'Glasers,' zei Lorca kalm.

Margarets ogen gingen wijdopen en ze draaide zich naar hem om. 'Veiligheidskogels?'

'Ja,' zei hij.

Margaret floot lang en zachtjes en draaide zich weer om naar het scherm. Glaser-veiligheidskogels zijn kogels die veel lijken op potloodgummetjes. Van binnen hebben ze kleine balletjes die in vloeibare Teflon drijven. Tijdens de inslag exploderen ze en rijten het vlees open als een geweerkogel, alleen veel meer gelokaliseerd. Ze worden veiligheidskogels genoemd omdat ze niet terugketsen en ze niet door kogelvrije vesten van goede kwaliteit heen kunnen. Ze worden al een aantal jaren officieel niet gemaakt, maar op de zwarte markt kosten ze wel vijftien dollar per kogel. Glasers worden 'aardwormdoders' genoemd, omdat ze alleen maar goed zijn om burgers te doden. 'Geen wonder', zei ze, nog steeds starend.

'Geen wonder wat?' vroeg Denton onmiddellijk, en vervloekte zichzelf alweer omdat hij zijn vraag niet had overdacht alvorens die te stellen.

Maar Margaret gaf hem prompt antwoord. 'Geen wonder dat

die kogels zoveel schade hebben aangericht. Alleen een Glaser of een kaliber twintig op korte afstand kan een arm of been amputeren.'

Ze kwam overeind en ging weer aan tafel zitten. 'Wordt deze video openbaar gemaakt?' vroeg ze terloops, terwijl ze een kalkoen-ham-sandwich met afgesneden korst oppakte.

'Voorlopig niet,' zei Lorca, 'maar de advocaten van de man ondernemen al stappen om de film terug te krijgen.'

'Dit is niet de enige kopie,' vroeg Denton alsof hij iets vaststelde, zo behoedzaam alsof hij naar mijnen zocht.

'Nee, het origineel en twee andere kopieën liggen achter slot en grendel. *Deze* vier' – Lorca gebaarde naar het scherm -'waren hier,' ging hij verder, en hij draaide met zijn stoel en wees op een plattegrond van de Piazza Colomo. 'Help me even met het blad, wil je?' vroeg hij aan Margaret. Samen schoven ze het weg om de gehele plattegrond te bekijken.

'Hier,' wees Lorca, 'hebben we tweehonderdvijfenzeventig gebruikte hulzen gevonden. *Hier* hebben we er honderdnegen gevonden,' zei hij, en hij wees naar de zuidwesthoek van het plein. 'En *hier* maar twaalf.'

'Ik wed dat die twaalf van Sepsis zijn,' zei Margaret, die kauwend een blik op de plattegrond wierp.

'Dat denk ik ook,' zei Lorca. 'Ik neem aan dat het zo is gegaan: die vier hebben die tweehonderdvijfenzeventig afgevuurd. De video heeft geen shot van dit punt hier, maar ik denk dat daar twee man waren die honderdnegen schoten hebben afgevuurd. Sepsis was kennelijk ter plaatse, daar zijn we het toch over eens?' Denton en Margaret knikten zonder van de plattegrond op te kijken.

Lorca sloeg twee keer op tafel, waardoor Denton en Margaret verbaasd naar hem opkeken, terwijl hij ging zitten. 'Als wat ik zeg waar is, dan snap ik er niets van.'

'Wat niet?' vroeg Denton.

'Die Sepsis – neem me niet kwalijk, ik ben blij dat jullie allebei in leven zijn, maar de waarheid is dat hij jullie allebei én zuster Marianne én professor Gettier moeiteloos had kunnen doden. Zes man plus Sepsis, een van de beste schutters ter wereld, die allemaal Glasers gebruikten – hij had jullie allemaal heel gemakkelijk kunnen laten doden. Wees alsjeblieft niet gegriefd…'

Denton wilde bijna iets zeggen, maar hield zijn mond dicht.

250

'Ego,' onderbrak Margaret, die het antwoord afleidde uit de weinige dingen die ze wisten.

Denton had toen bijna iets gezegd, zijn reflexen wilden commentaar leveren in de trant van: 'Wat voor lulkoek sla je nu uit?'. Maar voordat het eruit was, vermande hij zich. Het enige dat hij zei was een benepen 'Hm?'.

'Frederico, weet je nog twee jaar geleden? Die Canadese politicus?'

'Moncrieff, ja natuurlijk,' zei hij. 'Het schot vanaf duizend meter – aaaah…' zei hij, haar begrijpend. 'Jullie allemaal doden zou te gemakkelijk zijn.'

'Precies,' zei Margaret, en ze zweeg even om na te denken. 'Maar toch blijft het onduidelijk,' ging ze verder, kauwend op een andere sandwich. 'Toen ze…' zei Margaret met een voorwaartse hakbeweging van haar hand, als een karateslag, 'lange tijd een makkelijk doelwit was. Maar hij heeft niet geschoten. Hij had kunnen schieten, maar heeft het niet gedaan.'

Daarover bleven de drie piekeren totdat Chisholm haar tweede sandwich op had en verder ging. Ze nam het over.

'Oké, tot dusver hebben we alleen maar een gezicht en één naam. De vervalser is dood. Er zaten *geen* vingerafdrukken op de hulzen, hè?'

'Nee,' zei Lorca, die oprecht bezorgd zijn hoofd schudde.

'Ballistische rapporten komen…?'

'Over twee dagen, spoedopdracht.'

'Oké, twee dagen, maar ik wed dat ze niet met iets echt bruikbaars aankomen. We kennen zijn gezicht en we weten dat hij de naam Tirso Gaglio heeft gebruikt. Suggesties?'

Denton grijnsde tegen Chisholm. 'Ik heb het gevoel dat jij er vol mee zit,' zei hij, en trok een pijnlijk gezicht om de idiotie van zijn eigen opmerking.

Maar Chisholm wiegde slechts met haar hoofd. 'Ja, dat klopt, ik heb suggesties. Als Sepsis iets, wat dan ook, hier in Italië met die Gaglio-identiteit doet, is er een goede kans dat we hem kunnen opsporen.'

'We hebben de officiële archieven en databases gecontroleerd,' zei Lorca.

'Daar twijfel ik geen moment aan, maar laten we particuliere databases bekijken – banken, de elektriciteitsmaatschappij, water, telefoon, gas, wat nog meer?'

'Autoverhuurbedrijven, bussen… Dus alle particuliere organisaties,' zei Lorca, die erg bedrukt leek. 'Het kost tijd om de nodige bevoegdheid te krijgen.'

'Wat is er?' vroeg Margaret hem, en ze legde haar hand op zijn arm.

Lorca zette zijn koffiekopje neer, stak een sigaret op en staarde terug naar Margaret. 'Er is veel druk om Sepsis en zijn trawanten te arresteren, politieke druk. Een paar dode politiemannen is één. Dode schoolkinderen is iets heel anders.'

'Is de hoogste autoriteit boos?' vroeg ze.

'Hoogste autoriteit? Ja, de hoogste autoriteit is boos, boos dat we Sepsis niet hebben gearresteerd bij de vervalser, boos op mij en mijn afdeling dat we niet hebben verhinderd wat onmogelijk te verhinderen was. En dat zijn alleen nog maar mijn superieuren. De nieuwsorganen, poe,' zei hij. 'Eerlijk gezegd ben ik blij dat ik hier zit.'

'Het oog van de storm,' zei Denton, wetend dat het hol klonk, maar hij kon het niet laten.

'Wat weet de pers?' ging Margaret, tot Dentons oprechte verbazing, op vriendelijke toon verder.

Lorca haalde zijn schouders op. 'Gelukkig erg weinig. De man die die video heeft gedraaid?' zei hij, en hij wees met zijn duim naar het stilgezette beeld op de televisie. 'Ze weten dat hij die video heeft gemaakt en ze willen die hebben. Ze weten ook dat er een non bij betrokken was. Maar het Vaticaan heeft me gevraagd de naam van zuster Marianne niet vrij te geven. Ik zal hun verzoek inwilligen, tenzij jullie denken dat het goed is om haar naam te laten rondgaan.'

'Niet nodig. Geen pers, geen panne,' zei ze nadenkend, waarna ze alle drie stilvielen.

Dentons gedachten tuimelden over elkaar heen. De zin 'Geen pers, geen panne' bleef door zijn hoofd tollen en nam zijn aandacht volledig in beslag. Hij wilde zijn zwarte boekje en zijn pen pakken. Hij wilde zeggen: Geen pers, geen panne, je bent een ware bron van goede uitspraken, Margaret, misschien zou je schrijfster moeten worden. Hij wilde de zin opschrijven vóór hij hem vergat. Hij wilde grijnzen, glimlachen, misschien een geestige opmerking ontlokken.

Maar Denton dwong zijn gezicht in de plooi, bleef stil en maakte geen beweging.

252

Chisholm verbrak de stilte. 'We zullen in de aanval moeten gaan,' zei ze met een strakke blik op Lorca, bezorgd om hem.

Dat was voor Lorca het sein om orde op zaken te stellen. 'Ik wil niet dat zuster Marianne dit huis verlaat zonder gewapende escorte. Waar ze ook heen gaat, ik wil dat ze omringd wordt door mannen in uniform.'

'Ja. Ik kan haar in het Vaticaan beschermen, dat is niet moeilijk. Hier hebben we onze bewakers. Maar daartussen...'

'Ik moet weg,' zei Lorca, die opstond en zwijgend zijn spullen bij elkaar pakte.

'Wat?' vroeg Margaret, die op Lorca afstapte.

'Als hoofd van de antiterroristische afdeling van Rome is het mijn taak om de familie van de slachtoffers uit te leggen wat er is gebeurd. Ik zie ze over een kwartier.'

'Zo!' zei hij met een glimlach die de geladen atmosfeer verdreef, alvorens diep adem te halen en ernstig te worden. 'Ik zal mannen aanstellen om de non iedere seconde die ze buiten dit huis verkeert, te begeleiden. Ik zal ook de naam Gaglio in de particuliere databases laten nakijken. Dat zal tijd kosten, een paar rechterlijke bevelen, maar het kan. Verder nog iets?'

Margaret stak haar handen uit om zijn das recht te trekken en de revers van zijn colbert glad te strijken. 'Je ziet er geweldig uit,' zei ze, en ze meende het.

'Dank je,' zei hij kalm. 'Dag meneer Denton,' zei Lorca, en hij gaf Denton een hand, die op zijn hoede was en zich inhield. 'Margaret,' zei hij, en hij kuste haar op de wang. Toen liep hij de kamer uit.

Denton zei bijna 'nieuwe vrienden aan het maken?', maar alweer beheerste hij zich. In plaats van iets te zeggen, hoestte hij achter zijn hand.

'Hm?' vroeg Chisholm.

'Ik moet pakken,' zei Denton achteloos, bijna glimlachend, maar hij hield zich in.

'O? Ga je weg?' vroeg ze, en aan haar toon kon hij horen dat het haar niet had kunnen schelen als dat het geval was geweest.

'Nee, ik vlieg vanavond naar Washington.'

'Waarom?'

'Voor één dag maar. Ik ben overmorgenavond terug,' zei hij, en hij maakte een half opgerookte sigaret uit, waarvan hij niet eens wist dat hij hem had opgestoken. Hij keek naar Chisholm die hem vragend aanstaarde. 'Ik heb ook andere dingen te regelen dan alleen voor Tegenspel.'

'Ik wilde het alleen maar weten. Waar is het voor?'

Denton glimlachte flauwtjes. 'O, van alles en nog wat.'

Hij liep de kamer uit. Chisholm ging aan tafel zitten bij het reusachtige dienblad waarop nog steeds veel lekkere dingen stonden. Ze haalde haar schouders op en pakte een van die heerlijke sandwiches, een met avocadopuree en kip en kleine stukjes groene peper. Ze zou moddervet worden in Italië.

Denton liep naar boven naar zijn kamer en stak onderweg een andere sigaret op, hoewel hij niet eens een sigaret wilde.

Toen de deur achter hem dicht was, haalde hij diep adem, sloot zijn ogen en ademde weer uit. Hij stapte uit zichzelf, bekeek zichzelf vanaf een denkbeeldige afstand en besefte dat na Paula Baker en de schietpartij op de piazza, hij door het dolle heen was. Dit moest ophouden.

Het was al een tijd geleden dat er op hem was geschoten. Lange tijd. Ja, hij had schietpartijen en moorden besteld, en een paar daarvan nog niet zo erg lang geleden, om eerlijk te zijn. Maar het moordwerk dat hij had besteld, was allemaal op een gecontroleerde afstand gebeurd. Het was ruim tien jaar geleden dat hij er middenin had gezeten, toen hij nog in het souterrain werkte.

Nicholas Denton maakte zijn sigaret uit, die hij net had aangestoken, en liep naar de badkamer om zijn gezicht te wassen.

Nadat hij zijn verklaring had afgelegd aan Lorca's mannen en teruggebracht was naar de villa, had Denton een douche genomen en gemakkelijke kleren aangetrokken. Maar hij moest nadenken, dus waste hij zijn gezicht nog een keer.

Eerst boende hij het af, daarna zeepte hij het in, spoelde het schuim van zijn gezicht en bleef zichzelf met een nat gezicht aanstaren en liet het water van zijn kin in de wasbak druppelen. Opeens begon hij zich te scheren.

Hij voelde angst. Dat was de emotie die hem gek maakte, besefte hij, terwijl hij zijn baard inzeepte. Chisholm leek kalm na de schietpartij. In feite leek ze ontspannener dan hij haar ooit had gezien. Maar ze was dan ook een ervaren veldagente en dat was hij niet.

Denton nam elke dag risico, veel risico. Maar dat waren de risico's van een pennenlikker – in het allerergste geval zou de ombudsman hem laten arresteren en voor tientallen jaren het bos in sturen. Doodgeschoten worden? Dat had nooit serieus in zijn boekje gestaan en hij had er nooit, zelfs niet terloops, rekening mee gehouden.

Daarom voelde hij angst, lichamelijke angst – angst dat hem iets zou overkomen. Het moest dat soort angst zijn waardoor hij zijn controle kwijtraakte. En dat was iets dat hij zich gewoon niet kon veroorloven.

Hij keek met nietsziende ogen naar de spiegel, trok zijn scheermes over zijn gezicht en begon na te denken over een uitweg uit deze janboel, terwijl hij probeerde zijn emoties te verdringen. En het begon hem al te dagen hoe hij kon winnen.

Met Margaret Chisholm was het ingewikkelder.

Zuster Marianne zat in de donkere keuken. Slechts een van de lampen was aan boven haar hoofd en wierp een somber, geel schijnsel. Ze kon niet slapen. Haar nachthemd was sneeuwwit, maar door het duister buiten en het zwakke licht van boven leek het oeroud, alsof het na tientallen jaren uit de mottenballen kwam. Er was geen geluid. Door de deuropening leek het duister van achter de keuken naar binnen te dringen, alsof het duister geen passieve afwezigheid van licht, maar veeleer zelf een licht was, dat zijn eigen soort stralen rondwierp.

'Hoe voel je je?' vroeg Margaret Chisholm plotsklaps, uit het niets opdoemend. Maar deze keer werd zuster Marianne niet opgeschrikt. Ze keek als vertraagd op naar Margaret, maar Chisholm keek haar niet aan. Ze zocht in de koelkast.

'Alles oké?' vroeg ze op een toon die geen troost bood, met een stembuiging die nauwelijks een vraag aangaf.

'Ja, ik...'

Toen het kwam opzetten, was het in één klap op volle toeren. 'Wat *deed* je eigenlijk, hè?' schreeuwde Chisholm, die de koelkastdeur dichtkwakte. 'Wat deed je, verdomme?'

Marianne knipperde alleen maar met haar ogen. 'Ik kon... niet....'

'Ja, dat kon je wel,' zei Chisholm, bij zichzelf knikkend, bang. Ze moest de woede laten uitdijen om de angst te verstikken. 'Dat kon je wel.'

'Ze waren aan het *doodgaan*,' fluisterde Marianne.

Chisholm was snel. Ze rende op de non af, greep haar schriele bovenarm en schudde haar een beetje door elkaar. 'Luister. Wat er ook gebeurt, van nu af aan red je je eigen vege lijf. Wat er ook gebeurt, je *rent*, begrepen? Want de volgende keer kom je in een kist terecht, oké?' Chisholm liet haar los en keek opzij, bang voor de impulsen van de non en haar eigen falen. 'Van nu af aan draag je een vuurwapen,' zei ze, zonder zich naar Marianne om te draaien.

Daarop leek Marianne wakker te worden, alsof er een lusteloos bewustzijn opkwam. 'Ik ben geen ondergeschikte van je die je gewoon maar…'

'Dat ben je wel,' zei Chisholm kwaad. Ze draaide zich om om haar aan te kijken en zei de woorden traag alsof ze het tegen een achterlijk kind had. 'Jij bent mijn verantwoording en alles wat met jouw veiligheid te maken heeft, is mijn zaak. Je draagt een vuurwapen, begrepen?' Ze deed de deur van de koelkast weer open en dronk een paar slokken melk regelrecht uit het pak, woedend en bang.

Marianne zei niets, keek naar Margaret Chisholm, begreep haar, maar niet helemaal. 'Je hebt niet gefaald,' giste ze.

Chisholm lachte geluidloos, een beetje bitter, zette het pak melk terug en staarde nietsziend in de koelkast. 'Jawel,' zei ze. Ze bleef staren, maar haar blik werd zachter en terwijl de koelkast begon te zoemen, zei Margaret: 'Ik heb veel gezien. Ik heb nooit iets gezien… Morgen – op zijn laatst in het weekend – leer ik je een vuurwapen bedienen. Welterusten.' Ze deed de deur van de koelkast dicht en draaide zich om om weg te gaan.

'Margaret?' zei de non, die nog steeds roerloos bleef zitten.

Ze bleef staan om haar aan te kijken en werd koud van Mariannes holle ogen.

'Toen… voorheen, tijdens mijn oude leven… ik… ik was zeventien en ik was rijk en ik was stom en het enige dat me interesseerde was mijn eigen comfort, mijn eigen… vrijheid. En… en ik was slordig. Begrijp je me? Dat kind… zou nu zeventien zijn. Het is nu niet zeventien. Begrijp je? Het is niet… als iemand me wil doden, dan hoop ik dat ze het niet doen. Maar als ze mij van het leven willen beroven en het enige dat ik heb, is een revolver om ze tegen te houden… dan houd ik ze niet tegen. Ik kan niet leven met twee… mijn ziel… mijn ziel kan het niet. Ik *kan* het niet.'

Margaret bewoog zich niet, maar staarde haar aan. Marianne kon het medelijden niet verdragen, aangezien ze dat nooit had verdiend. Dus stond ze op en keek de andere kant op, greep haar onaangeroerde glas sap, spoelde het door de gootsteen en waste het glas vlug af.

'Dat wist ik niet...' zei Margaret ten slotte, maar Marianne keek haar niet aan en ontweek haar blik.

'Het is laat, ik ben moe, ik heb morgen veel te doen. Ik zie je morgen... welterusten,' mompelde Marianne en ze liep in looppas de keuken uit, weg van Margaret. De nachtlucht leek vol mislukkingen.

Denton sliep als een roos tijdens de gewone lijnvlucht naar Washington, waar hij 's ochtends aankwam. Amalia Bersi haalde hem van het vliegveld op en bracht hem regelrecht naar Langley waar hij de zaken die zich sinds zijn vertrek hadden voorgedaan, afhandelde. Ook liep hij binnen bij Phyllis Strathmore, die de facto Paula Bakers vervangster was, al was ze nog niet officieel benoemd.

'Ik heb alles doorgenomen en er is niets buitensporig ongewoons bij,' zei ze tijdens de lunch, terwijl ze met hun tweeën in het voormalige kantoor van Paula Baker zaten. Hun ontmoeting had hem een beetje geschokt. Phyllis was erg veel dikker geworden. 'Geheime Financiën ziet er behoorlijk schoon uit.'

'Helemaal niets? Ook niets dat een *beetje* vreemd is?'

'Wat reservegeld dat rondzweeft, maar niets echt ongewoons.'

'Geef eens een voorbeeld.'

'Nou, bijvoorbeeld, ik ben een paar uitgaven voor kleine wapens tegengekomen – ik weet nog niet wat het is, maar het is niet veel, elk kwartaal driehonderdduizend. Verder wordt er – heel discreet – geld afgetapt van het bureau Latijns-Amerika om iets te betalen in Alexandria.'

'O?' vroeg Denton, nieuwsgierig of Strathmore had uitgedokterd waarvoor die uitgaven in werkelijkheid waren. 'Wat is dat?'

'Dat weet ik nog niet. Het is een vast betalingspatroon dat de afgelopen twee jaar niet gestegen is...'

'Ongeveer zevenvijftig per jaar?' onderbrak hij.

Phyllis veegde haar mond af met haar servet alvorens een slok water te drinken en vermeed het zorgvuldig om Denton aan te kijken. 'Iets dat ik niet mag weten, makker?'

'Maak je geen zorgen om die zaak in Alexandria. Dat is iets dat Paula, Atta-boy en ik de afgelopen paar jaar hebben opgezet. Ik kan je op dit moment niet vertellen wat het is, maar als ik uit Rome terugkom, zullen Atta-boy en ik je op de hoogte brengen. Akkoord?'

'Akkoord,' zei ze, omdat ze Denton en Atmajian vertrouwde, waarschijnlijk als enigen op aarde.

'Nog meer?'

'De financiën voor Azië is een puinhoop.' Ze pruilde.

'Mooi zo!' lachte hij.

Phyllis hield op met eten, zette haar ellebogen op tafel en bonsde ritmisch met haar verstrengelde handen tegen haar kin. 'Ik denk dat Arthur en jij voor ogen zouden moeten houden dat Paula's ongeluk echt een ongeluk is geweest.'

Denton leunde achterover en stak een sigaret op. 'Je weet wat Arthur daarop zou zeggen.'

'Ja, ja, dat ongelukken niet bestaan. Maar het kan zijn dat dit er wel een was. Moet je horen, er is geen ernstige verduistering gaande – Paula's belangrijkste onderzoek naar verduisterd geld was het wijdverbreide gebruik om de kantoorpost privé te gebruiken. De zaken zien er de laatste tijd behoorlijk schoon uit. Afgezien van jullie projectje daar in Alexandria is er niets verdachts aan de hand.'

'Wat deed Paula Baker dan met haar tijd?'

'Er is nog zoiets als het onbeduidende werkje dat je elk jaar de financiën moet plannen zonder te weten hoeveel de Senaat je gaat geven voor je geheime operaties. Paula's belangrijkste werk was goochelen met cijfers om voortdurend geld beschikbaar te houden.'

Denton vond het niet leuk dat te horen, en realiseerde zich dat hij was besmet door Atta-boy's paranoia, maar hij was niet in staat het idee van zich af te schudden. Hij krabde aan zijn wenkbrauw en dacht na.

Phyllis werd milder. 'Hoe voel je je?' vroeg ze, doelend op de schietpartij, waarover iedereen had gehoord. 'Het verbaast me dat je hier bent. Ik had gedacht dat je een tijdje vrij zou nemen, om bij te komen.'

'Geen rust voor de slechteriken,' antwoordde hij glimlachend, volledig beheerst, de Nicky van altijd. Elke haar op zijn plaats, geschoren, gedoucht, lekker ruikend, een Calvin & Hobbes-das perfect op zijn plaats, een licht geamuseerde blik in de ogen – dat was Nicholas Denton, stabiel op weg, situatie absoluut, beslist normaal. Het was iets dat Phyllis Strathmore bang maakte, iets dat – onder deze omstandigheden – bovenmenselijk was in zijn gewoonheid. Maar ze kreeg de kans niet om erover na te denken, omdat, zonder te pauzeren maar zonder haast, Denton vroeg: 'Hoe vind je het om weer mee te spelen?'

'Leuk. Erg leuk, eigenlijk, om geheim geld voor geheime missies te beheren. Weet je, in Paula's werk zijn er zoveel manieren om de top af te romen. Verbazingwekkend. Ik heb heel erg zorgvuldig naar Paula's persoonlijke rekeningen gekeken. Jij verdient geld met je boeken, Atta-boy met de tips die ik hem geef. Kenny heeft dat familiekapitaal. Paula had geen ander geld om op terug te vallen, alleen haar salaris. Ze heeft geen cent gepikt. Geen cent. Of ze heeft het zo slim gespeeld dat ik er niet achter kan komen.'

'Je klinkt ietwat teleurgesteld.'

'Dat ben ik niet, maar mijn hemel. Ik kan niet leven van minder dan tweevijftig per jaar. Hoeveel krijg *jij* tegenwoordig binnen?'

'Dat weet ik niet zo,' zei hij vaag.

'Kom nou,' zei ze achteloos. Het was vreemd. Met die extra ponden zag Phyllis eruit als een betrouwbare oude tante aan wie je al je geheimen kon vertellen. Maar Denton glimlachte, hij liet zich niet om de tuin leiden.

'Zijn we bezig met een van onze roemruchte wedstrijden uit vroeger tijden?'

'Een beetje, denk ik,' zei ze, en ze lachte alvorens serieus te worden. 'Mijn hemel, mag ik er een?' zei ze, terwijl ze een sigaret uit zijn pakje haalde. Hij stak hem voor haar aan. 'Paula verdiende niets – zoveel als ik in een jaar New York aan fooien uitgeef.'

'Als ze dat had gewild, had ze binnen een seconde een baan op Wall Street kunnen krijgen. Geld interesseerde haar niet zoveel,' zei hij nonchalant.

'Dat,' zei Phyllis, die hem recht aankeek, 'is een uiterst gevaarlijke eigenschap, Nicholas.'

De rest van zijn dag was een anticlimax vergeleken met die opmerking van Phyllis. Amalia en Wilson hadden de vesting verdedigd, alles merendeels op orde gehouden en hem voor de belangrijke beslissingen gebeld. Maar er hadden zich nog een paar zaken opgestapeld, dus besteedde Denton de rest van de middag en vroege avond aan het bellen met mensen om de dingen weer op het juiste spoor te zetten. Maar om halfacht vertrok Denton naar zijn diner in Fairfax County, hoewel hij nog mensen te bellen en zaken af te handelen had.

Voor zijn vertrek uit Rome had hij zichzelf achteloos bij Keith Lehrer uitgenodigd. Maar het diner was de ware reden waarom Denton naar Washington was gevlogen, dus hij wilde niet te laat komen.

Hij nam een taxi naar het huis. Amalia en Wilson zouden hem later komen ophalen. Toen hij in Fairfax aankwam, was Lehrer alleen.

'Waar is je vrouw?' vroeg hij beleefd.

'O, ik vond dat we eens een rustig etentje met zijn tweeën moesten hebben,' zei hij. Het spel was begonnen.

Het eten zelf was niets bijzonders. De twee mannen praatten over onbeduidende kantoorzaken en vermeden het zorgvuldig om over de Rome-affaire en de schietpartij te praten. Ze trokken zich terug naar Lehrers werkkamer om te drinken en te roken. Lehrer had de malle gewoonte aangenomen om sigaren te roken. Denton hield het zoals altijd bij zijn sigaretten.

Hij moest hem bewonderen. Lehrer had alle geduld van de wereld en wilde de hele avond laten voorbijgaan zonder over de kern van de zaak te beginnen. Dus besloot Denton als eerste te serveren.

'Ze hadden ons bijna te pakken,' zei hij, terwijl ze beiden in het vuur staarden. 'Een paar centimeter en Chisholm was er geweest, dat staat vast.'

'Vreselijke zaak, vreselijk,' zei Lehrer. Tussen de woorden door slierte er sigarenrook uit zijn mond. 'Maar waarom ben je hier? Om met mij te praten? Dat is toch je ware reden, niet?'

Denton kwam glimlachend overeind, liep naar de cd-speler en bekeek wat er was. 'Die schietpartij... daardoor ben ik me een paar dingen gaan realiseren,' zei hij, terwijl hij in gedachten overwoog de Brandenburgse Concerten te draaien, maar het idee verwierp. Te vrolijk of te begrafenisachtig, geen tussenweg. 'Ik dacht, waarom geen bom in een auto? Waarom geen antitankraket of zoiets... dat niet kan misgaan? Maar nee, het was een chirurgische operatie, erg discriminerend. Op sommige mensen, zoals de non en Chisholm, is geschoten. Op anderen – ik bedoel mezelf – niet. Aha, deze wil ik.' Hij zette de oude vertrouwde 'Jupiter' op bij het tweede deel, voordat hij zich naar Lehrer omdraaide.

'Jij hebt Sepsis onder controle, niet?'

'Het verbaast me dat het je zoveel tijd heeft gekost om dat te bedenken,' was het enige dat Lehrer met een geamuseerde blik zei.

Denton was echt geamuseerd – over zichzelf. Lehrer had gelijk, hij had dit duidelijker moeten zien.

'Soms ben ik niet zo helderziende als ik zou willen. Sinds wanneer?'

'Zes maanden geleden?' vroeg Lehrer zich hardop af.

'Dat dacht ik al – in feite is het nu al bijna zeven maanden,' zei hij, terwijl hij achterover in de fauteuil ging zitten en naar het vuur staarde.

'Je vermoedde het.'

'Ik ben een carrièrebureaucraat, Keith. Papieren, papieren, papieren, dat is het enige dat ik de hele dag zie. Vroeg of laat zie ik alles. Uitgaven voor een paar contraspionageoperaties die een beetje te hoog waren. Betalingen aan informanten die niet echt bestonden. Ik wist dat er geld van de zaak ergens heen ging, maar ik wist niet waarheen of waarvoor.'

'Nu weet je het wel. Het heeft me veel tijd gekost om Sepsis om te kopen. Nu hij wordt betaald, doet hij precies wat hem wordt opgedragen.'

'Dus mijn echte opdracht is niet Sepsis tegenhouden, maar Chisholm tegenhouden.'

'Precies. Sepsis weet wie je bent. Hij zal je geen haar krenken. Jij handelt Chisholm af. Laat Sepsis zijn werk doen.'

'Waarom probeert hij de non om zeep te brengen?'

'Weet ik niet.'

Denton trok een wenkbrauw op om Lehrer een reactie te ontlokken.

'Echt waar. Ik heb geen idee waarom hij haar heeft uitgezocht. Maar hij is een volwassen man en ik ook. Als hij de non om zeep wil brengen, moet hij dat weten.'

'Dus die scène met Chisholm ging niet over territoria. Je wilde de non uit Rome weghouden. Waarom?'

'Sepsis heeft zo zijn eigen redenen om de non van het toneel te laten verdwijnen. Als hij dat wil en ik ben in een positie om dat voor hem te doen...'

'Maar het Vaticaan is het werkelijke doelwit,' verklaarde Denton.

'Ja-a,' zei Lehrer haperend. De dingen werden eindelijk duidelijk.

'Oké, waarom het Vaticaan?'

Lehrer stond op uit zijn fauteuil, gooide zijn sigarenpeuk in het vuur, ging tegen de schoorsteenmantel staan en draaide zich om naar Denton. 'Weet je nog, Irak? We hadden die hele zaak kunnen overnemen. Een half miljoen soldaten zaten klaar. Maar die lul in het Witte Huis besloot om de sportieveling uit te hangen en terug te trekken. Met het excuus dat we dan in het Midden-Oosten konden terugkomen en binnen een paar weken op al die olie zouden zitten. Stel dat we het Vaticaan opblazen. Stel dat we geluk hebben en de paus doden. Dat is een goed excuus om terug te komen in de wedstrijd.'

Het klonk Denton als een leuk idee in de oren, maar er zaten een paar haken en ogen aan. Controle, voornamelijk. 'Klinkt goed, maar waarom het Vaticaan?' vroeg hij, klaar om verder te praten over zaken als controle en supervisie en het probleem dat er zo iets belangrijks zo ver weg gebeurde.

Maar Lehrer begreep hem verkeerd. 'Ik heb het Vaticaan niet uitgezocht,' zei hij achteloos. Denton stond paf.

'O nee?' zei hij, met de nonchalance van iemand die wil weten wat voor weer het wordt.

'Sepsis heeft het doelwit uitgezocht,' zei Lehrer, terwijl hij weer ging zitten. Hij stak een nieuwe sigaar op. 'Ik wilde levende doelwitten gebruiken. De G-7 komen over een paar maanden bijeen, de een of andere handelsstop. Ik dacht dat die het ideale doelwit zouden zijn. Maar Sepsis zei me recht voor zijn raap dat hij ze nooit alle zeven kon pakken. Te veel beweging, niet genoeg mogelijkheden. Een niet-bewegend doelwit echter... volgens hem zou een aanslag op het Vaticaan hetzelfde resultaat opleveren.'

'Zo?' zei Denton. 'En was je het daarmee eens?'

'Toen ik erover nadacht, ja,' zei hij nonchalant. Hij staarde naar zijn sigaar en keek met een ruk op naar Denton. 'Het was vervloekt briljant van die jongen, een aanslag op het Vaticaan. De mensen zouden best ontdaan zijn als de leiders van de zeven geïndustrialiseerde landen werden gedood, maar niet zo erg. Het heeft niet dezelfde emotionele kracht. Het *Vaticaan*, daarentegen...'

'Dus Sepsis weet wat de bedoeling is,' verklaarde Denton.

Lehrer lachte. 'Nee! Hij kent de operationele kant van de zaken – een groot doelwit buiten de Verenigde Staten uitschakelen. Maar hij heeft geen idee van de politieke aspecten van deze zaak, dus daar hoeven we niet over in te zitten.'

'Akkoord,' zei Denton. 'Maar er zit me nog iets dwars. Operaties in verre landen zijn moeilijk te controleren, veel moeilijker dan die in onze eigen voortuin. Waarom geen binnenlands doelwit? De Twin Towers echt opblazen in plaats van alleen de garage, of, pakweg, het Vrijheidsbeeld.'

'Heb ik aan gedacht.'

'En?'

'Die nieuwe lul in het Witte Huis, die corrupte vrouwenjager? Die heeft de ballen niet om ertegenaan te gaan. Het Vrijheidsbeeld wordt opgeblazen – jammer. Het Vaticaan wordt opgeblazen – nou, elke godvrezende christelijke natie op aarde wil Arabisch bloed zien. Ze zouden vragen – nee, eisen – om een inval te doen. Wie kan die inval beter leiden dan wij?'

'Slim. Heel slim,' zei hij knikkend. Het idee stond hem wel aan, de omvang ervan. Een stunt als deze was geen sinecure, maar Lehrer scheen de zaak zonder zorgen af te wikkelen. 'Dat is grootschalig denken, dat staat me wel aan.'

'Blij dat je het goedkeurt,' zei Lehrer glimlachend.

'Maar nog steeds denk ik dat het gemakkelijker zou zijn met een binnenlands doelwit,' gaf Denton ten slotte toe. Hij had het niet zo op operaties die niet van dichtbij in de gaten konden worden gehouden.

'Denk na, Nicky. Een terroristische aanslag in eigen land en we hebben twintig congrescommissies die de contraspionage inspecteren, die allemaal kwaken over onze "incompetentie" en naar hartelust in onze zaken kunnen snuffelen. Met een beetje pech lopen ze tegen het juiste spoor aan en dan zijn *wij* er geweest.'

'Juist...'

'Bovendien is het Vaticaan een symbool dat over alle grenzen heen gaat. Een paar landen vinden het misschien leuk als het Vrijheidsbeeld wordt opgeblazen, "weg met de Amerikaanse imperialisten" en zo. Maar met het Vaticaan ligt het anders.'

'Dat is waar... maar ik vind het nog steeds niet prettig dat het zo ver weg is. En ik vind het niet prettig dat we het aan een huurling overlaten.'

'Dat zal hij niet lang meer zijn, niet als we hem in vaste dienst nemen.'

'O! Dat is goed, dat is *erg* goed!' zei hij, en hij meende het. 'En wie wordt zijn baas?' vroeg hij achteloos.

Ze glimlachten tegen elkaar, beiden wetend wat het antwoord zou zijn. Lehrer zou hem dit alles alleen maar vertellen als hij wist dat Denton de baas over Sepsis zou worden.

'Jij, uiteraard.'

Denton glimlachte om zijn tanden te laten zien. 'Leuke promotie.'

Het probleem met Sepsis is dat hij te onafhankelijk is. Hij zoekt graag zelf zijn doelwit en zijn eigen methodes uit. Hij doet alles het liefst op zijn manier.'

'Dat is niet zo goed,' zei Denton, die zich afvroeg hoe het zou zijn om over iemand als Sepsis de baas te spelen. 'Zo iemand is moeilijk te intimideren, een vrije agent die gewend is te doen wat hij wil.'

'Maar hij is te bruikbaar om te laten lopen. En jij denkt…?'

Denton nam omslachtig een trek van zijn sigaret en dacht na. 'Ik denk dat we hem een hoop ruimte moeten geven. Geef hem operationele doelen, maar bemoei je niet met de details. Als hij het op een goed moment verpest, dan is het enige spoor naar ons het geld. En ik neem aan dat er op die weg geen obstakels zijn.'

Lehrer knikte en concentreerde zich weer op zijn sigaar.

De beide mannen rookten in stilte en dachten na. Denton kon voelen dat Lehrer hem terloops opnam, en dat vond hij niet erg. In feite was het hem welgevallig. Het betekende dat Lehrer geen risico's nam, zelfs niet met Denton. Een behoedzame man is voorspelbaarder.

'En hoe zit het met Chisholm?' vroeg hij ten slotte, denkend aan de manier waarop hij de situatie in Rome zou afhandelen.

'Je moet haar hinderen. Het haar onmogelijk maken om het tot een goed einde te brengen. Als ze Sepsis stopt, is dat het einde van het plan.' Lehrer stond op om in het vuur te poken en probeerde een van de houtblokken midden in de vlammen terug te schuiven. 'En als je toch bezig bent, zorg dan dat je wat vuil over haar opgraaft, wil je?'

O, we worden persoonlijk. Dat vond Denton ook prima. 'Doen we,' zei hij glimlachend terwijl hij op zijn gemak een trek van zijn sigaret nam.

'We moeten praten,' zei Wilson afwachtend.

'Nee, dat moeten we niet, meneer Wilson. We doen wat meneer Denton zegt.'

Amalia Bersi en Matthew Wilson stonden op de rond het huis lopende grindlaan naar Lehrers huis op Denton te wachten. Eigenlijk was het Amalia die wachtte. Wilson sloop zo'n beetje bewonderend om de zwarte Mercedes heen om niet te denken aan wat Denton van hen wilde.

Vanaf het moment waarop Denton hun had gezegd wat ze die nacht moesten doen, vrat het krankzinnige plan aan Wilsons zenuwen, wat hem gek maakte. Met een ruk bleef hij voor Amalia staan. Hij torende boven haar uit.

'Ik heb niet getekend voor dat hokus-pokusgedoe. Ik ben gewoon een computerjongen, en dat is het enige dat ik doe.'

'Meneer Wilson, wilt u alstublieft kalm worden?'

Wilson begon weer te ijsberen, geërgerd door Amalia's rust en het duister en dat verrotte *wachten* en het feit dat wat ze moesten doen, totaal waanzinnig was. 'Waarom is het zo belangrijk!' barstte hij ten slotte los, en hij wendde zich tot Amalia die hem negeerde en een oog gericht hield op de deur van Lehrers huis en het andere op de tuin eromheen. Ze wachtte geduldig. 'Waarom is het zo belangrijk?' herhaalde hij iets dringender. Amalia bleef hem negeren, dus begon hij weer te ijsberen.

Op dat moment kwam Denton uit het huis en gaf Lehrer een hand bij de deur. Het was een tamelijk koude nacht, dus zwaaide Lehrer naar Amalia en Wilson, die beiden terugzwaaiden. Denton kwam met kwieke pas aangelopen, klapte een keer in zijn handen en glimlachte breed terwijl hij zachtjes zong: 'Het wordt een hele prachtige, hele prachtige nacht...'

'We gaan naar huis, hè?'

'Neeee!' zei Denton opgewekt. 'Ledigheid is des duivels oorkussen. Man, wat voel ik me *prima*.'

Ze stapten in de auto en reden weg.

'Jongens en meisjes, we spelen echt met de grootste jongens van de buurt. *Verdomme*, wat is dit mooi.'

'Wat is er zo belangrijk, Nicky?' was het enige wat Wilson kon zeggen, terwijl ze op de bijna lege autowegen naar Washington reden. Een echte eenrichtingsgeest, die Wilson. 'Waarom doen we dit?'

265

'Kalm, Matt, er zal niets gebeuren,' was alles wat Denton antwoordde. Hij dacht aan zijn gesprek met Lehrer, terwijl hij op de maat van de radiomuziek tegen het stuur tikte. Het was Joan Osbournes 'Right Hand Man', een bluesy rockliedje dat hij echt goed vond. Denton hield van alle soorten muziek. 'Doe net als Amalia: hou je kop en geniet van de rit,' zei hij en er schoot hem iets te binnen: 'Heb je alles?' vroeg hij Amalia. 'De identiteitskaarten en de camera?'

'Hier, chef,' zei Amalia, en ze tikte op haar tas, maakte die open en gaf hem de valse FBI-identiteitskaarten die de afdeling Documenten die middag voor haar had gemaakt. Wilsons ogen werden groot toen hij naar zijn identiteitskaart keek en in deze nieuwe toestand van 'kan ons het schelen' boog hij zich over de schouders van Amalia en Denton om naar hun kaarten te kijken, alvorens los te barsten.

'Die kaarten zijn een vervloekte *waanzin!*'

'Kop dicht, Matthew, in godsnaam.'

Je moest wel bewondering hebben voor Denton. Alleen hij had het lef om zoiets te doen. Hij parkeerde de zwarte Mercedes op 17th Street zelf, vlak tegenover het J. Edgar Hoover-gebouw. Het was bijna twee uur in de ochtend, maar hij zorgde ervoor dat zijn auto correct geparkeerd stond, alvorens de kofferbak open te doen om Wilson een diplomatenkoffer te laten pakken. Het laatste dat hij wilde, was een parkeerbon die hem kon verraden. Ze zigzagden tussen de auto's door om over te steken en stapten het hoofdkwartier van de FBI binnen.

De lobby was helverlicht en leeg, als een bank na sluitingstijd. Eén geüniformeerde FBI-bewaker zat op een verhoging achter een bureau een tijdschrift te lezen. Hij legde het neer toen Denton, Amalia en Wilson op hem af stapten, hun identiteitskaarten te voorschijn haalden en die ongevraagd aan de bewaker gaven.

'Ik heb jullie hier nog nooit gezien,' zei de bewaker een tikje argwanend.

Denton glimlachte. 'Dat komt omdat we hier normaal gesproken niet werken,' zei hij, op de identiteitskaarten wijzend. 'We werken in New York.'

'O, juist,' zei de bewaker, die de kaarten wat nauwkeuriger inspecteerde en naar het trio opkeek om te controleren of zij de mensen van die kaarten waren. Toen haalde hij een beetje gegeneerd zijn schouders op. 'Moet je horen, het spijt me, maar ik moet jullie rijbewijs zien of iets dergelijks.'

'Geen probleem,' zei Denton met zoveel jovialiteit dat een Texaan er trots op zou zijn. Hij keek in zijn portefeuille en haalde er het vervalste rijbewijs uit dat Amalia hem nog geen tien minuten geleden had gegeven. Hij keek erop om er zeker van te zijn dat het het valse en niet het echte rijbewijs was, en gaf het aan de bewaker. Amalia en Wilson volgden zijn voorbeeld. De bewaker bekeek uitgebreid alle documenten apart en controleerde de FBI-gegevens op zijn computer. Die klopten uiteraard, daar had Wilson voor gezorgd.

'Speciaal agent Ewan Kerr?' vroeg hij aan Denton, terwijl hij de valse identiteitskaart teruggaf.

'Die staat hier voor u,' glimlachte hij terug.

'Agente Benjamina Dover?' vroeg hij Amalia, die alleen maar knikte.

'Agent Philip Michael Hunt?' vroeg hij Wilson.

'Present,' antwoordde hij nerveus. De bewaker grinnikte.

Hij kwam achter zijn bureau vandaan, stapte van de verhoging af en haalde een stel sleutels te voorschijn die hij met een dunne ketting aan zijn riem had.

'Sorry voor de controle,' zei hij schaapachtig, terwijl hij hen voorging naar de liften en de sleutels aftelde. 'Maar ik heb orders om na middernacht iedereen te controleren.'

Denton klakte met zijn tong en fronste joviaal zijn wenkbrauwen. 'Verontschuldig u niet,' zei hij. 'We hadden wel god weet wie kunnen zijn.'

De bewaker stak een van de sleutels in het bedieningspaneel van de liften en zette een van de liften in werking. 'Als u weggaat, meldt u het dan even, dan kan ik de liften weer afzetten.'

'Doen we,' zei Denton, terwijl ze met hun vieren in de lege lobby wachtten.

'Beetje laat, hè?' zei de bewaker, die zich verveelde en een gesprek probeerde aan te knopen. 'Werken jullie aan die DEA-zaak?'

Er kwam een lift aan. Amalia en Wilson stapten zonder om te kijken in. Maar Denton gaf de veiligheidsman antwoord, terwijl hij achter hen aan de lift in stapte. 'Nee, we werken niet aan die DEA-zaak, maar aan iets anders.'

Toen draaide hij zich half om en pakte de liftdeur vast voor die kon dichtschuiven, boog zich voorover en glimlachte tegen de bewaker. 'Eigenlijk,' zei hij met lage, hese stem, alsof hij bang was om in de lege lobby te worden afgeluisterd, 'zijn we CIA-agenten en gaan we in een van de kantoren hier inbreken voor wat informatie die we nodig hebben.'

Amalia en Wilson krompen inwendig ineen en probeerden niets te laten merken, maar de bewaker lachte hard.

'Ooo, nu snap ik het. CIA-agenten, hè?'

'Ja,' zei Denton met een ondeugende glimlach.

'Hulp nodig?'

'Nee, ik denk dat we het wel redden.'

'Succes dan!' zei de bewaker zwaaiend, terwijl de deuren dichtschoven.

'Bedankt!' zei Denton vlak voordat de deuren dicht waren.

Zodra de lift begon te stijgen, slaakte Wilson een diepe zucht. 'Dit is *veel* te enerverend voor me. Niet te *geloven* wat je daarnet deed.'

'Rustig,' zei Denton, die de verdiepingen telde. 'Niemand gelooft je *ooit* wanneer je de waarheid zegt.'

Wilson kon zich niet ontspannen, niet zolang ze in het Hoovergebouw waren. Wilson, onder de piratennaam 'hakker', werd door de FBI gezocht voor inbraak in hun computers tijdens zijn studententijd. Later was het hem gelukt om in de CIA-computers in te breken, en zo had Denton hem leren kennen. Dat was de manier waarop Denton hem had gerekruteerd – op een vriendelijke manier had hij Wilson zodanig gechanteerd dat hij zijn persoonlijke computergenie was geworden, een staaltje afpersing dat Wilson niet eens had opgemerkt. Tenslotte mocht hij nu officieel in computers inbreken, en wel voor de CIA. Maar *lichamelijk* in het FBI-hoofdkwartier inbreken, daarvoor had hij niet getekend toen hij zijn contract met Denton sloot.

'Erin en eruit, hè?'

'Als het kan, ja.'

'En als we niet kunnen vinden wat we zoeken?'

'Dan blijven we tot we het vinden,' zei Denton nonchalant.

Wilson zag eruit alsof hij op het punt stond te ontploffen, dus keek Denton hem aan en glimlachte. 'Vooruit! Dit *moet* de grootste kick van je leven zijn.'

Wilson glimlachte zwakjes. De waarheid lag anders, maar hij scheen zijn mond niet open te kunnen krijgen om het te zeggen.

De liftdeuren gingen open en ze liepen de gang door, waar ze eindelijk de kantoren van Chisholm en haar mensen vonden. Het had een elektronisch slot voor een magnetisch kaartje, dus Wilson ging aan het werk en probeerde niet te bedenken waar ze waren. Hij deed zijn koffertje open en haalde er een plastic kaartje van zichzelf uit, waaraan een stel draden bevestigd waren die met een draagbare Newton-computer verbonden waren. Hij stak het kaartje in de gleuf en begon cijfers in te toetsen, terwijl Amalia de gang in keek en Denton gaapte. Dat heen en weer vliegen had hem een enorme jetlag bezorgd.

Binnen de twintig seconden klikte de deur. 'We zijn binnen,' zei Wilson, die zijn apparatuur in het koffertje terugstopte.

'Dat was snel,' zei Denton.

'Twintig jaar gevangenis is goed voor de motivatie.'

'Ja, dat weet ik,' glimlachte hij. Hij liet Amalia als eerste naar binnen gaan en niet alleen uit beleefdheid. Amalia Bersi had een Polaroid-camera in de aanslag. Terwijl Denton en Wilson buiten wachtten, nam Amalia ongeveer drie minuten lang foto's. Terloops telde Denton de lichtflitsen die uit de deuropening kwamen. Toen hij bij 21 kwam, deed Amalia de deur wijd open en liet hen binnen.

Ze waren er niet de hele nacht, maar wel veel meer tijd dan ze dachten nodig te hebben om Chisholms archieven door te nemen. Amalia nam de veiligheid voor haar rekening en deed de ronde om te kijken of er niemand in de buurt was. Wilson zat achter een computer die met een eigen PowerBook-computer was verbonden om alle gegevens over te nemen die interessant leken.

'O, o, moet je dat zien,' babbelde hij maar door. 'Valse wapenaankopen, valse identiteiten, alles vals. Allemaal kruimelwerk, maar het loopt op. O, Jezus, moet je dit horen: aankopen voor een totaal van tweeëneenhalf miljoen van een onderneming die Salavis heet. Er bestaat geen wapenfabrikant die Salavis heet. Erg onelegant.'

'Niet verwaand worden, Matthew,' zei Denton, die met zijn voeten op Chisholms bureau papieren zat door te nemen. Wilson bleef maar doorkakelen om kalm te worden.

'IJverig meisje, die Chisholm. Druk, druk. Maar ze komt nergens. Volgens haar overzicht zit alles op een dood spoor – wacht even. Krijg het lazarus. Krijg het apelazarus. Nicky, chef? Chef, dit moet je even zien.'

Het was het 'Nicky, chef' dat Dentons aandacht trok, een rare gewoonte van Wilson die steevast betekende dat er problemen waren. Hij stond op en kwam over Wilsons schouder naar het scherm kijken.

'Wat?'

'Dat,' zei Wilson wijzend.

' "Robert L. Hughes, wapenhandelaar". Nou en?'

'Robert L. Hughes is een dekmantel, chef. Van ons.'

'Hoe weet je dat?'

'Ik heb een paar keer in onze eigen computers ingebroken.'

'Weet je het zeker?' vroeg Denton hard, en hij staarde naar Wilsons massamoordenaarsgezicht, dat er veel opgejaagder uitzag dan normaal.

'Geen twijfel aan,' antwoordde Wilson prompt, nerveus maar zeker van zichzelf.

Ze namen het verslag door en waren samen nog ruim drie kwartier bezig zonder dat ze iets duidelijks te pakken kregen. Ten slotte kwam Amalia Bersi binnenlopen, wees op haar horloge en pakte haar tas. 'Tijd, chef. Kwart voor vijf.'

Denton gaf Wilson een klap op zijn schouder. 'Voortreffelijk, jongeman. Wegwezen.'

Denton liep terug naar zijn bureau om de papieren in de juiste mappen terug te leggen, terwijl Wilson de computers uitzette. 'Neem morgen een vrije dag en ga dan uitzoeken wat we hebben,' zei Denton tegen hen. 'Ik neem de ochtendvlucht naar Rome. Ik wil niet dat zulke gekke kinderen als jullie hier nog een keer naartoe moeten, maar als jullie het nodig vinden, moet je het doen.'

'Ja, chef,' zei Amalia en ze haalde de Polaroid-foto's die ze bij binnenkomst had gemaakt, te voorschijn. Ze legde ze op Chisholms bureau, bezag ze zorgvuldig, keek het kantoor rond en ging aan het werk om papieren, pennen en stoelen, om alles terug te zetten zoals het op de foto's stond.

In zijn wanhopige haast om weg te komen, was Wilson heel onhandig en deed er heel lang over om alles af te sluiten en zijn spullen in zijn koffertje te stoppen. Maar Denton rolde kalm zijn mouwen omlaag en deed zijn manchetknopen weer in. Hij pakte zijn colbert van een stoelleuning op het moment waarop Amalia de stoel terugschoof naar zijn oorspronkelijke plaats.

'Ik denk dat dat veldwerk erg onderhoudend is,' zei Denton, die met een sigaret speelde, maar niet durfde op te steken. De geur zou er 's ochtends nog hangen en dat zou hem verraden. 'Misschien moet ik naar Europa verhuizen om veldagent te worden. "Agent Denton". Klinkt leuk.'

'Ik dacht dat je al agent was, Nicky,' zei Wilson, terwijl Amalia de laatste hand legde aan het opruimen. 'Of in ieder geval bent *geweest*.'

Denton glimlachte. 'O nee, Matthew. Ik ben gewoon maar een bureaucraat.'

Chisholm maakt er een puinhoop van

De ochtend na hun nachtelijke gesprek, werden Chisholm en Marianne allebei vroeg wakker, zelfs nog voor het licht werd. Maar Margaret was als eerste klaar en stond onder aan de grote trap op de non te wachten.

Het gesprek van de vorige nacht – de bekentenis, eigenlijk – speelde door Chisholms hoofd. Sommige dingen was ze al vergeten, andere momenten, verbrokkeld of uitgerekt door haar geheugen, kwamen scherper naar voren.

Ze kon zich haar echtgenoot nauwelijks nog herinneren van de tijd dat ze getrouwd waren. Ze waren twee jaar getrouwd geweest, veel te haastig, een huwelijk dat was gesloten om redenen die Chisholm nu zo onduidelijk waren, dat het net zo goed door het noodlot of een hogere macht verordend kon zijn geweest. Toen ze zwanger werd, bijna onmiddellijk nadat ze zich allebei realiseerden welk een vergissing ze hadden begaan, had ze een rusteloze, afschuwelijke week doorgemaakt en gewikt en gewogen of ze een abortus wilde. Haar toenmalige man was met het slappe argument gekomen dat het haar lichaam was, dus haar keus, een argument waarmee hij in feite toegaf dat hij liever de abortus wilde, maar dat verpakte in de laffe woorden over haar de vrijheid laten om te beslissen.

Ze had geen idee waarom ze de zwangerschap had uitgedragen. Margaret herinnerde zich heel goed dat ze een lijst had opgesteld van de voor- en nadelen om het kind, Robert Everett, te krijgen. Ze herinnerde zich een lijst te hebben opgesteld van gunstig gelegen abortusklinieken in het gebied rond Cleveland, waar zij en haar man werkten voor de afdeling Bankberovingen. Veel klinieken waren tot 's avonds laat open en sommige konden haar zelfs tijdens de lunchpauze helpen. Ze herinnerde zich bovendien dat ze onderzoek had gedaan naar de lichamelijke neveneffecten, hoe onbelangrijk ook, van vroegtijdige abortussen voor een gezond lichaam als het hare. Maar ze herinnerde zich niet meer echt de beslissing te hebben genomen om geen abortus te plegen. Misschien wilde ze het zich niet herinneren, dacht ze nu, terwijl ze stond te wachten. Als ze de verkeerde keus had gedaan, zou ze nu al wel dood zijn geweest, vermoedde Margaret.

Marianne kwam de trap af rennen. 'Goeiemorgen!' riep ze vrolijk tegen Margaret, die uit haar gedachten opschrok.

'Over wat je gisteravond zei...' begon ze.

'Is het geen prachtige dag? Het wordt een *schitterende* dag. Och, doe geen moeite, ik red me wel,' zei ze, toen Chisholm haar hand naar een van Mariannes twee aktetassen uitstak, 'maar evengoed bedankt.'

'Ja, dat zal wel,' zei ze in het wilde weg.

'Heb je al ontbeten?' vroeg de non opgewekt, en ze keek naar Chisholm. Zuster Marianne was een verschrikkelijke leugenaarster. Ze glimlachte tegen Chisholm en ze zag er vrolijk uit, maar haar ogen waren groot en glansden, ongeveer als zeepbellen – *precies* als zeepbellen. Een dun laagje dat hun gesprek van de afgelopen nacht vasthield, maar onder druk elk moment kon springen.

'Nee nog niet,' zei Chisholm. Dus zette Marianne haar twee aktetassen neer en liep voor Chisholm uit naar de keuken waar het miljoen jaar oude dienstmeisje annex kokkin, Natividad, de tijd doodde met het breien van een trui. Opgewekt zei Marianne dat ze moest blijven zitten, omdat Marianne een licht ontbijt voor hen alle drie zou maken.

Zodra ze klaar waren, brachten Margaret en hun gebruikelijke politie-escorte haar naar de Sint-Pieter, waar Chisholm haar bewaakte terwijl zij aan de zuilen werkte.

Aldus ging de dag voorbij en de volgende ook, en werden bepaalde onderwerpen door beiden zorgvuldig vermeden, net als in bepaalde Russische romans.

Hoewel Marianne het niet wist, hield Margaret haar voortdurend in de gaten, zelfs als ze aan het bidden was. Ze bad veel. Na de lunch op het werk, na het avondeten in de villa en soms zonder enige reden, excuseerde zuster Marianne zich beleefd en stond op om met haar God te praten. Margaret vroeg zich af of het haar daardoor was gelukt om te overleven.

Op de avond waarop Denton en Lehrer hun gesprek hadden, maakte Margaret een wandeling in de villawijk om over allerlei dingen na te denken.

Toen de schietpartij op de piazza begon en zij de non naar de doorgang had geduwd, was haar enige gedachte geweest dat ze naar het dak wilde gaan om een eind aan Sepsis te maken. Want *dat* ging ze doen, hem afmaken. Denton, Gettier en de non waren voor haar dierlijke drang een hindernis, die haar ervan had weerhouden op daken te klimmen en de schutters te doden – allemaal. Ze had een duizeligmakend gevoel van verwachting voelen opkomen.

Maar toen had de non haar gebroken. Niet de schutters. Niet de dood die over het plein waarde, noch de vrees voor wat er kon gebeuren, niets daarvan, nee – de non.

Toen de non de piazza op rende naar een zekere, akelige dood, was het net alsof de non Margaret had vastgegrepen en op haar gezicht geslagen omdat ze de schutters wilde doden, terwijl ze de onschuldigen zou moeten redden en niet moest toegeven aan een lage, lichtzinnige verslaving aan geweld die alleen maar leidde tot een eeuwige kringloop van nog meer geweld. De klap in haar gezicht, het voorbeeld van de non, had haar ernstiger verlamd dan alle moordenaars van de wereld. En ze had zich geschaamd. Daarom was ze opeens zo boos uitgevallen tegen Marianne toen ze haar in de keuken had aangetroffen.

Na haar wandeling belde ze Rivera via de privé-telefoon in haar kamer.

'Hallo,' zei ze rustig. 'Hoe gaat het daar?'

'Ik heb je fax gelezen,' zei hij zakelijk. 'Heb je nog iets toe te voegen aan dat rapport?'

'Nee, ik wilde gewoon even bellen om te kijken, nou ja, hoe het gaat.'

'Alles gaat prima, maar ik moet weg. Ik spreek je morgen. Stuur me niets als alles normaal verloopt, alleen als er echt nieuws is, oké?'

'Oké,' zei ze.

Rivera werd minder zakelijk en richtte zijn aandacht op Margaret. 'Hoe gaat het, meisje, alles goed?'

'Ja.' Ze glimlachte.

'Blijf je uit de buurt van de kogels?'

'Goeddeels.'

'Die Lorca is een goede vent. Zijn rapport over die schietpartij was een stuk beter dan het jouwe.'

'Je kent me...'

'Inderdaad... Oké, ik moet nu echt weg. Gedraag je.'

'Oké.'

De telefoon klikte, maar Chisholm hing niet op. Ze telde hoeveel uren vroeger het zou zijn in San Diego – even na drie uur 's middags. Robby zou net thuis zijn van school, dus belde ze.

'Hallo?'

'Robby!' zei ze, opgewonden dat ze hem aan de lijn had.

'Hoi mam,' zei hij tot haar opluchting met een normale stem. 'Hoe gaat het?'

'Hoe gaat het met jou, jochie?'

'Goed. De school hier is makkelijker dan in Washington.'

'Vast wel.' Ze lachte om zijn arrogantie. 'Ik heb je zo gemist, wat heb je allemaal gedaan?'

'O, niet veel, gewoon. O ja, ik heb vijfendertig miljoen gehaald met Imperial Dungeons, te gek. Ik ben op het vierde niveau gekomen en zo. Maar toen heb ik niet aan de Gorgons gedacht en was ik dood.'

Heel even vroeg Margaret zich af of ze iemand van de FBI de uitvinder van Nintendo kon laten opsporen om hem zedelijk bederven van minderjarigen en samenzwering ten laste te leggen.

'Wat?' vroeg Robby, die zijn vergissing inzag.

Margaret liet het schieten. 'Niets, niets,' zei ze, en ze liet de stilte even hangen om hem te laten weten hoe geërgerd ze was.

Maar hij doorbrak de stilte met een vraag. 'Mam? Ik heb het er met pap over gehad en ik vroeg me af of het goed was als ik Kerstmis dit jaar bij hem vier?'

'Ik dacht dat hij voor de Kerst in Washington terug zou zijn,' zei ze, van haar stuk gebracht over de wending van het gesprek.

'Nee, hij zei dat de FBI hem tot de volgende zomer in San Diego houdt. Mag het, mam? Met Kerstmis ben ik altijd bij jou en deze keer wil ik bij pap zijn.'

'Met Kerstmis *en* met Thanksgiving?'

'Nee!' zei hij tot haar opluchting. 'Thanksgiving vier ik met *jou* en Kerstmis met hem en Dana.'

'O,' zei ze opgelucht. Het leek haar wel een goed idee. 'Tuurlijk jochie,' zei ze grootmoedig. 'Hoe gaat het met je vader? Zegt hij wel aardige dingen over mij?'

De volgende avond kwamen Marianne en Margaret Chisholm laat thuis, rond negen uur, beiden ongelooflijk vermoeid om zeer uiteenlopende redenen. Marianne was moe maar nog steeds energiek, gewoon moe van een dag hard werken. Margaret was moe van een lange dag piekeren. Ze waren op weg naar de keuken, toen ze werden onderschept door Denton die in de werkkamer naast de hal had gezeten.

'Hoe is de reis verlopen?' vroeg Marianne.

'Prima!' zei hij opgewekt. 'Mijn hemel, je ziet er uitgeput uit.'

'Dat ben ik ook.' Ze glimlachte vermoeid. 'Ik ga wat te eten maken. Wilt u ook meedoen?'

'Ik heb al gegeten, maar ik kom graag bij jullie zitten. Een minuutje, graag, ik moet met Margaret praten.'

Marianne knikte en draaide zich om naar de keuken. Denton zette zich schrap voor een gesprek met Chisholm, en wenkte haar mee naar de werkkamer, maar alweer verraste ze hem.

Zodra de deur dicht was, draaide ze zich naar hem toe en zei: 'Moet je horen, het spijt me dat ik toen na de schietpartij zo kwaad op je was. Dat was fout van me. Ik dacht er niet aan dat je nooit veldervaring hebt gehad en dus...'

'Laat maar,' zei hij. 'Ik was van de kaart van die toestand en jij was van de kaart van die toestand. We doen gewoon alsof het nooit is gebeurd, oké?'

Ze haalde adem. 'Oké.'

'Ik wil iets met je bespreken.'

'Wat?' vroeg ze. Ze ging op een bank zitten, terwijl Denton recht tegenover haar op een stoel leunde.

'Ik heb vanmiddag na mijn terugkomst met Lorca gepraat. Hij probeert een rechterlijk bevel te krijgen om in alle privé-databases te kijken – geen goed nieuws. Het kan weken duren – weken in het meervoud – voordat hij die kan krijgen.'

'Verdomme,' zei Margaret. 'Hoe zit het met die politieke druk waarover hij het had?'

'Het is een Italiaanse affaire. Morgen ga ik op de ambassade met de chargé d'affaires praten om te kijken of we zelf een beetje druk kunnen uitoefenen. Maar ik heb op Langley met een collega van me gesproken – gisteren? Vandaag? Ik heb zo'n jetlag dat ik niet eens weet wat voor dag het is.'

'Woensdag.'

'God zij dank. Hoe dan ook, die collega vertelde me dat er zo gesold is met de Italiaanse rechters, dat die proberen keihard te zijn als er politieke druk wordt uitgeoefend.'

'Geweldig.'

Denton stak een sigaret op en leunde voorover op de stoel. 'Margaret, we moeten de zaak hier een beetje opnieuw bekijken. We hebben geen enkele aanwijzing. En ik heb het gevoel dat Sepsis weet dat de non hier zit. Vroeg of laat slaat hij serieus toe. Een aanval op ons allemaal, waarschijnlijk hier in de villa.'

'Ja,' zei ze, en haar achterdocht tegen Denton groeide, terwijl ze hem nauwlettend opnam. 'Of hij probeert ons te pakken tijdens de rit van hier naar het Vaticaan.'

'Hier of op weg naar het Vaticaan, dat doet er niet toe,' zei hij heel natuurlijk en Chisholm wist niet wat ze moest denken. Misschien kreeg ze meer achtervolgingswaanzin dan goed voor haar was. 'Waarom sturen we haar niet gewoon terug naar de States?' vroeg hij. 'Ik bedoel, we moeten ons afvragen wat we echt hebben. We hebben niets, niets over Sepsis. Lorca zei dat er ballistisch niets is uitgekomen en dat hij geen idee had waar die Glasers vandaan komen. Als de non blijft, knalt Sepsis haar vroeg of laat neer.'

'Pas op met je CIA-praat,' zei ze, maar ze wist dat hij gelijk had. 'Daar gaan wij niet over, Denton. De mensen van de Kerk willen haar hier houden en zij wil ook blijven. Het is een vrij land.'

'Ja, dat weet ik. Jammer,' zei hij ogenschijnlijk serieus. Toen glimlachte hij tegen Chisholm, die begon te lachen.

'Hoe was je reis naar Washington? Wat heb je daar trouwens gedaan?'

'O, niets bijzonders, het bekende papierwerk.' Denton stak een sigaret op, keek op zijn horloge en wierp een blik op de televisie. 'Ik houd van Italië – geen honkbal, geen basketbal, geen American football – alleen gewoon voetbal. Milaan speelt over tien minuten. Kijk je mee?'

'Nee, bedankt. Ik heb een hekel aan sport, ik ga een stuk wandelen.'

'Zoals je wilt.'

Margaret liep de villa uit en zwierf rusteloos door de straten, zoals ze iedere avond had gedaan, terwijl ze nadacht over Denton. Ze werd te paranoïde, concludeerde ze, toen ze al lopend weer begon te denken aan een infobron. Misschien was er geen infobron. Misschien wist ze verdomme niet eens meer waar ze mee bezig was.

De woensdag van Dentons terugkeer liep Chisholm drie kilometer en op donderdag acht. Tegen vrijdagavond verveelde het haar zo om iedere avond dezelfde route te nemen, dat ze de heuvel naar de rivier af liep, vastbesloten om door te lopen tot haar benen niet meer wilden.

Het lopen kalmeerde haar. Ze liep niet speciaal snel en niet in een bewust ritme. Ze liep gewoon zoals haar benen wilden lopen, zonder er de baas over te spelen, zoals ze haar geest liet rondzwerven in zijn eigen perverse gedachtegangen, rusteloos maar onschadelijk nu ze alleen was.

Voor ze het wist, was ze de villawijk uit en liep door een donkere straat met gele stenen muren aan weerszijden. De lichten van de kruising die voor haar lag, waren helder en kleurig, een straat waarin ze veel mensen kon zien rondlopen, ieder op weg naar zijn eigen bestemming.

De stad bij nacht. De stad bij nacht, de Eeuwige Stad, leek veel op een Amerikaanse stad, of elke andere stad ter wereld, trouwens. De neonlichten maakten reclame voor warenhuizen, restaurants, bars en winkels zoals in alle andere steden en de reclames waren allemaal hetzelfde: Sony, American Airlines, Xerox, ga maar door. Zelfs de films die werden aangekondigd waren niet anders dan de films die je in Amerikaanse steden kon vinden tot aan de beelden op de affiches toe, alleen de letters waren, ter wille van een vreemde taal, anders verdeeld. Toen ze even naar de affiches keek, dacht Margaret dat ze woordblind was geworden, en herinnerde zich pas dat ze in een buitenlandse stad was toen ze zich sterk concentreerde op wat de vreemde combinatie van die letters spelde.

Misschien was de architectuur anders. Misschien de lokale markeringspunten, het Colosseum, het Vaticaan, de standbeelden en piazza's, alle monolithische prullaria waren anders en uniek voor Rome. Maar alles van de *levende* stad – de zaken, de kleren, de felle straatlantaarns die de sterren overstraalden – die waren allemaal hetzelfde, niet verschillend van Boston of New York of Washington. Zwervend door Rome werd Margaret getroffen door het feit hoezeer alles op Georgetown leek. De onderliggende eigen persoonlijkheid van de stad ging schuil achter een patina van Amerikaanse cultuur die alles met een waas of scherm bedekte. Ze was er zeker van dat de Romeinse geesten het niet erg vonden. Tenslotte hadden zij ook ooit de rest van de wereld bedekt met hun eigen laagje overheersing.

Ze liep naar een winkelcentrum vol mensen. De zaken waren kennelijk de hele avond open op deze vrijdagavond en liefdespaartjes, echtparen, kinderen en eenlingen zwermden rond, sommigen deinend als bootjes, anderen verloren in de mensenstroom. Aan de zijkanten, tegen de gedrongen gebouwen aan, waren gebiedjes afgezet met tafels en stoelen vol mensen die praatten, dronken, aten en rookten. Elk gebied leek wel een land op een politieke landkaart en onderscheidde zich van zijn buren door de kleuren en stijlen van de stoelen, tafels en parasols die allemaal zorgvuldig dichtgevouwen waren om het heldere duister van de hemel toe te laten. Bij een zo'n landje annex café struikelde Margaret bijna tegen een leeg tafeltje aan dat nauwelijks een halve meter breed was. In een opwelling ging ze zitten, aangezien de tafel aan de buitenkant stond. Niet midden tussen de andere tafels, maar ook niet hinderlijk voor de stroom voetgangers. Een klein eiland voor een van de kusten, een eiland voor haar alleen.

Bij een geteisterde ober bestelde ze een Harvey Wallbanger en ze bleef zitten met gedachten die als vuurvliegjes in bloed sidderden. Ze had haar glas halfleeg toen een blonde, sportief uitziende vrouw, zo Amerikaans dat ze net zo goed een etiket op had kunnen plakken, zich een weg baande door de voetgangersstroom en op haar tafel af kwam alsof die haar redding kon brengen.

'Eh, prego...' vroeg ze in hortend Italiaans met een zwaar accent.

Margaret kapte haar achteloos af. 'Ik spreek Engels,' zei ze.

De vrouw keek ongelooflijk opgelucht. 'God zij dank, ik hoopte al dat u Amerikaanse was. Ik dacht dat Italië de reputatie had vol met ons soort te zitten.'

'Nee, alleen wij tweeën, denk ik. Wat kan ik voor u doen?'

'Ik probeer het Ristorante San Marco te vinden,' zei de vrouw, die op een papiertje keek terwijl ze stijfjes de naam oplas. 'Weet u waar dat is?'

'Nee, geen idee. Het kan deze tent zijn, maar ik zou het niet weten, ik woon hier niet.'

'O, sorry. U ziet er zo als een... habituee uit, dus dacht ik dat u het zou kunnen weten.'

'Nee, ik ben hier nog maar een paar weken.'

'Bent u met iemand? Mag ik erbij komen zitten?' vroeg de blonde vrouw.

'Natuurlijk,' zei Margaret, vermoeid, maar ze kikkerde een beetje op nu ze haar avondgedachten van zich af kon zetten en op een echt gesprek kon hopen.

'Ik ben Cecilia, tussen haakjes. Cecilia Rubens,' zei de vrouw, terwijl ze een stoel pakte en haar hand uitstak over de minuscule tafel.

'Margaret Chisholm.'

'En wat doet u hier in Italië?'

Margaret glimlachte vermoeid en speelde met haar glas. 'Dat is een ingewikkelde vraag. Voornamelijk werken. En u?'

'Ik had een zakenvergadering in Parijs. Ik had wat tijd over, dus heb ik besloten mijn vakantie hier door te brengen. Italianen zijn geweldig, geloof ik. Maar de vrouwen – het enige wat ze willen, is je mee naar huis nemen om je pasta te voeren. Die vrouwen, zodra ze ontdekken dat ik Amerikaanse ben, nodigen ze me thuis te eten uit. Ze zijn zo aardig. Maar de mannen – het enige wat *zij* willen is je mee naar huis nemen om je in bed te krijgen.'

De blonde vrouw lachte en Margaret glimlachte.

'Ik ben niet veel buiten de deur geweest, dus dat weet ik niet. Hoe lang blijft u hier?' vroeg ze beleefd.

'Niet lang meer,' zei Beckwith glimlachend.

Frederico Lorca had net een ongelooflijk frustrerende week achter de rug met zijn jacht op de toestemming om alle databases te controleren.

Rechter Emiliano Brück werd verondersteld over deze zaak te gaan, maar hij was niet erg hulpvaardig, die vervloekte mof. Brück kwam uit Noord-Italië, wat hem legaal gezien bijna tot een Duitser maakte.

'Het gebruik van een rechterlijk bevel voor elk ideetje dat een politieman invalt, is niet aanvaardbaar,' zalfde hij op een toon waarvan Lorca het had kunnen uitschreeuwen van frustratie. 'Ik begrijp uw positie, maar u moet begrip hebben voor de mijne.'

'Ik begrijp uw positie ook, maar ik vraag die toestemming niet voor de lol,' zei hij tegen de rechter. 'We hebben geen aanwijzingen, meneer de rechter. Geen enkele. Dit idee is zo goed als alle andere, misschien beter dan de meeste.'

'En hoe zit het met de namen die u in de winkel van die Aquardiente hebt gevonden?'

'Die zijn waardeloos, deze moordenaar zou die nooit gebruiken.'

'Aha, maar *weet* u dat zeker?'

'Nee, meneer dat weet ik niet zeker. Het is een intelligente veronderstelling.'

'Maar geen zekere wetenschap.'

Dus was Lorca dinsdag, woensdag en donderdag bezig geweest om mensen op te sporen die een van de zeven namen uit Aquardientes winkel hadden gebruikt. Uiteraard was geen van de namen gebruikt.

'Ziet u wel?' zei Brück vrijdagochtend over de telefoon. 'Nu weet u het *zeker*. Nu gaat u niet uit van een blinde veronderstelling.'

Lorca dacht even na en zei: 'Als ik alle privé-databases zou controleren, zou ik niet vanuit een blinde veronderstelling opereren.'

'U hebt een geldige reden nodig voor het inkijken daarvan,' antwoordde Brück prompt. 'Als u een geldige reden had, tja, dat zou iets anders zijn.'

'Ik *geloof* dat de naam Gaglio daarin te vinden is.'

'Geloven is niet voldoende. Naast uw geloof hebt u een goede reden nodig voor dat geloof, voordat u kunt ontdekken of het waar is. U als politieman zou epistemologie moeten studeren, inspecteur Lorca.'

En zo ging het maar verder, die lulkoek. Als de toestemming slechts een voorspel was geweest tot iets onvoorstelbaar moeilijks, zou Frederico Lorca veel geduldiger en kalmer zijn geweest. Maar de informatie lag voor het grijpen, vlak voor zijn neus in zijn kantoor.

Piero Roberto, een jonge computertechnicus, zat in een hokje aan de andere kant van de etage waar Lorca werkte. Het kantoor van de jongen was ongelooflijk eenvoudig. Het enige wat er stond was een bureau, een stoel, één monitor en één toetsenbord. De dikke kabel die met plakband op de vloer vastzat, was het belangrijkste. Piero Roberto kon met die ene kabel toegang krijgen tot alle gegevensbestanden in het land en een flink aantal in de rest van Europa. Dat was wat hij voor de politie deed. Met het juiste rechterlijke bevel, zou hij plichtsgetrouw een computer ingaan, de benodigde informatie kopiëren en die overhandigen aan de rechercheur die erom had gevraagd. Met de juiste toestemming kon de hele zaak binnen een paar uur geklaard zijn. Maar natuurlijk had Lorca geen toestemming en las rechter Brück hem de les alsof hij debiel was, zoals alle middelmatige mensen zich op hun autoriteit laten voorstaan.

Tantalus, ik ben Tantalus, dacht Lorca, die het grootste deel van de vrijdag besteedde aan het opbellen van andere rechters die meer gezag hadden dan Brück, terwijl hij toekeek hoe Piero Roberto door de kantoren slenterde en de jongen bezag alsof die een godin was die hij onmiddellijk moest bezitten. Als de vervalser nog in leven was, zou Lorca hem ter plekke hebben aangenomen om het bevel te maken. Maar Aquardiente was dood, dus bleef Lorca andere rechters bestoken om Brück terzijde te schuiven. Uiteraard wilde niemand het doen.

Die avond, nadat een obscure rechter uit Turijn had geweigerd zich met de zaak te bemoeien, verloor Lorca ten slotte zijn geduld. Hij stond op om de blinden van zijn kantoor dicht te doen, en ging volmaakt roerloos achter zijn bureau zitten om na te denken. Zonder toestemming zou elk bewijs dat tot Sepsis' arrestatie leidde, niet ontvankelijk zijn. Sepsis zou er zonder kleerscheuren vanaf komen. Maar de hamvraag was: dacht hij werkelijk dat Sepsis levend gepakt zou worden?

Lorca ging zijn kantoor uit en liep door het netwerk van kantoren naar het hokje van Piero Roberto. Bijna iedereen was al weg voor het weekend. De jongen zelf maakte al aanstalten om weg te gaan, maar ging weer zitten toen hij Lorca zag.

'Je moet iets voor me doen,' zei Lorca zonder omwegen.

'U hebt de toestemming,' zei de jongen, wetend waar het om ging.

Lorca liet Roberto denken wat hij wilde om de jongen te beschermen. 'Deze lijsten moeten vanavond geprint worden,' zei hij, en hij gaf Piero Roberto een handgeschreven lijst van databases.

'Telefoon, gas, elektriciteitsmaatschappij, waterleiding, creditcards, autoverhuur...' Hij floot bij het zien van de lijst. 'Dat gaat tijd kosten.'

'Ik heb het nu meteen nodig.'

'Dan zitten we hier tot vannacht twaalf uur,' jammerde Roberto. 'Mijn vrienden en ik gingen naar Milaan kijken, ik doe het...'

'Milaan heeft woensdag gespeeld,' onderbrak Lorca.

'Vanavond spelen ze weer, weet u wel hoe moeilijk het is om kaartjes te krijgen...?'

'Pech gehad. Doe het nu,' zei hij zo kortaf, dat de jongen overdonderd met hangende schouders zijn terminal aanzette en de lijst begon door te nemen.

Het was duizelingwekkend hoe snel alles gebeurde. Hij had alle lijsten om tien uur uitgeprint, maar toen Lorca alle lijsten doornam, zonk zijn hart hem in de schoenen. Geen telefoon op de naam Gaglio, geen water, geen stroom; bij elke lijst die hij doornam, raakte hij verder ontmoedigd. Dit was echt de laatste kans.

Om de een of andere reden had Roberto de namen niet alfabetisch kunnen rangschikken, waarschijnlijk te happig om de tweede helft te halen. Dus liep Lorca alle lijsten zorgvuldig na, bladzijde voor bladzijde, met het onbehaaglijke gevoel dat hem misschien iets ontging, er bijna zeker van dat dat heel waarschijnlijk zou gebeuren. Hij sloeg de voorlaatste bladzijde van de lijst van nieuwe kabeltelevisieklanten op en daar stond hij, drie namen van boven: Tirso Gaglio. En vlak erachter stond een adres.

'Mijn God,' fluisterde hij, starend naar de naam en het adres.

Hij scheurde de bladzijde lukraak af, greep zijn colbert en worstelde zich erin, terwijl hij van zijn kantoor naar zijn auto rende. Margaret zou haar geluk niet op kunnen.

Het was even na elf uur 's avonds en zuster Marianne lag al in bed met de lichten uit te bidden.

Bidden was altijd onvoorspelbaar bij Marianne. Meestal deed ze het op de gemakkelijke manier met een soort mantra als gebed, een gebed om de geest te zuiveren en God indirect te benaderen. Daarvoor was de rozenkrans altijd het beste. Als je zo bad, zo zonder gedachten of aandacht, was je net een indringer op een feest dat God gaf, waar – misschien – als je voldoende discretie en tact betrachtte, God je niet zou opmerken als individu maar eenvoudigweg als een gewone smekeling zonder speciale kenmerken.

Maar er was ook dat zeldzame, dat moeilijke, het nadenkende gebed – het gebed dat met het hele hart en de volledige geest wordt gedaan. Een gebed als kloppen op Gods voordeur en smeken om voor Zijn Aangezicht te worden toegelaten. Er was altijd moed voor nodig. Het begon altijd eenvoudig. Maar toch noodde het altijd tot twijfel, de twijfel, het zuivere gevoel van absurditeit in het aangezicht van een ontastbare, onzichtbare, weerbarstige God die geen medelijden had met het menselijk lijden om het simpele feit van het lijden. De afschuwelijke twijfel in het gebed was een geloofstest. Het verbaasde Marianne niet dat religies met erkende mantra-achtige gebeden bij ontwikkelde mensen populairder waren dan het katholicisme. Louter het feit dat men van zichzelf bewust moest zijn, weerhield de mensen van een eerlijk gebed, want wie kon om een audiëntie bij God smeken zonder zenuwachtig te worden?

Dit was het soort gebed dat zuster Marianne probeerde te volbrengen. En die avond lukte het niet, hoewel ze het probeerde. Ze had zoals altijd haar avondrozenkrans gebeden, alleen deze keer als een voorspel tot het hardere, eerlijker gebed dat haar voor ogen stond, maar het wilde gewoon niet komen. De twijfels van haar geloof, nooit helemaal overwonnen, kwamen terug. Het was geen twijfel aan haar geloof in God. Het was twijfel aan zichzelf en haar waarde voor Hem.

Rusteloos hield zuster Marianne ten slotte op met haar poging tot bidden, ging rechtop zitten en deed het licht op haar nachtkastje aan om te zien hoe laat het was. Ze had zin om te praten. Het was halftwaalf, iets later. Ze stapte uit bed, trok een kamerjas aan en liep haar kamer uit.

De deur naar haar kamer was aan het eind van de gang op de eerste verdieping, weggestopt aan het eind van de noordvleugel van de villa. Marianne liep de lange, brede gang af naar de trap. Maar in plaats van weer naar beneden naar de keuken te gaan, liep ze de trap voorbij en liep door naar de zuidvleugel, naar Margarets deur, waar licht onderdoor scheen. Ze deed de deur open.

'Margaret, ik dacht... o mijn God!' zei ze.

De radio speelde een of andere big-bandjazz, misschien 'Cotton Tail' of zoiets schetterends, rare muziek voor het tafereel dat Marianne zag. Aan het ondereind van het keurig opgemaakte bed zat Margaret en kuste de buik van een blonde vrouw, terwijl haar vingers haar blouse losknoopten. De vrouw, Beckwith, had haar ogen gesloten, haar handen omklemden Margarets hoofd en hielden haar tegen haar buik. Ze draaiden zich met een ruk naar Marianne toe, bevroren een ogenblik, en hoewel ze beiden nog waren aangekleed, was de inbreuk op hun intimiteit zo schokkend dat het op aanranding leek.

'Het spijt me, ik kwam niet, ik wilde niet...' stamelde Marianne, deed haastig de deur dicht en liep weg.

'Verdomme,' zei Margaret zachtjes. Vlug stapte ze het bed uit en riep: 'Marianne. Marianne, wacht.'

Halverwege de deur en het bed, draaide Chisholm zich om naar Beckwith en noemde haar bij haar valse naam. 'Cecilia, het spijt me, ik...'

'Cecilia Rubens' – Beckwith – stak haar hand uit naar iets in haar grote, leren tas, waarin Chisholm ineens de kolf van een revolver zag.

In een reflex deed Chisholm één snelle stap, wierp zich op Beckwiths arm en draaide haar hele lichaam om, waarbij de revolver uit haar hand werd geslagen. Die gleed vlot en probleemloos onder het bed, maar geen van beiden sloeg er acht op. Chisholm kwakte Beckwith tegen de muur bij het raam en tilde haar door de kracht een kwart meter van de grond.

Chisholms revolver zat ook in haar tas, aan het andere eind van de kamer op het nachtkastje. Chisholm liet Cecilia of hoe ze ook maar heette, vallen en dook schuin over het bed om te proberen

285

haar tas te pakken. Ze was er nauwelijks dertig centimeter vanaf, maar Beckwith herstelde zich snel.

Ze sprong op Chisholms rug, greep haar bij haar middel en trok haar bij de tas vandaan met het idee dat er een revolver in moest zitten. Chisholm spartelde heftig, draaide zich om, spande haar been en trapte Beckwith pal in het gezicht met haar blote voet. De verblufte Beckwith liet haar nog steeds niet los, maar trok Chisholm nog verder terug over het bed, weg van haar revolver.

Geen van beiden maakte geluid. 'Cotton Tail', het vrolijke geschetter, ging zo achteloos als een nachtwandeling over in een zoete saxofoonsolo. Chisholm trapte naar Beckwith, slaagde erin zich onder haar uit te werken tot Beckwith opeens losliet, naar haar tas op de grond dook en een stiletto te voorschijn rukte alsof er een handje was dat het aangaf. Ze zwaaide ermee door de lucht en richtte op Chisholms buik.

Chisholm kon het zich nu niet veroorloven om Beckwith haar rug toe te keren. De moordenares deed weer een uitval met het mes en doorsneed de lucht horizontaal in de richting van Chisholms buik. Chisholm deed een stap achteruit om het mes te ontwijken, maar struikelde over het bed en viel achterover in zitpositie. Beckwith sprong op haar af met haar stiletto in haar vuist die ze op Chisholms gezicht richtte.

Chisholm greep de pols boven het mes, maar door de kracht viel ze languit achterover. Beckwith gebruikte haar gewicht om het mes naar Chisholms gezicht te drukken. De punt was nauwelijks een paar centimeter van haar jukbeen. Geen van beiden maakte geluid. Ze gromden niet, ze gilden niet. In beider ogen lag uitsluitend vastberadenheid gemengd met een vreemd soort geduld.

De punt van het mes kwam dichterbij en stopte toen. Beckwith drukte met al haar kracht, maar dat was gewoon niet genoeg. Dus liet ze even los en ging van Chisholm af om een tweede aanval te doen. Een fout, want Chisholm slaagde erin haar knie tussen hen in te krijgen en sloeg ermee in de buik die ze daarnet had gekust.

Beckwith rolde door de klap opzij, en kreunde van de pijn, terwijl Chisholm uit bed kronkelde en om het bed heen naar het nachtkastje rende. Maar met een enorme snoekduik schoot Beckwith naar de hoek en doorkliefde de lucht bij het nachtkastje, rolde om, stond op en bewaakte de tas alsof deze van haar was. Ze doorkliefde de lucht ter hoogte van Chisholms buik en door de stap die ze achteruit deed om het mes te ontwijken, raakte Chisholm de muur en kon geen kant meer op. Deze keer stak Beckwith naar haar buik.

Chisholm pakte de pols boven het mes met beide handen vast. Beckwith ramde de zijkant van haar linkerhand tegen Chisholms slaap, maar Chisholm liet de hand met het mes niet los. Dus wrong Beckwith haar hand alle kanten op, kreeg hem vrij, richtte onmiddellijk weer op Chisholms gezicht en gooide zich tegen haar aan. Ze gebruikte de muur zoals ze daarvoor het bed had gebruikt en de punt van het mes kwam weer op Chisholms gezicht af.

Met haar linkerhand hield Chisholm Beckwiths pols vast en met haar rechter Beckwiths linkerarm. Deze keer echter was Beckwith sterk genoeg en de punt van het mes kwam dichter bij Chisholms gezicht. Chisholm was aan het verliezen en dat voelden ze alletwee.

Het was een draaibeweging, snel en doorslaggevend. Chisholm zette haar rechtervoet naar voren, zonder Beckwiths pols of linkerarm los te laten, ze deed een stap, draaide om Beckwith heen alsof ze aan het dansen waren en kwakte haar tegen de muur. En toen Beckwith tegen de muur sloeg en er enige ruimte tussen hun lichamen ontstond, stopte Chisholm plotseling met tegen het mes te duwen, drukte het omlaag, deed een stap naar achteren om het gebogen lemmet te ontwijken, duwde Beckwiths mes regelrecht in Beckwiths buik en stak het er zo ver in als ze maar kon.

De uitdrukking op Beckwiths gezicht was een dodelijk soort verrassing. Chisholm had die al eerder gezien en terwijl ze Beckwith recht in de ogen keek, glimlachte ze als een kwaadaardige bodysnatcher. *Ja*, leek ze zonder woorden te zeggen. *Je bent dood en ik heb je gedood.*

Met haar hand om Beckwiths pols sneed ze Beckwiths buik open, een horizontale jaap, en doorsneed de ingewanden terwijl het bloed naar buiten stroomde. Dat was het moment waarop Beckwith begon te schreeuwen.

De overrompelde Chisholm legde haar hand over Beckwiths mond, maar de vrouw gilde door.

'Hou op met schreeuwen,' fluisterde ze vergeefs. 'Hou op met schreeuwen, vuile teef!'

En terwijl 'Cotton Tail' overging in een korte drumsolo zonder begeleidende muziek, deed Chisholm een stap achteruit om wat ruimte te krijgen en hakte op Beckwiths keel in met een gladde, korte karateslag.

Ze hield op met schreeuwen. Haar strottenhoofd brak met het scherpe geluid als van een knippende vinger, en zwol zichtbaar op onder de onbeschadigde huid van haar keel. Chisholm liet haar los zodat ze op de grond zakte, waar ze zieltogend bleef liggen.

'Ga niet dood, vuile klereteef, ga niet dood!' fluisterde ze tegen de stervende Beckwith, en, beseffend hoe weinig ze wist, knielde ze naast haar neer.

Beckwiths handen gingen van haar buik naar haar keel, besluiteloos, terwijl haar gezicht, dat knappe gezicht, vertrok van pijn en paniek, rood werd van doodsnood en daarna blauw van het gebrek aan zuurstof. Maar ze bewoog nog, zonder een geluid uit te brengen.

'Wie heeft je gestuurd? Wie heeft je gestuurd? Hoe ken jij mij? Hoe kende je mij, vuile klereteef?' bleef ze maar fluisteren. Er kwam geen antwoord.

Beckwiths vingernagels waren kortgeknipt, maar ze slaagde erin diepe krassen in de zijkant van haar hals te trekken om te proberen adem te krijgen. Uiteindelijk zou ze haar eigen keel hebben uitgerukt, maar ze verloor haar bewustzijn en even later stroomde de lucht van uitwerpselen door de kamer als een grote kalme golf, de dood.

'O, barst, barst, barst! Barst!' fluisterde Chisholm, doodsbang voor wat er was gebeurd toen de consequenties ervan tot haar doordrongen.

Ze stond op en keek om zich heen. Het bloed vormde overal plassen en stroomde gestadig door. Ze keek omlaag naar zichzelf. Haar handen waren met bloed bedekt als handschoenen van glimmend rubber. Zonder na te denken veegde zij ze af aan de pijpen van haar jeans en draaide zich om om naar het lichaam van Beckwith te staren. Terwijl de dj op de radio in een onbegrijpelijk Italiaans doorratelde, keek ze de andere kant op.

Ze was ongedeerd. Ze had geen schrammetje. Maar de positie waarin ze nu verkeerde, was misschien erger dan de dood.

Abrupt, zonder na te denken, deed ze haar deur open, stapte de lange gang in, liep naar Dentons deur en klopte aan.

'Wie is daar?' vroeg Denton joviaal, gedempt vanachter de deur.

'Ik ben het,' zei ze.

'Ah, Margaret, je hebt een geweldige wedstrijd gemist, Milan was fantastisch... wat is er met je gebeurd?' vroeg hij, toen hij de deur opende en al het bloed zag.

'Wat denk je. Jij bent... jij bent de enige die me kan helpen. Kan ik je vertrouwen?' vroeg ze.

Denton glimlachte voor een keer *niet*. 'Ik vrees dat je dat wel zult moeten.'

Op het moment waarop Denton zijn kamer uit stapte om Chisholm met het lijk te helpen, ontdekte inspecteur Frederico Lorca de naam, Tirso Gaglio.

Dit is manna uit de hemel. Dat dacht Denton toen hij Beckwiths dode lichaam onderzocht.

Hij zat ernaast geknield, keek er aandachtig naar, wilde het niet aanraken, maar werd er toch naar toe getrokken. Chisholm was in de badkamer om zich te wassen en tot haar positieven te komen, terwijl Beckwiths bloed ophield met over de grond te vloeien en stil bleef staan om te stollen.

Nog steeds geknield staarde Denton naar de wijdopen dode ogen en fluisterde tegen haar, zoals hij één keer eerder had gedaan: 'Zo, zo, zo: Beckwith is terug.'

Denton hield zorgvuldig de zoom van zijn kamerjas uit het bloed en trok die nu iets omhoog, terwijl hij opstond en een stap achteruit deed. Hij stak een sigaret op.

Belangrijke manna uit de hemel, dacht hij met zijn hand voor zijn mond, terwijl hij naar het lijk staarde. Maar het zou alleen maar manna zijn als hij het probleem kon oplossen: zich van het lijk ontdoen.

Het kwam Denton altijd erg ironisch voor dat de FBI zo berucht bekrompen deed over homoseksualiteit, in aanmerking genomen dat de man die de FBI groot had gemaakt door en door homo was geweest en openlijk met zijn minnaar woonde. Clyde Tolson, niet? Denton was het vergeten en bovendien deed het er niet toe. Waar het wel om ging, was dat hij het lijk moest laten verdwijnen, anders zou Chisholm erbij zijn en ontslagen worden. Als het bekend werd, als iedereen alles van haar wist, zou hij niets hebben om haar onder controle te houden, toch? Hij begon nog harder na te denken.

In de badkamer wist Chisholm dat dit het einde was. Het enige wat haar te doen stond, was zich genoeg vermannen om Rivera en Lorca te bellen. Waarschijnlijk zou ze niet gearresteerd worden. Uiteindelijk *was* het zelfverdediging. Maar ze zou van Tegenspel worden afgehaald omdat ze de veiligheidsregels had overtreden. Ze zou naar een of andere onbelangrijke post worden afgeschoven, waarschijnlijk een veldkantoor ver van Washington. En over een jaar, hooguit, zouden ze haar zo manoeuvreren dat ze ontslag moest nemen of ze zouden een reden vinden om haar te ontslaan. Waarschijnlijk voor het kapotschieten van die telefoon.

Ze droogde haar handen af na ze nog een keer gewassen te hebben, haalde diep, trillerig adem en keek zichzelf aan. Bloedvlekken besmeurden de dijen van haar jeans en haar blouse. Haar mascara was weggewassen toen ze haar gezicht had geboend en haar wimpers waren bijna onzichtbaar. Dus zo voelde dat aan, het einde. Ze staarde lang genoeg naar zichzelf in de spiegel om zich in te prenten wat ze zag en stapte de badkamer uit om Denton tegemoet te treden.

Toen ze de kamer in stapte, wist ze bijna onmiddellijk dat ze het niet aankon. Denton draaide zich naar haar om en zij keek naar het lijk. Dat kon ze ook niet aan, dus keek ze de andere kant op, maar vond in de hele kamer niets waarop ze haar ogen kon laten rusten. Ze voelde zich gruwelijk kwetsbaar en zwak, maar voor Denton zag ze eruit als een gevangen, gekooid, verschrikkelijk wild dier.

'Dit is kut,' zei ze tegen niemand in het bijzonder.

'Een accurate taxering van de situatie, zou ik zo zeggen, Margaret,' zei hij met een hoofdknikje naar het lijk. Hij nam een lange trek van zijn sigaret en dacht razendsnel na om alle mogelijkheden onder de loep te nemen. Hij zag geen uitweg. 'Ik kan geen lijk laten verdwijnen,' zei hij, zonder haar aan te kijken. 'Dat is mijn werk niet bij de CIA.' Hij glimlachte bitterzoet toen hij Chisholms blik opving. 'Onze maffiacontacten behandelen dat soort zaken.'

Chisholm liet ook een bittere lach horen en wierp weer een blik op het gezicht van het lijk. Denton werd serieus en zijn glimlach verdween, toen ook hij weer naar Beckwiths lijk keek. Dat had geen antwoorden.

'Iemand zal dit over zich heen moeten laten komen,' zei hij uiteindelijk, en hij keek Chisholm aan.

Ze zag er bang uit, vond hij. Maar ze keek ook opgelucht, alsof dit op een bepaalde manier het beste was, de ontdekking en haar uiteindelijke, onvermijdelijke ontslag. Hij begon hardop te denken om een antwoord te vinden. Chisholm hoorde geen woord van wat hij zei.

'Ze is hierheen gestuurd om de non te vermoorden, dat lijkt me wel duidelijk. Sepsis heeft die grote aanslag op de piazza gedaan, die is mislukt, dus nu pakt hij het subtiel aan, in ieder geval min of meer. De non pakken via jou. Jij was het middel en het obstakel. Het had net zo goed...'

Hij wist het. Het was zo gemakkelijk, dat hij het had moeten beseffen op het moment dat ze hem had geroepen. Hij wist het. Hij draaide zich opgetogen om naar Chisholm, grijnzend als een haai. Hij voelde zich super. 'Pak je spullen,' zei hij opeens zonnig.

'Wat?' vroeg ze, verwonderd dat hij zo opgetogen was.

Hij wist het, hij wist het helemaal. 'We ruilen van kamer. Ik ben op stap gegaan op zoek naar seks. De pot op met de veiligheid en de voorzorgsmaatregelen – ik ben gewoon maar een bureaucraat. Ik heb mijn kleine kopje laten denken in plaats van mijn grote. Ik heb die vrouw opgepikt, die een moordenares bleek te zijn. Ik had geluk en slaagde erin haar te doden. Pak je spullen.'

Chisholm begon ongelovig haar hoofd te schudden, hoewel het idee haar begon aan te staan. 'Denton, je bent gek...'

'Denk na, Margaret,' zei hij, grijnzend als een schooljongen. 'Jij bent een ervaren veldagent die onzorgvuldig is geworden, dodelijk onzorgvuldig. Ik ben gewoon een domme bureaucraat die geluk heeft gehad. Jij, een agente van de FBI, hebt je overgegeven aan homoseks. Ik ben gewoon een hitsige CIA-man die een vluggertje wilde maken. Ik krijg een uitbrander, een knipoog en een knikje en bij de CIA de reputatie dat ik moordenaars dood, hetgeen – ik zal niet tegen je liegen – ik helemaal niet erg vind. Maar bij de FBI word jij ontslagen en misschien raak je zelfs de voogdij over je zoon kwijt. Denk na, Margaret. Ik pak mijn spullen, jij begint met pakken. Als we klaar zijn, bel ik Lorca en laat deze rotzooi opruimen.'

'Dit zal niemand voor geen meter overtuigen!' zei ze, half overtuigd, maar er nog steeds niet zeker van dat het zo gemakkelijk kon, dat de waarheid zo probleemloos te verdraaien was. 'Ik betwijfel of iemand zelfs maar de *helft* van dit lulverhaal...'

'Twijfel is voor slapjanussen, Margaret,' zei Denton, die haar strak aankeek. 'Ga pakken.' Hij draaide zich om naar de deur.

'Vertel het niet aan Marianne,' flapte Margaret eruit voor ze zich kon inhouden.

Denton bleef staan en draaide zich om. 'Dat zal ik niet doen,' zei hij, maar hij ging niet weg, omdat hij zich realiseerde dat Chisholm nog iets anders wilde zeggen. Hij had geen flauw idee wat het kon zijn.

Chisholm worstelde, opgelucht, beschaamd, doodsbang. Ze raapte al haar moed bij elkaar en keek hem in de ogen. 'Bedankt,' zei ze.

Denton glimlachte. 'Ik verleen geen diensten, Margaret. Ik verzamel schulden.'

Tegen de tijd dat Frederico Lorca de villa binnenliep om hun het goede nieuws te vertellen, had Denton alles onder controle.

DEEL 3

UITZICHT OP MACHT

DERTIEN | Uit het raam/ Waarheid

D e volgende dag, zaterdag, vroeg in de middag, ging de overval van start. Die vond plaats in een rustige arbeiderswijk van de stad. Lorca, Denton, Sepsis, ze zouden er allemaal bij zijn. Evenals speciaal-agente Margaret Chisholm. Het zou een inval zijn zoals ze nog nooit had meegemaakt en toen het afgelopen was, wilde ze het ook nooit meer meemaken.

De straten waren leeg, op een paar kinderen en wat willekeurige voetgangers na, wat de reden was waarom Lorca de auto in een zijstraat had geparkeerd, ver genoeg weg om niet de nieuwsgierigheid te wekken van iemand uit het verdachte huis, maar wel zo dat hij goed zicht op de voordeur had. Chisholm en hij zaten roerloos wachtend in de auto het huis in de gaten te houden.

Het huis was precies als alle andere – één verdieping, witgekalkt, met een kleine voortuin en een geboend rood bakstenen pad dat van het trottoir naar de voordeur liep. Tussen het trottoir en de voortuin was een laag hek, evenzeer voor de versiering als om te verhinderen dat de honden uit de buurt in de voortuin pisten en kakten. De voortuin was goed verzorgd, vruchtbaar en groen. Er waren geen zij-ingangen, want alle huizen van het blok waren onder één dak gebouwd. Getweeën hielden ze het huis strak in de gaten, maar binnen leek er niets te gebeuren.

'Hoe noemen ze dit wachten bij jullie?'

'Op de uitkijk.'

'Uit kijk.'

'Nee, uitkijk, één woord.'

'Uitkijk. Zoiets als uitzicht?'

'Nee, uitkijk is niet hetzelfde als uitzicht.'

'Dus als we met de uitkijk klaar zijn, hebben we uitzicht.'

Lorca lachte en Chisholm deed alsof ze boos keek.

'O! Wat een stomme grap, Frederico, je bent zo stom, echt een Italiaan. Dat haat ik aan Italië – vol stomme Italiaanse mannen.'

'Stomme Italianen? Ik zal je eens over een stomme Amerikaan vertellen, Margaret. Hoe heeft de CIA zo'n stom figuur als Denton kunnen aannemen? Degene die Denton heeft ingehuurd moet debiel zijn.'

'Zo stom is Denton niet.'

'Een moordenaar meenemen naar een schuilplaats is het toppunt van stommiteit.'

'Misschien was hij eenzaam.'

'Eenzaam? Als hij eenzaam was, zou ik hem aan de zuster van mijn vrouw kunnen voorstellen. Ze is lelijk, maar, nou ja, bedelaars kunnen niet kiezerig zijn.'

'Kieskeurig.'

'Doet er niet toe.'

'Ik weet het niet... hoe zit het met haar?'

'Niets, dat heb ik je al verteld, ik heb het vanmorgen laten controleren. Die vrouw was waarschijnlijk een agente van Sepsis, nergens foto's of vingerafdrukken geregistreerd. Ik heb het bij Interpol gecontroleerd.'

'Nee, stupido, de zuster van je vrouw.'

'O! Een dikzak. Maar stom, net als Denton. Misschien zouden ze samen gelukkig zijn. ...Ik heb de pest aan dat kijkuiten.'

'Uitkijken. Nee, je hebt de pest aan op uitkijken staan. Nee, op de uitkijk.'

'Doet er niet toe..'

'Hoe lang nog?'

Lorca keek op zijn horloge. 'Twee minuten. Vier mannen be-stormen de achteringang en wij gaan met de vuilnismannen. Twee mannen dekken de daken, dus geen achtervolgingen. En onthoud goed, agent Denton en jij zijn alleen maar toeschouwers, correct?'

Chisholm haalde haar revolver te voorschijn, controleerde of die geladen was en de veiligheidspal eraf was, en stopte hem weer in de holster onder haar jasje. 'Correct.'

'Waarom verhuis je niet naar Italië. Kun je met mij werken.'

'Waarom verhuis jij niet naar Amerika?'

'Te veel stomme Amerikaanse vrouwen.'

Ze lachten, maar hun ogen weken geen moment van links, waar ze het huis konden zien.

Op dat moment kwamen er van rechts twee vuilnismannen aan. Ze waren gekleed in oranje overalls, wat Chisholm deed den-ken aan de bajesklanten in Amerika, en ze duwden een gehaven-de handkar met een olievat erop, waaruit verschillende bezems le-ken te steken. Ze liepen achteloos langs de stoeprand in de richting van het huis en zagen eruit alsof ze vermoeid rondlum-melden na een middag vuil ophalen.

'Attentie,' zei Chisholm, terwijl ze toekeek hoe de vuilnisman-nen recht voor hun auto de straat overstaken. Lorca's radio ruiste en barstte los in gedempt Italiaans. Lorca antwoordde met een spervuur van woorden. Zonder naar hen te kijken, knikte een van de vuilnismannen langzaam, alsof hij iets had gehoord waarmee hij het eens was.

'De mannen zijn in positie,' zei Lorca. 'Kom op.'

Lorca en Chisholm stapten zonder haast uit de auto en staken de straat over naar de stoep tegenover het huis, waardoor ze een stukje achter de twee vuilnismannen dezelfde richting uit liepen.

Bij het buurhuis liepen de vuilnismannen met hun rijdende vuilnisvat de voortuin in en gooiden de keurige stapels vuilnis-zakken in het olievat. Daarna draaiden ze zich om en liepen de tuin uit, waarbij de man die de vuilniswagen duwde de bezemste-len ordende. Als je goed keek, waren die vreemd gebogen. Het waren automatische machinegeweren.

Op hetzelfde trottoir als Lorca en Chisholm, op ongeveer veertig meter van hen vandaan kwam Denton in zijn eentje van de andere kant, ongeveer dertig meter van het huis. Ze deden of ze elkaar niet zagen toen Lorca en Chisholm arm in arm schuin de straat overstaken, op het huis af, terwijl de vuilnismannen deden alsof ze aanbelden bij het hek van het huis, om de tuin in te lopen en de vuilnis op te halen. Ze reden het vuilnisvat recht naar de voordeur en trokken op dat moment hun machinegeweren uit de kar. Achter hen trokken Lorca en Chisholm ook hun revolvers, klaar om de vuilnismannen te dekken.

In het huis zaten de zes mannen uit Valladolid rond de keukentafel en maakten een vroeg avondmaal klaar. De wapens lagen uiteraard in de buurt, door het hele huis, in de kamers en in de keuken, allemaal binnen handbereik. Maar ze dachten niet aan geweld. Ze dachten aan eten. Dus praatten en ruzieden ze over het avondeten en of dat wat ze aan het klaarmaken waren (gegrilde biefstuk met gesauteerde champignons) een beetje goed werd of niet. Sepsis was er niet bij. Hij was er niet bij omdat hij op de plee zat.

Met zijn broek op zijn enkels zat hij op het toilet de *International Herald Tribune* te lezen en knipperde de rook van zijn sigaret uit zijn ogen. Hij had zijn bout al gedraaid, maar hij durfde er niet uit te komen omdat hij geen zin had zich met de eetplannen van de Valladolid-mannen te bemoeien.

Vanaf de schietpartij op de piazza waren ze aan het ruziën over het eten. Gallardo scheen te weten wat hij deed en hij kon koken. Barahona, echter, ging voortdurend tegen hem in en ruziede met Gallardo over alle kleine dingen – te veel van dit of te weinig van dat, te heet, te koud. Het leken wel een stel kijvende, oude wijven. Het was een vreemd gezicht, die twee Baskische terroristen die tegen elkaar schreeuwden over het klaarmaken van eten, maar uiteraard had het weinig te maken met kookkunst en alles met wie de leider was en het echte werk aankon.

Dus de afgelopen dagen, terwijl ze wachtten en hij alles voorbereidde voor de overval op de villa, had Sepsis de gewoonte aangenomen om lekker rustig naar de badkamer te gaan terwijl de twee mannen ruzieden over het eten. Als het gebekvecht afgelopen was en het eten klaar, kwamen ze hem halen en genoot Sepsis van een lekkere maaltijd. Gallardo kon uitstekend koken.

Nu zat hij kalm te lezen, terwijl hij met één oor naar het bekvechten over het eten luisterde.

De keuken was aan de achterkant van het huis en had een deur naar buiten, naar het smalle achterstraatje dat langs alle huizen van het blok liep. Maar een paar jaar geleden was de oude eigenaresse een keer beroofd, dus had ze de glazen deur laten vervangen door een dikke, stevige houten deur. Niet zo leuk voor de mannen uit Valladolid, want nu konden ze niet zien dat de vier mannen uit Lorca's team op hun sein stonden te wachten.

De twee vuilnismannen aan de voorkant hadden hun wapens in de aanslag. Ze gaven het sein op de zenders die aan hun mouwen vastzaten en belden beleefd aan. Het was Barahona die vanuit de keuken naar de voordeur liep, omdat hij bij de ruzie aan het verliezen was, en dus keek hij nalatig genoeg niet door het kijkgaatje. Als hij dat wel had gedaan, zou hij niets hebben gezien, aangezien de vuilnismannen het hadden afgeplakt, maar dat zou voor hem een voldoende aanwijzing zijn geweest. Maar hij keek niet door het kijkgat en deed de deur open, terwijl hij over zijn schouder naar Gallardo bleef roepen.

'Wat?' zei hij, voordat hij zich naar de twee vuilnismannen omdraaide. 'Chucha!' zei hij in het Spaans, terwijl door de achterdeur de vier politiemannen binnenstormden.

Barahona hoefde niet eens zijn geweer te pakken – hij had het al in zijn handen. Hij hief het op en schoot een van de vuilnismannen in het gezicht, waarmee hij hem doodde, net op het moment waarop de vuilnisman aan de trekker van zijn automatische geweer trok en als laatste daad op aarde Barahona doodde.

Achter in het huis stormden de vier geüniformeerde mannen de keuken binnen met hun geweren in de aanslag. Gallardo, die een reusachtige pan met gesauteerde knoflook en champignons in zijn handen hield, gooide de inhoud naar de vier politiemannen en greep zijn Uzi. De andere vier Valladolid-mannen grepen ook naar hun wapens terwijl de vier politiemannen, die op scherp stonden en geschrokken waren van de rondvliegende knoflook, het vuur openden en hen ter plekke doodschoten.

Het was ongewoon dat de politiemannen zoveel aandacht hadden voor de vier rond de keukentafel. Het zien van al die wapens die onder handbereik lagen, had waarschijnlijk hun aandacht op de vier mannen rond de tafel gevestigd. Jammer. Ze hadden iets meer aandacht moeten hebben voor Gallardo bij het fornuis. Van hun standpunt uit zagen ze niet dat zijn hand naar het aanrecht naast hem ging om zijn Uzi te pakken en dat hij hen volpompte nog voor ze behoorlijk op hem hadden kunnen richten. Drie politiemannen waren op slag dood.

Maar de vierde, een groentje dat het in zijn broek deed van angst over zijn drie dode maten, richtte zijn machinegeweer in pure paniek omdat hij geraakt was in zijn dij (niet heel ernstig) en borst (niet ernstig, aangezien hij een kogelvrij vest droeg), op Gallardo en schoot hem door de borst en nek. De man was op slag dood. Het ging zo plotseling en hij werd met zo'n kracht door de kogels achterover geworpen, dat hij niet op de grond viel. In plaats daarvan zakte hij over het fornuis.

Dat alles, vanaf het moment waarop de politie Barahona bestormde tot Gallardo dood voorover viel, had drie en een kwart seconde geduurd. Minder dan het kost om te niezen. Het ging in feite zo snel dat Lorca en Chisholm nog niet eens het huis binnengestapt waren, toen het allemaal al voorbij was.

'Help me, ik sterf!' schreeuwde de enige overlevende van het keukendebacle, wat absoluut niet het geval was, maar hij was zo in paniek van wat hij zag en voelde dat hij het gevoel had dood te gaan.

De enige overlevende vuilnisman stond in de woonkamer. Hij hoorde de schreeuwende politieman, maar deed geen poging om zonder dekking het huis in te gaan. Lorca en Chisholm gaven hem dekking en gedrieën controleerden ze de woonkamer om er zeker van te zijn dat daar niemand was.

De keuken was één bloedbad. Het bloed was overal heen gespetterd, zo erg dat het moeilijk te zien was dat de keuken in feite kanariegeel was geverfd. Stukjes longweefsel en uitwerpselen, respectievelijk grijsachtig donkerrood en vloeibaar lichtbruin, eigendom van de vier Valladolid-mannen die aan de keukentafel hadden gezeten, zaten overal op de muren en kastdeuren van de ene helft van de keuken, alsof iemand een paar emmers slachtafval door de ruimte had geslingerd. Gallardo lag op het fornuis letterlijk te braden. Het fornuis zelf was onberispelijk schoon, maar de linkerkant van het fornuis was bedekt met een bloedkoek. Het bloed lekte uit Gallardo's keel op de gaspit onder hem waardoor het onmiddellijk ging koken en sissend wegbrandde. De dode politiemannen waren allemaal in het hoofd geschoten, waar hun kogelvrije vest hun geen bescherming bood. Ze lagen op de vloer ge-

300

zakt en hadden gapende wonden waar hun gezicht en schedel hadden gezeten. Hun lichamen pompten nog steeds bloed, pomp-pomp, als oliebronnen die rechtstreeks in een planeet met een kern van bloed waren geboord. De schreeuwende agent, het enige levende wezen in die puinhoop, bleef half zittend op de grond hysterisch liggen schreeuwen en staarde naar alles om zich heen, volledig ontreddered door al die doden. In een ruimte van vijftien vierkante meter lagen acht dode mannen en één gewonde, en de hele keuken werd bedekt met een gestadig stromende, stijgende golf van bloed. Zo gestadig stroomde het, dat je je kon afvragen hoe hoog het zou komen voor er golfjes tegen de kasten gingen kabbelen.

Buiten had Denton het ongelooflijke tumult gehoord, maar hij bleef waar hij was op het trottoir tegenover het huis. Hij had helemaal geen zin om tussen de kogels te belanden, vooral niet omdat hij ongewapend was. Het enige geluid van binnen dat Denton hoorde, terwijl hij Lorca, Chisholm en de vuilnisman nakeek, was een hysterisch gillende vrouw.

De hysterische vrouw was de gewonde, gillende agent, die tevergeefs om hulp bleef schreeuwen. Het bloedbad had hem zo ontreddered dat zijn carrière als politieman ten einde was, al wist hij dat nog niet.

In de badkamer hield Sepsis zich gedeisd. Toen het schieten begon, trok hij zorgvuldig zijn broek omhoog, stopte zijn sigaretten die bij zijn voeten hadden gelegen in zijn zak en controleerde of zijn pistool, zijn dertig-twee met geluiddemper en kogels die door pantsers heen gingen, geladen was en de veiligheidspal losstond. Hij wachtte geduldig en waagde het niet de deur open te doen zonder te weten wat erachter was.

In de woonkamer besloten Lorca, Chisholm en de overlevende vuilnisman zonder enige formele discussie het huis te controleren, alvorens zich een weg naar de keuken te banen. Aangezien hij een machinegeweer had, liep de vuilnisman voor de andere twee uit.

Aan het eind van de rechthoekige woonkamer was een hal in T-vorm. Links leidde die naar de keuken, waar het geschreeuw vandaan kwam. Rechts leidde de hal naar drie slaapkamers, waarvan de deuren open of halfopen stonden. Daartussen zaten de badkamerdeur en twee kastdeuren, die allemaal dicht waren. Zonder haast en heel behoedzaam, controleerde de vuilnisman of de slaapkamers leeg waren, terwijl Chisholm en Lorca hem rugdekking gaven.

'Leeg,' zei de vuilnisman. Aan het geluid te horen nam Sepsis aan dat ze de slaapkamers hadden gecontroleerd.

Met een ruk deed hij de klep van de wc dicht, deed de badkamerdeur ernaast van het slot en leunde tegen de muur tegenover het toilet. Sepsis keek in de spiegel boven de wasbak en een kleine scheerspiegel in de doucheruimte, maar kon de badkamerdeur daarin niet zien. Als iemand die deur opendeed, konden de spiegels hem dus niet verraden. Sepsis installeerde zich om te wachten tot ze binnenkwamen.

Gedekt door Lorca en Chisholm kwam de vuilnisman terug uit de drie slaapkamers en liep door de hal in de richting van de keuken. Bij de dichte badkamerdeur, draaide hij aan de knop, gooide de deur open en stak zijn geweer naar binnen. Chisholm en Lorca, die vlak achter hem liepen, richtten ook op de badkamer.

Sepsis, die tegen de muur gedrukt stond, pakte zachtjes de opengaande badkamerdeur met zijn vrije hand om de deur tegen te houden, terwijl hij toekeek hoe de loop van het machinegeweer naar binnen gluurde. Hij stond op het punt door de dunne badkamerdeur zijn pistool af te vuren om de man met het machinegeweer neer te schieten, maar hij hield zich in, beseffend dat hij niet wist wie er nog meer was. Beheerst bleef hij wachten en hield zijn adem in.

Langzaam werd het machinegeweer uit de badkamer teruggetrokken. Door het gegil van de overgebleven agent was het moeilijk te horen, maar Sepsis hoorde voetstappen van de badkamer vandaan lopen, wat zijn sein was om de deur langzaam op een kier te trekken zodat hij de hal in kon kijken.

Door de spleet zag hij een gedeelte van de rug van een man in een oranje vuilnismannenuniform en hoorde door het gegil heen iemand praten.

'Kop dicht,' zei Lorca tegen de gewonde agent, toen ze het bloedbad binnenliepen. Lorca keek niet naar de man, maar controleerde de keuken en keek vol afgrijzen naar de doden. De vuilnisman en Chisholm controleerden of iedereen dood was en konden niet verhinderen dat ze op het bloed stapten dat tegen die tijd de hele keukenvloer als zwarte gesmolten rubber bedekte. De ge-

302

wonde agent bleef maar doorschreeuwen en om hulp roepen.

'Jezus Christus, wat een troep,' zei Chisholm met haar revolver in beide handen, terwijl ze over de lichamen heen in de keuken stapte. 'Laat die twee van het dak naar beneden komen.'

Lorca praatte in het Italiaans tegen de mannen op het dak via zijn zender terwijl hij zijn revolver op de lichamen gericht hield. 'Ze komen naar beneden en sturen een ambulance,' zei hij in het Engels tegen Margaret. 'En politieversterking.'

De drie – Lorca, Chisholm en de overgebleven vuilnisman – keken rond tot ze er zeker van waren dat iedereen dood was. Toen knielde de vuilnisman neer om te proberen het bloeden van de gillende politieman te stelpen. Hij sprak tegen hem in het Italiaans.

Sepsis kwam in beweging toen hij Lorca met de mannen op het dak hoorde praten. Stilletjes glipte hij de badkamer uit en richtte zijn pistool op de keuken. Niemand zag hem de badkamer uit lopen en hij liep de hal in naar een van de lege slaapkamers. Behoedzaam deed hij de deur achter zich dicht, maar liet hem op een kier, genoeg om naar buiten te kunnen kijken.

Chisholm draaide zich om, keek de hal door naar de woonkamer en zag drie gesloten deuren. Met de plattegrond van het huis, die ze vlak voor de inval bestudeerd hadden, in haar hoofd, wist ze dat twee van de deuren kleine kasten waren en een ervan de badkamerdeur was. Dus besloot ze de kasten te controleren.

'Lorca,' zei ze, en ze wees met de loop van haar revolver naar de hal. Lorca dekte haar terwijl zij de deur naar de kasten en naar de badkamer nog een keer opendeed, voor het geval dat, maar er was niemand. Beiden ontspanden zich ten slotte en lieten voor de eerste keer sinds ze het huis binnengekomen waren, hun wapens zakken.

'Wat een klerezooi,' zei ze, terwijl ze terugliep naar de keuken.

De twee politiemannen van het dak, die net als de agenten in de keuken kogelvrije vesten aan hadden, kwamen via de achterdeur de keuken binnen en raakten geschokt door het bloedbad. Ze stapten over de lichamen heen en lieten voetafdrukken achter op het stollende bloed.

'Te vol, er zijn hier te veel mensen,' zei Lorca in het Italiaans. 'Jullie daar,' zei hij tegen de nieuwaangekomenen. 'De rest van het huis is leeg. Ga naar de woonkamer om te controleren of die twee mannen daarginds echt dood zijn.'

De twee agenten volgden zijn bevel op, persten zich langs Chisholm en Lorca heen door de hal, terwijl ook Denton de hal in kwam. Op hun weg naar de woonkamer keken de twee agenten niet naar de slaapkamerdeuren. Maar Sepsis zag hen heel goed.

Denton hoorde buiten te blijven tot Chisholm of Lorca hem het sein had gegeven dat alles in orde was, maar hij had de verleiding niet meer kunnen weerstaan. Hij was het huis binnengelopen, bleef op de drempel naar de twee dode mannen, Barahona en de andere vuilnisman, staan kijken en liep door naar de keuken, zonder zich van enig gevaar bewust te zijn.

'Wat doe jij hier, verdomme?' vroeg Chisholm zonder hem aan te kijken, ontzet over al die lijken en hoe snel het was gegaan.

'Hebben we hem?' vroeg Denton, die, starend naar de lijken in de keuken, niet opmerkte dat Lorca en Chisholm elkaar een blik toewierpen. Denton had precies de vraag gesteld die hen bezighield.

'Ik weet het niet, ze zijn jammer genoeg allemaal doodgeschoten. Wat doe je hier, trouwens? Je diende buiten te wachten, als een gehoorzame jongen.'

'Skippy wil kijken,' zei hij zonder humor. Hij kon zijn ogen niet geloven. Eerst dat bloedvergieten in de woonkamer en nu dat wat hij in de keuken zag.

'Goed, ga terug naar de woonkamer,' zei ze, en Denton ging niet met haar in discussie, geschokt dat er in zo'n korte tijd zoveel geweld had plaatsgevonden.

Lorca schudde zijn hoofd. 'Dit heeft veel gekost. Vier van mijn mannen dood voor zes terroristen. Maar we hebben Sepsis tenminste.'

'Als je me aanwijst welke van die mannen Sepsis is, geloof ik je,' zei Chisholm.

'Ik begrijp wat je bedoelt.' Geen van de terroristen was op het eerste gezicht herkenbaar.

'Wat is dat voor stank?' vroeg Lorca, die op Gallardo af stapte, omdat hij zich opeens realiseerde dat de man gebraden werd. Hij trok het lichaam van het fornuis en draaide het gas uit. 'Mijn God,' was het enige wat hij kon uitbrengen en hij keek naar de gebraden borst en het gebraden gezicht van Gallardo. De halswond was al dichtgebrand door de gaspit. Lorca keek de hele keuken rond en boog zijn hoofd in Chisholms richting.

'Margaret,' vroeg hij, niet gelovend dat het allemaal was gebeurd. 'Eerlijk zeggen, heb je ooit zoiets gezien?'

Ze schudde haar hoofd, dat nu ritmisch pulseerde van de pijn, hoewel dit alles haar schuld niet was, of de schuld van wie dan ook. De gillende agent gilde nog steeds, wat de hoofdpijn erger maakte. 'Frederico, zeg tegen je agent dat hij zijn kop houdt.'

Denton was naar de woonkamer teruggelopen, op de twee dakagenten af, die elk naast een dode man zaten. Denton wilde de doden niet van dichtbij zien, maar hij kon zich niet bedwingen, liep om de twee agenten heen en knielde bij Barahona's lichaam neer om het van dichtbij te bekijken.

Dat was het moment waarop Sepsis in actie kwam. Hij stapte de slaapkamer uit, richtte zijn pistool op de keuken en liep naar de woonkamer, waar Denton en de twee agenten nog bij de lijken zaten en zich niet bewust waren van wat er stond te gebeuren. Vooral Denton had hem moeten zien, aangezien hij van de drie mannen de enige was die met zijn gezicht naar de kant zat waar Sepsis vandaan kwam. Maar Denton merkte Sepsis niet op tot hij op nauwelijks twee meter afstand was, veel te laat.

Sepsis schoot met zijn gedempte pistool op de agenten en raakte hen beiden onder aan hun schedel, voordat ze wisten wat er gebeurde. Denton sprong op, deinsde terug voor al het bloed dat overal heen spoot, toen de slagaderen van de agenten door de kogels werden doorgesneden en bloed over de vloerbedekking begonnen te pompen.

Hij keek op en zag dat Sepsis zijn pistool op hem richtte.

'De leeuw van de eeuw, eindelijk van aangezicht tot aangezicht,' fluisterde hij, starend naar de loop die een paar centimeter van zijn gezicht af was, met een duistere blik op Sepsis. Vanwege het gegil en gebrul van de gewonde agent, realiseerde niemand zich dat Sepsis in leven was. Denton stond op het punt nog iets te zeggen toen Sepsis een vinger tegen zijn lippen hield en het pistool de andere kant op richtte.

Voor Denton maakte dat gebaar alles op de een of andere manier erger. Toen hij het pistool zag, had hij geconcludeerd dat hij waarschijnlijk nu zou sterven. Maar met de vinger die om stilte maande, wist Denton het niet goed, het gaf hem een zweem van hoop, wat alles nog angstwekkender maakte.

Volmaakt kalm controleerde Sepsis of Denton geen wapen bij

zich of onder handbereik had. Hij gebaarde tegen hem met zijn eigen wapen, een polsgebaar naar de muur, uit de buurt van de deur. Denton aarzelde niet, maar ging bij Sepsis vandaan, die op zijn beurt om de lijken heen liep en eroverheen naar de voordeur stapte. Denton wist nog steeds niet of Sepsis hem ging doden. Opeens besloot hij dat hij niet wilde wachten om daarachter te komen.

'*Hij is hier, hij is hier, en hij heeft een pistool, hij is HIER!*' schreeuwde hij, terwijl hij zich zo dicht mogelijk tegen de muur aan drukte, alsof hem dat onzichtbaar zou maken.

Lorca was de eerste die in beweging kwam, gevolgd door Chisholm. Hij rende de nauwe hal door, te snel waardoor hij om de hoek in Sepsis' zicht kwam, die hem dwars door zijn gezicht en borst schoot. Hij was op slag dood.

Chisholm maakte niet dezelfde fout, maar stak alleen haar linkerhand met de revolver om de hoek, schoot in het wilde weg en miste zowel Sepsis als Denton op een haar na.

'*Niet schieten, in godsnaam, schiet me niet dood!*' schreeuwde Denton, terwijl hij zich flinterdun tegen de muur probeerde te maken. Sepsis overwoog of hij de keuken in moest gaan om die teef Chisholm te doden, maar hij hoorde sirenes, sirenes.

Hij stapte het huis uit op het moment waarop twee politieagenten de hoek om kwamen waar Lorca en Chisholm hun auto hadden geparkeerd. Vier politiemannen stapten uit de twee auto's en Sepsis aarzelde geen seconde – hij vuurde op de eerste agent die de tegenwoordigheid van geest had om een pistool te trekken, en raakte hem in zijn borst vlak boven het raam van het openstaande autoportier. De andere drie agenten doken in elkaar. Sepsis rende weg.

'*Hij ontsnapt!*' schreeuwde Denton, toen Chisholm de deur uit schoot om Sepsis achterna te rennen. De drie politiemannen lieten hun auto's staan en renden achter Sepsis aan, overtuigd dat hij niet zou ontsnappen. Denton liep op Lorca af, draaide hem om en besefte met één blik dat hij dood was, een gapende bloederige massa waar zijn neus hoorde te zitten. Hij pakte Lorca's revolver op en rende het huis uit.

Sepsis sloeg linksaf de hoek om en rende naar het volgende blok, waar rechts een soort park was, dat aan alle kanten door bomen en struiken werd omgeven. Vlak achter hem renden de drie agenten en Chisholm. De Italianen wisten niet wie Chisholm was, maar gingen ervan uit dat ze aan hun kant moest staan als ze met zo'n grote revolver achter de moordenaar van hun maten aan liep.

Sepsis vuurde tijdens het rennen zonder te kijken een kogelregen over zijn schouder, maar geen van de agenten durfde terug te schieten, omdat het een dichtbevolkte wijk was waar één verdwaalde kogel veel te veel schade kon aanrichten, iets waar Sepsis op rekende.

Toen hij door de bomen en struiken van het park vloog, besefte Sepsis dat hij op een speelplaats was. Het was er groen en overal stonden banken. Rechthoekige stukken gazon werden doorsneden door bruine zandpaden en alles was een beetje haveloos, net als de buurt rond het park. Er waren kinderen, ouders en mensen die naar hem keken. Sommigen realiseerden zich dat hij met een pistool rende en beseften eens te meer dat het foute boel was toen drie carabinieri en een roodharige vrouw het park binnenstormden en achter de man aan renden.

'*Uit de weg, uit de weg, uit de weg!*' schreeuwden de drie agenten tegen de mensen in het park. Twee van hen hielden in om op Sepsis te richten, die regelrecht naar de andere kant liep. Maar ze konden niet schieten – een vrouw met een kinderwagen wandelde hun gezichtsveld binnen, recht in het traject van Sepsis.

De zich van niets bewuste vrouw was Carmela, een vrij jonge, dikke arbeidersmoeder die deze zaterdagmiddag liep te piekeren of ze zich van haar man wilde laten scheiden of niet. Ze dacht erover na, maakte zich zorgen over het geld en wat ze moest doen om aan de kost te komen voor haar en haar zestien maanden oude dochter, hoe ze de eindjes aan elkaar kon knopen als ze doorzette en zich van haar man liet scheiden. Het was geen slechte man, maar ze was al lange tijd niet gelukkig in haar huwelijk en vond dat ze recht had op een gelukkig leven en dacht dat er een scheiding voor nodig was. Dat liep ze te denken toen een magere, maar sterke jongeman zijn arm om haar hals sloeg en een pistool onder haar wang hield.

Het was het enige wat Sepsis kon bedenken, overrompeld als hij was door de komst van de vier man versterking. Hij had tijd nodig om de zaken op een rijtje te zetten. Terwijl hij de gillende vrouw met zijn linkerarm om haar hals vasthield, richtte hij het pistool op haar hoofd en drukte zijn knie onder in haar rug zodat ze niet kon worstelen.

'Terug jullie of ik schiet dat wijf aan flarden!' schreeuwde hij in een bizar mengelmoes van Frans en Duits tegen de drie Italianen en Chisholm, die geen van vieren bewogen en op drie meter afstand met hun wapens op zijn hoofd gericht bleven staan, wetend dat ze de vrouw konden raken. Ze vroegen zich allevier af of ze Sepsis konden tackelen zonder dat zijzelf of de vrouw werden gedood. En terwijl ze daar zo met hun wapen in de aanslag stonden, gingen ze als razenden tegen elkaar te keer.

Geen van de personen in deze patstelling begreep wat hij – of zijzelf stond te scheeuwen, laat staan wat de anderen brulden. De politiemannen schreeuwden in het Italiaans tegen Sepsis, Sepsis zelf schakelde onbewust heen en weer tussen zijn moedertaal Frans en zijn moedertaal Duits, terwijl Chisholm hem in het Engels dreigde zijn graf in te helpen. De onschuldige vrouw schreeuwde ook en worstelde uit alle macht om los te komen en keek doodsbang toe hoe het wandelwagentje met haar baby langzaam van haar wegreed. Ze zat in angst om zichzelf, ja, maar hoe meer seconden er voorbijgingen, hoe banger ze werd dat de wandelwagen zou omkiepen en haar kind eruit zou vallen.

En terwijl de seconden een minuut dreigden te worden, voelde Chisholm een golf opkomen, een golf die zich had laten voelen sinds ze de korte, heftige dodelijke knallen in het huis had gehoord, een golf van geweld en moord die de verschrikkelijke stimulans maskeerde, een prikkel die de golf nog meer opzweepte. Voor het eerst stond Sepsis daar recht voor haar. Er stond iets heel verschrikkelijks te gebeuren.

Het gebeurde uit... gemakzucht? Misschien was het gemakzucht, ja, omdat dat schreeuwende rotwijf zo heftig worstelde in Sepsis' greep dat ze dreigde zich los te rukken, waardoor hij weerloos was. Dus schoot hij haar door het hoofd met een van zijn pantserkogels. Ze was op slag dood.

Het gebeurde voordat een van de drie politiemannen of Chisholm er erg in had. Het was een nutteloze moord op de vrouw, maar ze hield onmiddellijk op met spartelen. Sepsis hield haar met zijn linkerarm als een schild voor zich, terwijl hij met zijn rechterarm op de drie politiemannen richtte, hun een kogel door het hoofd schoot en ze alledrie achter elkaar doodde, alvorens zijn wapen op Chisholm te richten: paf, paf, paf.

Hij mikte op haar voordat ze zelfs maar besefte dat zijn gijzelaarster dood was. Het pistool was recht op haar gezicht gericht toen hij de trekker overhaalde. Het pistool klikte alleen maar.

De golf rees steeds hoger toen hij zijn arm uitstak om de drie agenten te doden. De golf kwam snel omhoog, maar maakte geen schuimkop toen het pistool op haar werd gericht. Chisholm stond nog te worstelen met het feit dat de jonge moeder dood was, toen Sepsis het pistool op haar richtte. Met elke kogel die hij afvuurde, met elke politieman die hij doodde, rees de golf hoger en werd opgestuwd door een krachtiger, sterkere onderstroom tot de golf hoger en hoger rees en begon om te krullen toen ze hem de politiemannen zag doden. En zelfs toen hij met het lege pistool klikte, zelfs toen had Chisholms golf nog geen schuimkop, maar duurde het een seconde, nog een seconde langer voordat hij omkrulde.

Tijdens die seconde klikte en klikte Sepsis met het lege pistool en haalde de trekker over terwijl zijn geest telde en hoopte dat het wapen blokkeerde, al wist hij dat het geen blokkering was, omdat de brede veer de laatste hulzen had uitgestoten toen hij op de laatste politieman schoot. Hij had geen kogels meer en hij staarde Chisholm aan en klikte met zijn pistool en keek toe hoe de golf in haar binnenste eindelijk omkrulde en over hem heen begon te spatten.

Want de golf *kwam*, eindelijk, de brekende golf van rode woede en razernij die over de bruine aangestampte aarde van het park stroomde als de hardste rode golf die ooit aan land spoelde. Chisholm hield haar revolver in haar beide handen met de verlengde loop op minder dan twee meter afstand van Sepsis. Ze wist dat ze vier kogels in haar revolver had en twee snelladers in haar zak, maar daar dacht ze niet aan, helemaal niet, ze dacht *nergens* aan, maar verloor het besef van wat ze deed net zo gemakkelijk en aangenaam alsof ze verleid werd. De golf brak over haar heen, in haar, overspoelde haar en sloeg op haar neer toen ze een laatste keer heel diep ademhaalde en de revolver recht op Sepsis afvuurde.

BAM-BAM-BAM-BAM!

Het lijk kreeg de kogels allemaal in de borst. Alle kogels waren bedoeld voor Sepsis, hij voelde het, naalden die naar hem werden uitgestoken achter het vlees van de jonge moeder maar geblokkeerd door haar lichaam tot Chisholm met een lege revolver naar Sepsis klikte. Hij liet het lijk vallen en keek omlaag naar zichzelf.

Hij was ongedeerd. Geen kogels, geen wonden, geen schrammetje voelde hij op zijn lichaam dat hij overal betastte. Hij keek op naar Chisholm.

Ze zagen elkaar aan, verrast, beiden met een leeg wapen in hun hand, beiden in leven en ongedeerd.

Chisholm was de eerste die reageerde. Ze graaide in de rechterzak van haar sportjasje, maar de klep van de zak zat in de weg. Ze tastte naar een van de snelladers die, voor het grijpen, tegen haar heup bonkten en ze klikte haar revolver al open terwijl ze naar meer kogels tastte.

Sepsis realiseerde zich zonder erbij na te denken wat Chisholm aan het doen was en rende met uitgestrekte armen op haar af, hield bijna haar borsten in zijn handen en gaf haar een enorme duw, zo hard en zo snel dat ze struikelde en achteroverviel. Nog vóór ze de grond raakte, krabbelde ze alweer overeind. Door de bomen in de verte zag Sepsis Denton aankomen, wat hem deed besluiten om weg te rennen.

Hij draaide zich om en sprintte regelrecht het park uit, stormde door de rij bomen en struiken langs de rand van het park en rende het verkeer in. Er reden weinig auto's en de weinige die er waren, waren eraan gewend dat mensen overal zomaar de straat overstaken, een van de slechte gewoontes van Italiaanse voetgangers, dus remden ze gedachteloos terwijl Sepsis midden over de straat naar een kruising rende en daar afsloeg.

In de verte zag Chisholm hem de hoek omgaan op het moment dat ook zij door de bomen en struiken stormde en haar revolver ladend de straat over rende. De inspanning om tegelijkertijd te rennen en te laden maakte haar langzamer, dus liet ze het laden maar schieten en rende op topsnelheid naar de hoek, waar ze Sepsis had zien afslaan. Denton was vlak achter haar, maar zo uit vorm dat hij afstand verloor.

Ze stormden over het trottoir, Sepsis en Chisholm, dwars door de menigte voetgangers die om een duistere reden in die straat veel dichter was. Waarom die mensen daar liepen, Sepsis had geen idee, maar hij trok hen om zodat ze op Chisholms weg terechtkwamen, waardoor ze hopelijk zou struikelen. Maar Chisholm kende dit soort strategieën, botste zelf tegen de deinende menigte op en duwde de mensen opzij.

De zon was oranje, alweer als het zonlicht van een late namiddag, terwijl ze over de stoep raasden, omdat ze vanwege de auto's niet midden op de weg konden lopen. Sepsis sloeg opeens scherp rechtsaf en verdween in een gebouw. Chisholm was zo dichtbij, dat ze er niet bij stilstond dat hij een hinderlaag kon proberen. Ze sloeg ook rechtsaf en volgde hem een fractie later.

Het gebouw was een van die oude, smalle gebouwen met een betimmerde hal van donker hout die naar een smalle impasse leidde, links een trap naar boven en rechts twee liften. Sepsis wilde net de trap op rennen toen Chisholm een snoekduik maakte en hem tegen de muur kwakte zoals haar broers haar eindeloos lang geleden hadden geleerd.

'Vuil klerewijf!' raasde Sepsis. Hij greep Chisholm bij de arm en gooide haar tegen een van de liftdeuren, die indeukte. Hij liep terug om haar op haar gezicht te slaan, maar Chisholm trapte met haar modieuze laars met vierkante neus precies tegen zijn scheenbeen.

Sepsis schreeuwde en ging bijna onderuit van de pijn, greep zijn scheenbeen vast met de gedachte dat die gebroken moest zijn, terwijl Chisholm twee stappen opzij deed om zichzelf de ruimte en de tijd te geven om haar revolver te laden.

Ze moest afstand zien te krijgen, besefte Chisholm, die hysterisch probeerde haar hand in haar jaszak te krijgen. Hij was sterker dan zij. Ze moest afstand zien te krijgen, tijd om haar revolver te laden en die klootzak regelrecht naar de hel te schieten, anders was zij degene die er was geweest.

'Kom op, klootzak, *KOM OP!!*' schreeuwde ze zonder het te weten. Uiteindelijk kreeg ze een van de laders te pakken en trok hem uit haar jaszak.

Alweer zonder erbij na te denken rende Sepsis op Chisholm af en stootte haar opzij, deze keer niet zo hard, maar toch nog zo krachtig dat Chisholm haar snellader liet vallen. Ze greep haar revolver bij de loop in haar rechterhand om Sepsis hard op zijn voorhoofd te beuken, maar ze haalde te ver uit, waardoor hij de ruimte kreeg om met zijn linkervuist tegen de zijkant van haar gezicht te timmeren, zodat ze op haar knieën zakte.

'Nu vermoord ik je, rotwijf,' zei hij in het Duits, wat ze niet verstond, vlak voordat Chisholm die bij zijn voeten voorover op de grond lag, voldoende bij haar positieven kwam om met de kolf van haar revolver tegen hetzelfde scheenbeen te slaan als waartegen ze had getrapt. Sepsis schreeuwde en hinkte weg, terwijl zij genoeg bijkwam om op te staan en nogmaals te proberen hem te tackelen.

Maar hij was sterk. Hij greep haar bij haar keel en begon haar te wurgen, trok haar gezicht dichter naar zich toe en stak zijn ellebogen uit om het Chisholm onmogelijk te maken zijn ogen uit te krabben. Ze probeerde haar knie in zijn kruis te zetten en krabde, maar Sepsis was erop voorbereid en draaide zijn lichaam zo dat het stevige vlees van zijn dij zijn kruis beschermde. Chisholm sloeg keer op keer tegen zijn dijbeen, gaf de pogingen om hem in het gezicht te krabben op en trok aan zijn armen, nog niet aan de verliezende hand, maar zwakker onder de druk op haar keel.

Voor het eerst staarden ze elkaar recht in de ogen, op een paar centimeter afstand. Uit haar ogen grepen vlammend rode tentakels naar Sepsis' geest, die kwaadaardige tentakels die zijn hersenen uit zijn schedel probeerden te zuigen. En het enige dat Chisholm voelde, was een zwart vacuüm in de kern van de man, een volmaakt zwarte leegte die alleen bevredigd zou zijn als haar lichaam aan flarden was gereten.

'*Hé!*' schreeuwde Denton in de deuropening van het gebouw en richtte een geweer op hen beiden. Zonder na te denken gooide Sepsis Chisholm opzij en rende de trap op. Hij had een vlijmende pijn in zijn scheenbeen, dat waarschijnlijk gebroken was, maar Sepsis vermande zich en rende met twee treden tegelijk de trap op.

Denton rende de hal in, puffend als een oude, kapotte machine, en knielde bij Chisholm neer die lag bij te komen. 'Alles oké?' hijgde hij.

'*Grijp hem!*' schreeuwde ze. Ze kwam zelf overeind en rende achter Sepsis aan de trap op. Ze kon zich geen vertraging permitteren door haar snellader te pakken en hem uit de wereld te helpen, maar ze kon hem achternagaan en dat deed ze. Uit alle macht.

Denton was door zijn sigaretten te zeer buiten adem en greep zijn knieën om uit te hijgen. Hij wilde hen achterna, maar was te uitgeput. En toen ging de liftdeur, de deur met de deuk van Chisholms lichaam, open en kwam een oudere, onbezorgde heer naar buiten die een afstandelijke blik op Denton wierp, alvorens het gebouw uit te lopen. Denton stapte in de lift en drukte op de knop voor de bovenste verdieping.

Chisholm en Sepsis renden de trap op, voortdurend op een afstand van een halve verdieping. Zigzaggend een trap op, sprintend over een portaal, daarna de volgende trap, aldoor maar omhoog, rennend door het met donker hout betimmerde trapgat, terwijl om hen heen de bewoners naar buiten kwamen om te kijken waar alle opschudding over ging. De bewoners konden hen horen schreeuwen, gillen en kreunen. De vrouw joeg achter de man aan. Maar noch Sepsis, noch Chisholm beseften dat ze geluid maakten. Geen van beiden had nog bewuste gedachten. Ze zagen zichzelf niet als wezens met gedachten of pijn. Daar, alweer, was tussen hen slechts een ruimte die ze beiden opvulden met hun persoonlijke kleuren.

Op de overloop van de zesde verdieping, rennend naar de volgende trap, verstapte Sepsis zich, miste een trede en vertrok zijn gezicht van de pijn in zijn scheenbeen. Dat gaf Chisholm net genoeg tijd. Met razendsnelle, lange stappen en een laatste sprong, dook ze naar Sepsis' benen, rukte eraan en haalde hem onderuit.

Met de kracht van haar val verloor Chisholm de greep over haar revolver en over Sepsis' benen. De revolver gleed door de lange, donkere gang van de zesde verdieping. Sepsis rolde opzij, was sneller overeind dan Chisholm en trapte haar in het middenrif terwijl zij probeerde op te staan, waardoor ze weer onderuitging.

Hij had zich moeten omdraaien. Hij had zich moeten omdraaien om te rennen, weg te rennen. Maar dat deed hij niet. Hij deed een paar stappen naar voren en trapte nog een keer.

Deze keer greep ze zijn been, draaide het snel om, waardoor hij omviel, liet hem liggen om haar revolver te pakken, die nog geen twee meter verderop lag, en greep tegelijkertijd naar de andere snellader in haar zak.

Maar Sepsis stond op en schopte haar, vóór ze de revolver kon pakken, nog een keer zodat ze languit in de richting van het raam aan het eind van de donkere, smalle gang schoot. Voor Sepsis was Chisholm een zak stront die hij kapot ging maken, eigenhandig. Hij trapte haar nog een keer vóór ze overeind kon komen. Chisholm viel aan het eind van de gang achterover en kon geen kant meer op. Dof zonlicht viel door het enige raam achter haar.

Hij ging bij haar zitten. De adem was uit haar longen getrapt. Hij greep haar hoofd bij de oren en sloeg er uit alle macht mee tegen de richel van het raam. Chisholm worstelde, verzette zich en

313

hield met haar rechterhand de achterkant van haar hoofd vast, terwijl ze met haar linker probeerde om hem op zijn gezicht te slaan, wat mislukte, het was te laat, het was verdomme te laat, ik maak je kapot en ik gooi je...

Uit het niets schreeuwde Denton. '*Stop! Ik heb een pistool!*'

Sepsis aarzelde en draaide zich om naar Denton, die de trap af kwam en de donkere gang in liep met een pistool in zijn hand, zoals hij had gezegd. En op dat moment van aarzeling, kreeg Chisholm haar adem terug.

Ze wrong haar rechterhand onder haar hoofd vandaan, greep ermee naar Sepsis' kruis en pakte hem met haar linkerhand bij de keel. En met alle kracht die in haar was, met die kracht die moeders in staat stelt een brandende auto om te keren als hun baby erin beklemd zit, pakte Margaret Chisholm Sepsis op, slingerde hem over haar schouder door het brekende glas van het raam en liet hem in de lege ruimte vallen die net zo goed zwart had kunnen zijn, zo weinig redding was ervan te verwachten.

Tijdens zijn val keek Sepsis om naar het raam, zonder te beseffen dat hij schreeuwde. Zijn gehele gezichtsveld werd in beslag genomen door Chisholms op zijn kop staande, schamper grijnzende gezicht vol haat, dat terugweek, langzaam verdween, alsof zij het was die opsteeg en niet hij die omlaag ging, die naar beneden viel. Zijn laatste bewuste gedachte was niet gewijd aan hemzelf of aan zijn leven of dood, maar aan haar rode haar dat, waaiend in de wind, met kleine lokken naar hem zwaaide.

Chisholm keek hem helemaal na, keek toe hoe Sepsis, haar aanstarend, zeven verdiepingen viel. Het moment werd uitgerekt, uitgerekt als een doek dat iemand probeert uit elkaar te trekken. Zijn handen waren naar haar uitgestoken. Zijn gezicht vormde rondjes van ogen en mond. Zijn hoofd viel sneller dan de rest van zijn lichaam. Zijn ogen lieten haar gezicht geen moment los, het doek werd zover uitgerekt dat het ieder moment doormidden kon scheuren.

Hij sloeg tegen de grond. Toen zijn hoofd de grond raakte, klonk het als een bowlingbal of een watermeloen, hol. Het barstte open, bloed en hersenen stroomden uit zijn oren en oogkassen. Botsplinters spleten door zijn gezicht, misvormden het; zijn kaakbeen knapte af en hing los te flapperen. De rest van zijn lichaam barstte niet open toen het de grond raakte. Het stuiterde veeleer, heel hoog, ongeveer een kwart meter van de grond. Zijn verpletterde hoofd verankerde het lichaam waardoor het niet erg ver weg kon springen, terwijl een regen van glassplinters over hem heen sloeg. Zijn geschreeuw, echter, stopte bij het neerkomen niet, maar hield nog een fractie van een seconde aan, viel niet stil, maar stierf weg.

Margaret Chisholm zag het hele gebeuren. Met ingehouden adem over het raamkozijn geleund, staarde ze als verlamd naar dat lichaam beneden, terwijl angst, haat, opluchting en schaamte zich nog inhielden, maar aanstalten maakten om boven te komen en opnieuw een bewustzijn in haar binnenste te scheppen, wat betekende dat niet Sepsis, maar *zij* nog in leven was.

O, dat gemene bewustzijn, de arglistige duivel. Margaret probeerde er zich op voor te bereiden terwijl ze naar Sepsis' dode lichaam beneden keek. Voor haar geestesoog liet ze beelden langstrekken van de schietpartij op het plein, de dode burgers in het metrostation, van Frederico Lorca en hoe erg zijn familie het zou vinden om te horen dat hij dood was. Al die beelden liet ze in haar binnenste toe, al die wapens tegen haar bewustzijn, haar draad en naald om de scheur in het doek te naaien, maar het zou niet voldoende zijn, dat merkte ze wel. Het zou nooit of te nimmer genoeg zijn, want het ging om de dood.

Denton rende op Chisholm af, stak zijn hoofd uit het raam en staarde, hijgend en kwaad, naar het lichaam beneden. 'Ja hoor, de Chisholm-methode: iedereen moet dood, laat God het maar uitzoeken,' zei hij giftig.

Chisholm hoorde hem niet. Ze werd te zeer in beslag genomen door de koude rillingen die ze kreeg. Het was vreselijk, haar hele lichaam reageerde als op een vergif. Het begon te stuiptrekken – eerst in haar borst, haar hart wilde exploderen – daarna haar buik, haar armen, haar hele lichaam beefde vol afgrijzen. Langzaam schuifelde ze achterwaarts, weg van het kapotte raam, haar eerste bewuste, logische gedachte vanaf het moment waarop ze Sepsis uit het raam had geworpen, was dat ze zelf 'per ongeluk' achter hem aan kon vallen.

'Help,' zei ze. Het was nauwelijks een hik, die Dentons aandacht met een ruk van Sepsis' lijk afwendde.

Met haar rug naar hem toe liep ze weg. 'Margaret?' vroeg hij, en hij liep op haar af, terwijl ze begon te draaien en probeerde haar evenwicht te bewaren, maar het verloor. Hij deed twee snelle stappen en ving haar op voordat ze in elkaar zakte, hield haar overeind en trok haar naar zich toe. Ze beefde krampachtig, alsof ze het kouder had dan enig menselijk wezen het ooit had gehad. Voor Margaret Chisholm was het doek ten slotte gescheurd en daarmee kwam een einde aan alle twijfels.

Eerste gebed

In haar kamer in de villa knielde zuster Marianne, helemaal alleen, op de vloer. Ze pakte haar rozenkrans en liet die door haar verstrengelde vingers glijden. Daarna boog ze haar hoofd en bad voor de ziel van de man die haar had willen vermoorden.

Haar werk was geheel vergeten. Ze had de dag in de werkkamer doorgebracht met Edmund, beiden geheel verdiept in hun aantekeningen en berekeningen. Een onbeduidend probleem was zo zorgwekkend geweest dat ze bijna de telefoon niet hadden gehoord.

'De man is dood,' zei Margaret tegen haar. Toen ze vroeg wat er was gebeurd, zei Margaret: 'Bedenk alleen maar dat je nu veilig bent,' waarna ze had opgehangen.

Zelfs toen Marianne zich had geëxcuseerd en naar haar kamer was gegaan om te bidden, zelfs toen werd ze overvallen door een triestheid die ze niet kon begrijpen. Ze begreep niet waar die vandaan kwam of wat die betekende. Terwijl ze neerknielde om te bidden, dacht ze dat het van opluchting was dat ze huilde: opluchting dat de onschuldigen geen kwaad meer zou worden aangedaan, opluchting dat zijzelf niets meer te vrezen had.

Maar het was geen opluchting. Terwijl ze begon te bidden, besefte ze wat het wel was: het was verdriet. De man was dood – hij kon niet meer gered worden. Alle wrede en slechte dingen die hij had gedaan, konden niet meer worden vergeven. Er was niets dat hij nu nog kon doen, want nu was hij aan Gods genade uitgeleverd.

Dus bad ze. Ze bad tot God en raapte al haar moed bijeen om Hem van aangezicht tot Aangezicht te vragen om de man te vergeven die zoveel kwaad had gedaan. Zonder aarzeling nam ze alle verdrietige, boze beschuldigingen die ze tegen hem had ingebracht terug, herriep alle nachten waarin ze hem had verdoemd voor de dood van haar zusters, verwierp al haar smeekbeden om

316

rechtvaardigheid ten opzichte van alle onschuldige doden die hij had veroorzaakt en ontkende en verwierp al haar verwijten en beschuldigingen. Ze nam het terug, ze nam het allemaal terug, God biddend, God smekend om te vergeven, alstublieft, alleen vergiffenis, ja, vergeef hem alles wat hij heeft gedaan, zoals Gij ons vergeeft omdat wij niet de levenden om ons heen hebben gered...

Marianne zakte, huilend in haar handen, op de vloer neer. Haar moed was gebroken. Het waren niet de doden voor wie ze bad, begreep ze eindelijk: de doden hadden geen gebeden meer nodig. Ze bad voor de verdoemende onverzoenlijkheid van de levenden ten opzichte van de levenden.

Lange tijd bleef ze zo zitten.

'Marianne?' Edmund klopte op haar deur en keek naar binnen.

'Ja?' zei ze. Ze draaide zich naar hem om en besefte voor het eerst dat het pikkedonker was in haar kamer.

'Kom mee,' zei hij.

VEERTIEN

De wil van de mens tegen de wil van God/Geloof

Margaret Chisholm lag geheel aangekleed op haar bed naar het plafond te staren, terwijl ze op de telefoon wachtte.

Het was donker, rond een uur of negen, dus het enige licht in haar kamer kwam van haar nachtlampje. Het plafond was kortgeleden geverfd en al kijkend, kon ze de streken van de kwast zien, omdat de hoek van de lamp subtiele, minuscule schaduwen wierp, als van de krabben van een kat. Ze wachtte en wachtte, en tot nu toe was dit voor haar het ergste gedeelte van de dag. Ze vond het niet erg om een verklaring af te leggen aan de Italiaanse politie, en ook niet haar saaie rapport te schrijven voor de FBI. Maar het wachten dat ruimte gaf om na te denken en bij de dingen stil te staan – dat was het ergste. Het op een na het ergste.

De telefoon ging en Maggie pakte hem bij het eerste rinkelen op.

'Chisholm,' zei ze.

'Hoe gaat het, meisje?' vroeg Mario Rivera met een glimlach.

'Het is voorbij.'

Hij zuchtte. 'Ik weet het, ik heb je rapport gelezen,' zei hij. 'Hoe red je het?'

'Goed, geloof ik.'

'En wat was er nou aan de hand met die vent?' vroeg hij, een en al zakelijkheid, in de hoop dat het Maggie zou afleiden. 'Waarom wilde hij de non koudmaken?'

'Het antwoord heeft hij mee in zijn graf genomen,' zei ze. Rivera was verbaasd dat ze het niet eens wilde weten.

'Jammer,' herstelde hij zich. 'Enig idee?'

'Geen enkel.'

En dat was alles wat ze zei. Ze zweeg veelbetekenend.

'Alles oké?' vroeg hij ten slotte, echt bezorgd.

'Ja. Ja. Mario, dit was de laatste keer dat ik in het veld heb gewerkt, denk ik. Ik geloof niet dat ik dit nog aankan.'

Rivera beheerste een gevoel van opkomende paniek. 'Geen zorgen, alles wat je wilt. Wil je misschien in Quantico werken? Een beetje met de kinderen spelen?'

'Mario... ik hoefde hem niet koud te maken. Maar toch heb ik het gedaan. En ik vond het *leuk*. Ik vond het heel erg leuk.'

'Sst, sst, ik weet het, ik weet dat het soms kan gebeuren. Je raakt zo over je toeren, dat het kan gebeuren. Kom terug naar huis, je hebt een maand de tijd, twee maanden, zoveel als je nodig hebt. Je bent een heldin, Maggie!'

'Ik ben een moordenaar,' antwoordde ze rustig. 'Niets anders dan een ijskoude moordenaar.'

'Maggie, Maggie, luister. Dat ben je niet,' zei Rivera. Zijn groeiende wanhoop maakte hem kwaad. 'Je bent geen moordenaar. Je bent een goede agente, de beste. Je stapt *vanavond* nog op een vliegtuig. Je komt onmiddellijk hierheen, dit is een bevel. Je hebt het *geweldig* gedaan, oké? En er gaat niets veranderen, we gaan alleen alles uitpraten. Je hebt je werk gedaan. Waar is Denton? Ik wil met Denton praten.'

Denton zat beneden in de werkkamer met zijn voeten op een divan aan de telefoon te praten, terwijl hij met de afstandsbediening van de televisie zapte tussen CNN en een Napolitaanse wedstrijd. Napels stond met twee-nul voor.

'Over een paar dagen vertrekken we, kun je me van het vliegveld ophalen? Waarschijnlijk de nachtvlucht,' zei hij, terwijl hij zich omdraaide toen hij Chisholm binnen hoorde komen.

'Een ogenblikje, schat, ik kan momenteel niet praten, er komt iets tussen. Ik spreek je later nog wel, dag,' zei hij. Hij hing op en zette zonder te kijken de televisie uit. 'Wat is er?' vroeg hij.

'Mario Rivera wil met je praten. De telefoon boven,' zei Chisholm vermoeid.

Ze zuchtte. Dit is het einde, dacht ze. Zo gaat het in zijn werk. Je geeft je wapen over en weldra praat je met psychiaters en daarna ben je er geweest. Maggie wist niet of ze bang, vernederd of uiteindelijk opgelucht was dat het voorbij was. 'Waar is Marianne?' vroeg ze, naar Denton opkijkend.

Denton had zich niet bewogen. 'Ze is weggegaan met Gettier. Zeg, gaat het wel goed met je? Je ziet eruit alsof er iemand dood is – wat is er gebeurd?'

'Alles is prima in orde. Waar zijn ze heen?'

'Weet ik niet, naar het Vaticaan, denk ik. En wat wil Rivera?' vroeg hij, terwijl hij naar de deur liep, maar toch zijn blik op Chisholm gevestigd hield.

'Wat doet ze op dit uur in het Vaticaan?'

'Iets bouwkundigs, ik weet het niet...'

'Wat?' viel ze hem fronsend in de rede.

Denton keek haar aan. 'Wat is er?' vroeg hij, terwijl haar mond openviel.

'O, mijn God,' zei ze. 'De non is de infobron.'

Marianne zat achter het stuur, terwijl Gettier en zij bij de hekken van de Sint-Pieter aankwamen. De mannen van de Zwitserse Garde beschenen hen met hun zaklantaarns en controleerden nauwkeurig hun identiteitskaarten, ook al kenden ze Marianne en Gettier goed. De infrarode camera's stonden aan en hielden de bewakers in de gaten.

'Het is een tikje laat, niet?' vroeg een van de bewakers in het Italiaans.

'Ik heb een verrassing voor zuster Marianne,' zei Gettier. 'Apropos, kunnen een paar mannen me ermee helpen? Het ligt in de kofferbak en ik geloof niet dat zuster Marianne en ik het alleen af kunnen.'

'Natuurlijk, professor Gettier.' De bewaker glimlachte. 'Ik help u wel even.'

Hij zwaaide tegen de bewaker bij het hek, die hun auto binnen-liet. De bewaker, een gezette oudere man die Sommers heette, liep achter de auto aan naar het parkeerterrein naast het hek.

'Wat is het?' vroeg Marianne mat, terwijl ze probeerde enig en-thousiasme bij zichzelf op te wekken. Misschien was het wel goed om te werken, dacht ze. 's Nachts was bijna altijd de beste tijd om te werken.

'Dat zul je wel zien,' zei Gettier plagend, in een poging om haar op te vrolijken, terwijl hij de kofferbak opendeed voor Sommers en een andere, jongere wacht. 'Kunnen jullie het tillen? Het is zwaar,' waarschuwde hij, met een gebaar naar een kist in de kofferbak, een dichtgespijkerde houten kist van ongeveer een me-ter lang met handvatten aan de zijkanten.

'Geen probleem,' zei Sommers. Hij en de jongere man, Johan-sen, tilden de kist moeiteloos uit de kofferbak. Johansen wilde net de kofferbak dichtgooien, toen Gettier hem tegenhield.

'Wacht even, ik moet nog iets hebben,' zei hij, en hij tilde de vloerbedekking van de kofferbak op om de wielsleutel te pakken. Daarna gooide hij het deksel dicht.

'Wat *is* het nou?' vroeg Marianne, geamuseerd dat Gettier haar op deze manier nieuwsgierig wilde maken.

'Geduld,' zei hij glimlachend. Gevieren liepen ze weg met de kist.

Chisholm reed als een bezetene, zonder zich te bekommeren om de rode stoplichten, wat in een stad als Rome gelijkstaat aan waanzin.

'Langzamer, verdomme!' brulde Denton, terwijl hij het pistool laadde dat hij volgens de regels altijd bij zich had als hij een kar-wei deed voor de CIA. Hij laadde het ding met meer gemak en handigheid dan Chisholm van hem had gedacht, wat haar een tik-je van haar stuk bracht.

'Voorzichtig met dat ding,' zei ze verstrooid.

'Dus jij zegt dat de non de infobron is, hè?' zei Denton sarcas-tisch.

'Ja!' schreeuwde Margaret bijna, maar niet van opwinding, nee, in paniek. 'Marianne was de bron.'

321

'Geweldig,' knikte Denton wijs. 'Dus ze heeft Sepsis de tip gegeven hoe hij haar kon doden.'

'Je luistert niet, Denton,' zei ze verhit. 'Sepsis is ons altijd een stap vóór geweest. Hij wist waar Marianne in Amerika zou zijn. Hij wist waar ze in Rome zou zijn. Hij wist dat we allemaal onbeschermd in het zicht zouden lopen toen we de piazza overstaken om bij Barberi te komen. Dat betekent dat hij een infobron had. Die bron was de non. Ze wist alles. Maar niet *zij* had contact met Sepsis, dat was Gettier.'

'O, dus nu is Gettier de bron, mmm-hmm,' zei hij sarcastisch, alvorens uit te barsten. 'Dit is te gek om los te lopen! Waarom zou Gettier dat *doen*? We hebben hem volledig gescreend. De non en hij zijn dikke vrienden. En vandaag dan? Als Gettier de bron was, zou Sepsis van onze overval afgeweten hebben.'

'Daarom kwam ik op Gettier. Gettier heeft Sepsis niets over de inval gezegd omdat *Marianne* er niets van af wist. Jij wist het, ik wist het, Lorca wist het. Maar Marianne wist het niet, en daarom wist Gettier het niet. Daarom hebben we Sepsis verrast.'

Tegen beter weten in begon Denton half te geloven in dit kletsverhaal. 'Oké, oké, oké, aangenomen dat Gettier informatie doorspeelde naar Sepsis, waarom zou hij dan nu met Marianne willen afrekenen?'

'Hé, dat weet ik niet! Ik weet het gewoon,' zei ze, zonder Denton aan te kijken.

'Je klinkt als een raaskallende geesteszieke,' zei hij, terwijl hij haar aanstaarde.

'Ja, goed, wat voor reden Gettier ook heeft om de non van het toneel te laten verdwijnen, het is dezelfde reden waarom Sepsis haar dood wilde. Bel de veiligheidsdienst van het Vaticaan om te vertellen wat er gaande is. Weet je hoe je met dat pistool moet omgaan?'

Denton nam niet eens de moeite om te antwoorden en keek Chisholm rustig en afstandelijk aan.

'Ik denk dat je zou moeten stoppen,' zei hij kalm. 'Ik denk dat je heel goed moet nadenken over wat je zegt en wat je doet.'

Chisholm wierp hem een snelle blik toe, tijdens de hele rit de eerste keer waarop ze hem aankeek. 'We hadden een *afspraak*, Denton. Jij doet de info, ik doe het veldwerk. Dat was de afspraak. Hou je eraan.'

Denton bewoog zich niet, maar bleef Chisholm aanstaren, nog steeds kalm, nog steeds afstandelijk. Met een ruk trok hij zijn draadloze telefoon te voorschijn en begon een nummer in te toetsen, terwijl hij mompelde: 'Als je jou een vinger geeft, neem je de hele hand.'

Gettier en Marianne stonden boven Gettiers werktafel op de begane grond naar blauwdrukken te turen, terwijl Sommers en Johansen met de grote kist in de weer waren. Op dit uur van de avond was er niets van de gebruikelijke activiteit te bespeuren en stonden alleen zij vieren onder de werklampen van de tafel.

'Hebt u hulp nodig?' vroeg Gettier bezorgd, maar de bewakers glimlachten.

'Nee, professor,' bromde Sommers. 'Een beetje training kunnen we wel gebruiken.' De twee bewakers tilden de kist op en zetten die op tafel.

'Voorzichtig,' maande Gettier op zijn aanmatigende manier, hoewel hij niet echt bezorgd was dat de bewakers de inhoud konden beschadigen. Ze zetten de kist moeiteloos op tafel, vlak bij de rand, om er gemakkelijk bij te kunnen.

'Is dat alles, professor?' vroeg Sommers puffend.

'Een ogenblikje, wacht even,' zei hij, terwijl hij zich glimlachend naar Marianne omdraaide. Hij wees op de blauwdrukken. 'Dus deze zijn structureel de meest verzwakte?' vroeg hij haar, terwijl hij op een paar zuilen wees.

'Ja, vooral hier.' Ze wees op de zuilen onder de Sixtijnse Kapel. 'Het zou niet best zijn als de kapel instort na al dat werk. Als we deze hier niet versterken,' zei ze, op een ander stel zuilen wijzend, 'zal bij de eerstvolgende ernstige aardbeving de hele Sint-Pieter instorten.'

'Dus dat zijn er een, twee, drie…' Gettier telde de zwakste zuilen. 'Negen zuilen. Als die niet als eerste worden versterkt, dan stort het gehele bouwwerk in?'

'Ja,' antwoordde Marianne.

'Ja.' Gettier draaide zich om en glimlachte tegen de bewakers. 'Ga niet weg,' herhaalde hij. 'Ik heb uw hulp nog nodig.' Hij liep op de kist af en draaide de wielsleutel rond in zijn hand.

'En wat kon er niet tot morgen wachten?'

'Niet te geloven dat je zo ongeduldig bent.' Gettier glimlachte toegeeflijk en probeerde de kist met de wielsleutel te openen. Johansen maakte een beweging om het voor hem te doen, maar Gettier weerde hem af. 'Het lukt wel.'

Gettier wrong de kist open, stak zijn handen erin en tastte rond met alle geduld van de wereld.

'Wat *is* het nou?' vroeg Marianne, lachend, geamuseerd.

Gettier glimlachte nogmaals tegen haar met zijn rug naar de bewakers. Hij knipoogde tegen Marianne. 'Moet je zien,' zei hij.

Hij draaide zich om naar de bewakers en trok zijn rechterhand uit de kist. Daarin zat een automatisch pistool met geluiddemper en hij schoot beide bewakers in het gezicht. Eén kogel schoot door het rechter jukbeen van Johansen, de andere door de linker wenkbrauw van Sommers. Beiden vielen ter plekke neer, al dood voor ze de grond raakten.

Mariannes gezicht bevroor. Haar lippen glimlachten nog terwijl haar ogen zich met afgrijzen vulden en ze staarde naar de lichamen van de bewakers die roerloos op de grond vielen. Ze rende op hen af om te proberen hen te redden.

Gettier negeerde haar inspanningen. In plaats daarvan maakte hij de kist open en begon kleine busvormige apparaten met doosjes aan de uiteinden uit te pakken. Elke bus was nauwelijks een kwart meter lang en tien centimeter in doorsnee. Die zette hij keurig op tafel, terwijl Marianne vruchteloos probeerde de twee dode bewakers tot leven te wekken.

Ten slotte draaide ze zich om naar Gettier. 'Wat heb je gedaan!' schreeuwde ze.

'Die lui doodgeschoten,' zei hij, haar nog steeds negerend terwijl hij een tas uit de kist pakte. Snel, met geluidloos bewegende lippen, telde hij de bussen die hij te voorschijn had gehaald, negen stuks.

'Waarom!' fluisterde ze als een schreeuw.

Gettier stak zonder op te kijken een vinger naar haar uit, alsof hij bevel gaf zijn concentratie niet te verstoren. Daarna stopte hij de bussen in de tas en trok de rits dicht, alvorens zich tot Marianne te wenden.

'Ze zaten me in de weg, Marianne.' Hij liep naar de nog steeds geknielde Marianne, die haar ogen niet van Gettier kon afhouden, greep haar bij de bovenarm, trok haar overeind en sleepte haar mee.

'Kom op, zuster. Er is veel werk te doen. Opus Demoni: het werk van de duivel.'

De luitenant van de Zwitserse Garde, Hess, die belast was met de leiding die avond, begreep gelukkig niet alleen Engels, hij herkende Chisholm bovendien.

'Frederico Lorca heeft ons aan elkaar voorgesteld,' zei hij tegen haar, terwijl hij zijn peloton, twintig man, verzamelde.

'Dat was ik vergeten... Lorca is dood.'

'Ja, dat weet ik,' zei hij, en hij draaide zich om naar zijn mannen om hun orders te geven.

Net als hun Amerikaanse collega's waren de mannen van de Zwitserse Garde in het zwart, droegen een helm, en hadden de nieuwste uitrusting, hoewel ze waren toegerust met Uzi's, wat Denton ironisch vond – de Israëliërs bewapenden het Vaticaan.

Zodra Hess zijn orders had gegeven, verspreidden de mannen zich en bleven Hess en een andere bewaker bij Denton en Chisholm achter.

'Kom mee,' zei hij tegen de Amerikanen. Snel liepen ze door een aantal gangen en kwamen uit in een duistere hoek van wat een reusachtige kapel bleek te zijn, waarin gemakkelijk duizend mensen konden zitten.

'Hauptmann,' fluisterde Hess tegen de andere bewaker, en hij wees twee keer naar de hoofdingang van de kapel. Hauptmann rende weg om de deuren te vergrendelen.

'Jezus Christus, deze kerk is gigantisch,' fluisterde Denton, maar Chisholm had alleen oog voor Hess die met de andere man stond te overleggen.

'Mijn mannen grendelen het gebouw af en vragen om versterking,' zei de luitenant, zo kalm hij kon. 'Ze weten dat we uitkijken naar een man van begin zestig en een non – ze hebben bevel gekregen om beiden ongemoeid te laten. Ze weten dat u bij mij hoort, dus zullen ze niet op u schieten. U en ik beginnen aan de zoektocht tot de versterking arriveert. Akkoord?'

'Akkoord,' zei Chisholm, die probeerde haar bange voorgevoelens te onderdrukken en daarin slaagde. 'Denton,' riep ze.

Gevieren begonnen ze de begane grond te verkennen.

Maar Gettier en Marianne waren niet meer op de begane grond.

Gettier was bezig een van de bussen aan een steunzuil in de catacomben vast te maken met lange stukken loodgietersplakband waarmee hij de bom twee keer omwikkelde, alvorens met zijn tanden het plakband door te scheuren.

'Ik bewonder je ten zeerste, Marianne. Ik hoop dat je dat weet,' zei Gettier. 'Ik heb je altijd *gemogen*, uiteraard, ja, maar nog meer dan dat heb ik geleerd je te bewonderen.'

Hij schudde een laatste keer aan de bom om zich ervan te vergewissen dat die goed vastzat. 'Je bent wel heel lastig geweest. Driemaal hebben we je gewaarschuwd om uit de buurt te blijven, maar je hebt het nooit opgegeven, je hebt nooit losgelaten. Ik dacht dat het opblazen van de kapel genoeg zou zijn, maar je weet hoe de jeugd is. Hij dacht dat je een extra waarschuwing nodig had, dus schoot hij op je in het politiebureau. Maar toch ben je hierheen gekomen. Dus moesten we je op de Piazza Colomo waarschuwen. En desondanks ging je door, alsof er niets was gebeurd. Dat soort vastbeslotenheid is zeldzaam.'

'Heb *jij* geprobeerd me te doden?' vroeg ze.

'Nee!' zei hij, oprecht geschokt. 'En maak je geen zorgen, ik zal je ook nu niet doden.'

'Wat is dat Edmund, wat heb je gedaan?' vroeg ze toen Gettier haar bij de elleboog pakte en haar naar een andere zuil leidde, waarbij hij zorgvuldig de andere zuilen telde om bij de juiste te komen. 'Je hebt twee mannen vermoord, je hebt in koelen bloede gedood met God als getuige...'

'Bespaar me je vrome gedoe,' zei hij vermoeid, terwijl hij geen oog afliet van de zuilen die hij telde. 'Vandaag is het een moeilijke dag geweest – aha, dit is hem!'

Hij liet Marianne los, liet de tas vallen en haalde een volgende bus en het plakband te voorschijn om de bom aan de verzwakte zuil vast te maken.

Hij wikkelde het plakband om de bom en de zuil en glimlachte zonder naar Marianne te kijken.

'Weet je wat er vandaag is gebeurd? Ik heb het opmerkelijkste gesprek van mijn leven gehad. Nadat jij, mijn favoriete leerling, wegging om met God te praten, heb ik met de moordenaar van mijn andere favoriete leerling gesproken.'

Marianne staarde sprakeloos naar Gettier, die zijn aandacht weer richtte op het bevestigen van de bom. Hij scheurde het plakband weer met zijn tanden af en bewoog met de bom om te zien of hij bleef zitten. Daarna draaide hij zich om en keek Marianne aan.

'Weet je hoe het is om naar de moordenaar van je student te luisteren die je het "goede nieuws" meedeelt? Weet je dat wel? Goed, luister: stel dat ik jou had verteld dat jouw favoriete leerling – Dugan, niet? –, stel dat ik je vertelde dat Dugan gedood was. Stel je voor hoe je je dan zou voelen. Ik wenste dat ik het je kon uitleggen, zodat je het zou *weten*. Maar ik kan het niet uitleggen, het is niet te beschrijven.'

Hij stopte het plakband terug in de tas en negeerde Marianne, maar ze maakte geen aanstalten om weg te rennen.

'Hou op. Hou alsjeblieft op,' smeekte ze.

Gettier pakte de tas op. 'Dat kan ik niet... en ik wil het niet.'

Veertig meter verder, boven aan de trap naar de catacomben, bleven Hess, Hauptmann, Denton en Chisholm staan bij de deur die omlaag leidde. Hess maakte een paar gebaren tegen Hauptmann, die wegliep. Daarna wendde Hess zich tot Chisholm.

'Een van jullie blijft hier, de andere gaat met mij mee. Wie heeft de meeste ervaring?'

'Ik,' zei Chisholm.

Hess haalde een kleine zakzender met een flexibele antenne te voorschijn en gaf die aan Denton. 'Blijft u hier. Als u iets ziet, moet u ons oproepen.'

Daarmee begonnen Chisholm en Hess de trap naar de catacomben af te lopen. Het stond Denton absoluut niet aan.

'Hé,' fluisterde hij tegen Chisholm, maar ze wierp hem een woeste blik toe.

'We hadden een afspraak,' grauwde ze, terwijl ze achter Hess aan de trap af liep.

Maar het was niet het snauwende in haar stem dat Denton bang maakte – het was de angst. Voor het eerst zag Denton dat Chisholm echt bang was.

Chisholm en Hess liepen de gebogen trap af, verlicht door tl-lampen die het duister griezelig en satanisch maakten. Hess ging hen voor met zijn Uzi dicht tegen zijn lichaam, zodat de loop of de schaduw ervan hem niet zouden verraden.

'Zie je die bommen?' vroeg Gettier retorisch, terwijl hij nadrukkelijk de tas ophield en zuster Marianne zachtjes meetrok. 'Met negen van deze dingen laat ik het monument van het katholieke geloof ineenstorten. Ik wilde dat ik met mijn vingers kon knippen om je te laten zien hoe snel het zal gaan.'

'Doe dit niet, Edmund, alsjeblieft,' smeekte ze doodsbang... maar niet vanwege de Sint-Pieter. 'Denk aan jezelf, aan je...'

'Genoeg,' zei Gettier. Hij bleef staan en keek Marianne strak en bijna minachtend aan. 'Jij, jij bent de wil van God. En ik ben de wil van de mens. Jij smeekt en vraagt en biedt aan om te marchanderen. Jij *bidt*, alsof dat enig verschil zal maken. Ik, daarentegen, ik handel. Wie is de meest effectieve, hè?' Hij liep verder en trok Marianne mee, terwijl hij de zuilen telde om de goede te vinden.

'Alsjeblieft. Alsjeblieft, ik smeek je. Hou hiermee op,' zei ze, vol afschuw dat ze niets anders kon zeggen om hem tegen te houden, vol afschuw dat hij misschien gelijk had – dat ze echt niets anders kon dan smeken en bidden.

Gettier besteedde geen aandacht aan haar, maar bleef bij een volgende zuil staan om er een bom aan vast te maken. Even keek hij naar de gefrustreerde uitdrukking in Mariannes ogen... en voelde medelijden met haar, bedenkend dat ze ooit zijn leerling was geweest.

'Toen ik je uit de dekking zag rennen om die schoolkinderen te redden, was ik erg onder de indruk. Maar nu... je verlaagt jezelf.' Hij klakte met zijn tong, zoals hij dat in Cambridge had gedaan. 'Al dat gesmeek, "alsjeblieft, alsjeblieft, alsjeblieft, alsjeblieft",' imiteerde hij hardvochtig en hij klakte weer met zijn tong. 'Niet doen. Op de piazza was je beter in vorm.'

Marianne staarde hem aan en haatte hem voor het eerst in haar leven, woedend dat ze zo werd vernederd. Met een ruk draaide ze zich om en liep weg, wat Gettier zo verraste dat hij zijn bom liet vallen, die met een doffe klap maar zonder gevaar op te leveren, op de grond viel. Snel sprong hij op haar af en had haar zó weer te pakken.

'Laat me los!' schreeuwde ze, haar woede tonend.

'Ik zei dat ik je niet zou doden, maar dat betekent nog niet dat je kunt doen wat je wilt. Jij bent mijn paspoort naar buiten.'

Vijfenzeventig meter verderop, tussen de gangen en bochten

van de catacomben door, hoorden Hess en Chisholm de stem van de non en keken elkaar aan. Ze konden de woorden niet verstaan, maar ze wisten dat het Marianne was. Hess maakte een gebaar naar voren. Chisholm knikte en getweeën zochten ze hun weg door de uitgestrekte, beklemmende gangen.

Gettier en Marianne hadden zich niet bewogen en stonden elkaar als bevroren aan te staren.

'Waarom heeft hij al mijn zusters gedood?' vroeg ze huilend, voor het eerst kwaad, na ze wist niet hoeveel tijd, zo lang was het geleden.

Gettier staarde terug, maar hij gaf toe. 'Het spijt me dat hij hen heeft gedood, het was niet mijn idee. Het was slechts een boodschap die hij me zond…'

'Een *boodschap!*' gilde ze onbeheerst.

Hij keek haar in de ogen. 'Ja,' zei hij. Toen draaide hij zich om, trok Marianne mee door de catacomben naar de noordoostelijke trap en sprak onderwijl tegen haar. 'Ik wilde nooit dat jou een haar werd gekrenkt – dat was de afspraak met hem. Wat er ook gebeurde, jou zou geen haar gekrenkt worden, en daarmee is hij akkoord gegaan.'

'Geen haar gekrenkt? Hij heeft al mijn zusters gedood, vriendinnen die ik al jaren kende. En daarna op het politiebureau? Op de piazza?'

'Hij heeft niet geprobeerd je te doden – als hij je had willen doden, was je nu dood geweest.' Gettier bleef staan en draaide zich om om Marianne aan te kijken. 'Het was simpel. Het ging allemaal om de toegang tot de catacomben van het Vaticaan. Zoals jij al hebt aangegeven, zou een flinke duw genoeg zijn om de hele Sint-Pieter omver te gooien. Of een paar goed geplaatste bommen. Als jij niet naar Rome kon komen, zou ik het hele restauratieproject leiden. Dan zou ik onbeperkte toegang tot de Sint-Pieter hebben, en met name tot de catacomben. Ik zou dan een "adviseur" – mijn andere leerling – hebben laten komen en alle bommen op klaarlichte dag hebben kunnen aanbrengen zonder argwaan te wekken. We hadden de hele Sint-Pieter in alle rust kunnen verwoesten. Maar als jij in het Vaticaan bleef rondrennen, zou ik nooit dicht genoeg in de buurt kunnen komen zonder achterdocht te wekken. Daarom nam hij jou als doelwit – hij moest zorgen dat de autoriteiten zo bang werden voor je veiligheid dat ze je niet zouden toestaan om naar Rome te vertrekken.'

'Hij had mij moeten doden in plaats van al mijn zusters,' zei Marianne bitter, zonder hem aan te zien.

Gettier streelde haar gezicht en dwong haar hem aan te kijken. 'Dat zou ik nooit hebben toegestaan. Ik houd evenzeer van jou als ik van hem hield.'

Toen trok hij Marianne de trap op naar de deur.

Denton was verveeld en bang, een toestand die hij bepaald on-aangenaam vond. Dus liep hij het gebouw door en stak op goed geluk zijn hoofd om de hoek van een aantal deuren. Sommige za-ten op slot, maar de meeste waren open en hij glipte overal even binnen, voornamelijk met de hoop een Zwitserse gardist met een grote Uzi tegen te komen.

Hij kwam bij een kleine onopgesmukte deur, deed die open en was letterlijk verstomd. Erachter was de Sixtijnse Kapel.

De kapel was erg klein, in feite zo klein dat een doorsnee pa-rochie uit New England er niet in zou kunnen. Een mengeling van kleuren stroomde op hem neer, kleuren die zo levendig en krachtig waren dat hij een paar seconden lang kop noch staart aan de beelden kon ontdekken.

Het beroemde tafereel van God die Adams uitgestrekte hand aanraakt, bevond zich daar, maar niet zoals Denton het zich her-innerde. Het was niet bruinachtig grijs, maar een krachtige, bijna felle blauwe hemel waartegen sterke donkere kleuren het beeld van God vormden met ogen die zo echt waren dat het Gods eigen ogen hadden kunnen zijn.

Zonder na te denken liet Denton de deur open, liep naar bin-nen en liet zich door de kapel omringen.

Dit was God. Het was zo indrukwekkend, zo monumentaal en toch zo eenvoudig dat het God moest zijn. Niet het werk van God, nee – God Zelf. Wie anders dan God had zoiets kunnen maken of een gewoon mens het vermogen kunnen geven om zoiets te ma-ken?

Dat liep Denton te denken. Hij was zo gefascineerd dat hij de stemmen pas hoorde toen ze vlakbij waren.

'Alles wat ik ben, alles wat ik wist, alles wat ik had geleerd, heb ik aan hem doorgegeven, zoals alle leraren horen te doen. Er was niets dat ik hem niet heb geleerd en er was niets dat ik jou niet heb geleerd.'

'Heb *jij* hem alles geleerd?' vroeg ze vol afschuw, terwijl ze door een gang liepen en de ene open deur na de andere passeerden. Marianne was verbaasd dat de nachtwakers niet alle deuren hadden gesloten, zoals ze hadden moeten doen.

'Alles, maar geen architectuur – hij had een hekel aan architectuur,' zei Gettier weemoedig, een beetje gekwetst.

'Jij bent leraar... Jij bent... Hij was een *moordenaar!*' schreeuwde ze. 'Hoe kun je zulke dingen leren...'

'Hoe denk je dat ik *jou* alles geleerd heb?' vroeg hij, terwijl hij haar meetrok.

'Geen beweging!' schreeuwde Denton, die zijn pistool op Gettier gericht hield.

Gettier bewoog als een kat of als een verbazingwekkende danser. Zonder te aarzelen draaide hij Marianne rond, drukte haar tegen zich aan door zijn arm om haar buik heen te slaan en hield haar als een schild voor zich. Zonder te aarzelen zette hij zijn pistool recht tegen haar hoofd, zelf goeddeels beschermd door haar lichaam.

'Gooit u dat wapen op de grond, meneer Denton. Ik heb geen ruzie met u, maar ik dood de non als u uw wapen niet wegdoet.'

En met die woorden begon hij voorwaarts te lopen.

'Margaret, ik heb hem!' schreeuwde Denton over zijn schouder, zonder zijn blik van Gettier af te wenden. Hij had helemaal vergeten dat hij de zender in zijn zak had. Achteruit liep hij terug de kapel in. 'Chisholm!'

'Aha, dus de beroemde agente Chisholm is hier ook, hè?' zei Gettier, die nog steeds naar voren liep en over de drempel de kapel in stapte. 'Dat is goed. Gooi uw wapen op de grond, meneer Denton. Gooi uw wapen...'

Denton zag het totaal niet aankomen. Tenslotte was hij maar een gewone bureaucraat.

Nog steeds alsof hij danste, draaide Gettier Marianne van zich af, liet haar los en greep met de linkerhand waarmee hij haar had vastgehouden, Dentons uitgestrekte hand, de hand met het pistool. In één vloeiende beweging draaide Gettier Dentons pols zo hard en zo snel om, dat niet alleen Dentons arm maar zijn hele lichaam omdraaide. Toen zijn actie ten einde was, had Gettier Dentons pols tegen zijn rug geperst, was zijn pistool op de grond gevallen en drukte Gettiers pistool recht tegen Dentons slaap.

'Dat had u niet moeten doen,' zei Gettier in zijn oor.

Hij schopte Dentons gevallen pistool weg op het moment dat er snelle voetstappen naderden. Gettier draaide Denton om en hield hem als een schild met zijn gezicht naar de deur van de kapel. Hess kwam als eerste binnen en richtte zijn Uzi regelrecht op Gettier...

Maar Gettier was sneller. Dus was Hess dood.

'Nee...!' schreeuwde Marianne, maar haar schreeuw werd afgesneden door het hoesten van Gettiers pistool.

'Hebbes,' zei Margaret Chisholm.

Ze stond bij de deur van de kapel. Het enige dat te zien was, waren haar gezicht en haar revolver, die recht op Gettier was gericht. Gettier begon met Denton te bewegen als in een perverse dans en ging achteruit de kapel in om afstand tussen hen te scheppen. Zijn grillige bewegingen maakten het Chisholm onmogelijk om te schieten.

'Kom op, agente Chisholm, ik weet hoe groot uw afkeer is van de CIA, maar is die afkeer groot genoeg om het leven van een CIA-man te riskeren?'

'Schiet hem neer!' schreeuwde Denton.

'Mond dicht.' Gettier zuchtte pedant. 'Als zij schiet, bent u dood. Nietwaar, agente Chisholm? Dus waarom gooit u uw wapen niet op de grond en schopt het in mijn richting?'

Chisholm knipperde met haar ogen. En toen gebeurde er iets.

Langzaam, met haar revolver voortdurend op Gettier gericht, kwam Chisholm uit haar dekking te voorschijn en begon op hem af te lopen. Ze was onbeschermd, had niets om zich achter te verschuilen, terwijl ze de kapel in kwam en op Gettier af stapte. Het enige dat hij hoefde te doen, was zijn pistool van Dentons hoofd halen om op Chisholm te richten en ze zou dood zijn. Dat wist Chisholm. Ze wist wat ze deed. Ze wist *precies* wat ze deed.

'Gooi dat wapen neer, dan blijf je in leven,' zei ze zonder enig venijn.

'Gooit u *uw* wapen neer, anders sterft Denton hier.'

'Schiet hem neer, Margaret, hij bluft,' was Dentons onverstandige bijdrage.

'O ja?' zei Gettier.

In één vloeiende beweging richtte hij zijn pistool omlaag en schoot Denton in de kuit. De botten braken hoorbaar. Denton schreeuwde het uit van de pijn en zijn benen begaven het maar Gettier hield hem met een verbazingwekkende kracht met één hand overeind en gebruikte zijn greep op Dentons pols om hem te dwingen te blijven staan.

'De volgende keer dat ik op hem schiet, zullen zijn hersenen het daglicht zien,' zei Gettier achteloos, nog steeds zigzaggend, waardoor Chisholm niet kon schieten. 'Gooi uw revolver op de grond en schop het ding hierheen,' herhaalde hij.

Met haar revolver nog steeds op hem gericht, zei ze: 'Als ik mijn revolver laat vallen, schiet jij me dood.'

'Uiteraard,' zei hij, alsof dat de meest voor de hand liggende zaak van de wereld was. 'Twijfelt u daaraan?'

Met een ruk liet Chisholm haar hand met de revolver zakken.

'Laat vallen en schop uw revolver hierheen,' zei Gettier geduldig.

Dus dat deed Margaret. Ze legde de revolver zo op de grond dat hij niet per ongeluk kon afgaan en schoof hem met haar voet over de vloer. De revolver was zo ver weg dat ze er niet naar kon duiken, dus wist Gettier dat hij veilig was. Hij liet Denton vallen, die zich prompt oprolde en probeerde het bloeden van zijn been te stelpen.

'Ik heb u gezien, agente Chisholm. Voor mijn geestesoog zag ik u mijn leerling doden,' zei hij, terwijl hij zijn pistool op Chisholms gezicht richtte en voetje voor voetje dichterbij kwam. 'Zet uw handen achter uw hoofd en kniel op de grond.'

'Zijn verdiende loon,' zei ze, terwijl ze op haar knieën ging zitten. Gemeen, met een boosaardige afkerige blik in haar ogen, ging ze verder. 'Weet je wanneer ik hem heb gedood? Ik keek hem recht in zijn ogen. Ik zag hem helemaal naar beneden vallen. Jammer dat jij er niet bij was om het *live* te zien.'

Maar Gettier glimlachte. Hij trapte er niet in. 'Vooruit maar, raaskalt u maar zoveel u wilt.'

Opeens deed ze een uitval, sneller dan ze ooit voor mogelijk had gehouden, maar Gettier was nog sneller, sprong achteruit, mikte met zijn pistool op haar slaap en sloeg keihard tegen de zijkant van haar hoofd, waardoor ze versuft achteroverviel.

'Leuk geprobeerd! Minder had ik van u ook niet verwacht,' zei hij. 'Nogmaals, leg uw handen achter uw hoofd en ga op uw knieën zitten.'

Chisholm schudde met haar hoofd om bij haar positieven te komen alvorens weer langzaam op haar knieën te zakken en op haar hielen te gaan zitten. Toen, even langzaam, begon ze haar handen op te heffen en probeerde uit alle macht enige hoop te ontwaren voor nóg een kans. Maar Gettier was zo slim om afstand te houden en hij lachte bijna om haar inspanning.

'Ik doorzie u, agente Chisholm,' zei hij, terwijl hij rond Chisholms knielende gestalte stapte, achter haar ging staan en zijn pistool geen seconde op iets anders dan op haar hoofd gericht hield. 'Al het denkwerk dat u nu doet, heb ik jaren geleden gedaan, toen u nog een kind was.'

En toen sloop er die pedante toon in zijn stem, de stem van de leraar, die op de een of andere manier per definitie hardvochtig is. 'Weet u niet wie ik ben, agente Chisholm? Ik ben de, ik citeer, "ongeïdentificeerde terrorist" die u altijd hebt gezocht. Ik legde bommen in auto's, op vliegvelden, in hotels en cafés. Ik ben dat scherm dat u nauwelijks ziet. U hebt uw kans gehad. Nu is het mijn beurt. Vaarwel, agente Chisholm.'

'Stop,' zei de non.

Ze draaiden zich allemaal om en keken haar aan. Denton lag op de grond, vijf meter van de knielende Chisholm en probeerde nog steeds met zijn hand op zijn kuit het bloeden te stelpen. Achter Chisholm stond Gettier met zijn pistool op haar hoofd gericht. En Chisholm zelf zat roerloos op haar knieën met haar handen in haar nek. Maar allen keken op en staarden Marianne aan.

De non, die eens zo passieve figuur, het menselijke spiegelbeeld van het statische geloof dat ze beleed – zij was het die het wapen, Chisholms revolver, in haar hand had en rechtstreeks op Gettier richtte.

'Alsjeblieft. Stop,' vroeg de non nogmaals.

'*Schiet hem neer!*' schreeuwde Denton. 'Waar wacht je op, schiet hem neer!'

'Nee,' zei Chisholm.

'Ja, schiet me neer,' zei Gettier, die zuster Marianne recht in de ogen keek. Hij stapte achter Chisholm vandaan, die gedeeltelijk in Mariannes schootsveld zat, zodat ze ongehinderd zou kunnen schieten. 'Kom op. Ik zal je niet doden, dat beloof ik je. Ik zal niet eens mijn pistool naar je opheffen. En je weet dat ik altijd woord houd. Schiet me maar neer.'

Maar zuster Marianne bewoog zich niet. Ze stond met het pistool in beide handen en mikte recht op zijn hart. Ze huilde, omdat het allemaal erg duidelijk werd – de echte prijs voor het leven dat ze had geleid.

'Alsjeblieft, Edmund, alsjeblieft. Als vriend van me,' vroeg ze met een stem die slechts durfde te fluisteren. 'Alsjeblieft. Stop ermee.'

Maar Gettier glimlachte slechts bedroefd. 'Je kunt me niet neerschieten, hè? Nee, het zou een zonde zijn om me neer te schieten als het geen noodweer is.'

Hij wees met zijn pistool naar Chisholms hoofd. 'Als je mij neerschiet, bega je een doodzonde. En als ik haar neerschiet en daarna om vergiffenis smeek, moet jij me vergeven, is het niet? Tenslotte is dat je werk. Als je me nu neerschiet, bega je een doodzonde. Als je me neerschiet nadat ik om vergiffenis heb gevraagd voor het doden van Chisholm, is dat ook een doodzonde. Je kunt me niet neerschieten, wat ik ook doe.'

Zuster Marianne hield de revolver vast, maar het ding scheen elk moment uit haar handen te kunnen glijden. Maar Margaret Chisholm wist dat het niet zou wegglijden. Nooit.

'Schiet hem niet neer,' zei ze tegen Marianne. Ze wist wat ze zei. 'Anders verwoest je alles waarin je gelooft.'

En daar, eindelijk, lag de keuze in al zijn naaktheid voor haar. In Mariannes gedachten had dat altijd een schaduw op haar geworpen, het draalde altijd in de buurt van de weg die ze wilde gaan, een waarheid zo hard als het geloof zelf. En nu stond ze er oog in oog mee: welke prijs had haar geloof?

Voor het eerst wendde Mariannes blik zich van Gettier af om Margaret aan te kijken. Zoals ze altijd had geweten, lag er slechts waarheid in die onbewogen bruine ogen, als de waarheid in de ogen van de Pythia. Die waarheid was niet troostrijk, maar in de kern van de zaak... onverschillig. De waarheid kon worden opgeofferd terwille van haar geloof. Dat was wat de onverschilligheid in Margarets ogen haar vertelde. De waarheid zou blijven, of Marianne erin geloofde of niet. En toen ze terugkeek naar Edmund, haar mentor, haar vriend en vader, zag ze wat hij was – twijfel, het scherm waarachter ze nooit had durven kijken. Tot op dit moment. Omdat achter het scherm de simpele, afschuwelijke vraag lag: geloofde ze de waarheid? Of zou ze geloof hechten aan de leugens en halve waarheden, die door een gemakkelijke twijfel worden gekocht? Ze wist niet wat pijnlijker zou zijn: naar het scherm van de verlokkende leugen kijken of de bikkelharde waarheid in het gezicht zien. Dat was de prijs voor haar geloof. Het een of het ander, maar niet allebei.

'Stop ermee,' fluisterde ze zo zacht dat er geen geluid werd gehoord. Maar het woord was uitgesproken.

Gettier bekeek haar bedroefd en zei medelijdend: 'Jij bent waarlijk de wil van God – onmachtig. En ik ben de wil van de mens.'

'Nee,' fluisterde ze.

'Ik handel,' zei hij, terwijl hij het pistool ophief.

'*Nee!*'

Ze vuurde drie keer achter elkaar, heel snel, en knipperde niet eenmaal met haar ogen. Gettier werd door alle drie de kogels geraakt, in de borst, zijn lichaam vloog naar achteren, weg. Het pistool in zijn hand ging af, maar richtte geen schade aan. Het glipte uit zijn hand en vloog door de lucht, ver van zijn lichaam dat ineenzakte.

Maar nog voor zijn lichaam op de grond was gekomen, rende zuster Marianne op hem af, knielde naast hem neer, nam zijn hoofd in haar armen en wiegde ermee. Zijn ogen waren open, maar zagen niets. Zijn gezicht was smetteloos, terwijl het bloed uit zijn borst hen beiden doorweekte – zijn lichaam, haar armen, de vloer om hen heen –, dieprood bloed dat uit de aarde zelf leek te vloeien.

'Nee,' zei ze tegen hem. En terwijl ze zijn hoofd tegen haar borst legde, keek ze op naar de hemel en smeekte – eiste – bad – om een reden voor dergelijke afschuwelijke beslissingen en schreeuwde voor eeuwig dat ene woord.

Nee.

Geen moment liet ze de revolver los.

TWEEDE GEBED

Ze waren aan het bidden, allemaal. Zover het oog reikte, dit gesloten universum dominerend, lagen alle nonnen op hun knieën met gevouwen handen in gebed, terwijl hun gezicht zich concentreerde op Jezus Christus, onze Verlosser en de Zoon van God, Onze Vader. De nonnen baden allen tot Hem.

De reusachtige kapel, licht en luchtig als een contrast met de in het zwart geklede nonnen, scheen zich uit te rekken en uit te dijen. De ruimte was onmetelijk. Toch leek die ruimte volledig opgevuld, vol menselijke wezens, al die zusters die zo diep in gebed verzonken waren. En te midden van die smekende menigte bevond zich zuster Marianne, zoals altijd worstelend om Hem toestemming te vragen, toestemming om... erbij te horen.

Nu, als bevoorrechte smekelinge, onschuldig na de biecht en begenadigd door het sacrament, bad Marianne te midden van en naast haar zusters, waar ze hoorde. Alle rekeningen waren tenslotte vereffend. Nooit zou er meer echte genade of echte onschuld kunnen zijn. Dat was de werkelijke prijs die haar leven had vergaard.

Margaret Chisholm stond in de uitgestrekte kapel achter alle nonnen en keek geduldig wachtend toe. Ze wachtte om afscheid te nemen.

Al wachtend glimlachte ze een beetje om alle nonnen, die zo netjes op rijen, allen identiek gekleed, gebogen, roerloos en met volmaakte concentratie aan het bidden waren. Welke God zou niet onder de indruk zijn, dacht ze, bij de ontzagwekkende ernst van deze smeekbeden? Maar ogenblikkelijk vroeg Margaret zich daarna af hoeveel God nodig had om onder de indruk te zijn, om zoveel te vergeven. En daarmee aarzelde haar glimlach en vervaagde bij zo'n keiharde waarheid. Ze draaide zich om en liep terug naar de drempel van de kapel, onwillig om weg te gaan, maar wetend dat het stond te gebeuren.

Ze keek een laatste keer naar de biddende nonnen en zond haar gedachten naar Marianne, die daar ergens was, verloren tussen alle andere smekelingen wier gebeden om vergiffenis en genade wellicht net zo dringend waren als de roep van iemand die een leven wil redden, of iemand die hoopt de dood te ontlopen. Margaret keek naar de nonnen en terwijl haar hart evenzeer vervaagde als haar glimlach, nam ze zachtjes een laatste afscheid alvorens zich om te draaien.

'De moordenaar in mij is nu de moordenaar in jou.'

Ze aarzelde en wilde nog meer zeggen, de kapel in rennen en om vergiffenis smeken, of geluidloos haar kleine, verschrikkelijke smeekbede opzeggen. Maar ze deed het niet.

Ze draaide zich om en liep weg.

'Komt ze niet naar buiten om afscheid te nemen?' vroeg Denton, die zich vooroverboog vanaf de achterbank van de auto. Het gips om zijn been zag eruit als een dikke kniekous.

'Nee,' zei ze, terwijl ze naast hem ging zittten en zonder aarzelen het portier dichtsloeg. 'Ze had het druk. Kom mee.'

VIJFTIEN

'...Hoe groter het onbekende'/ Rechtvaardiging

Nicholas Denton en Margaret Chisholm werden samen wakker terwijl de vroege ochtendzon door het raam scheen – dat wil zeggen, ze schrokken wakker van de schok van de landing op Dulles Airport. Margaret kwam meteen bij haar positieven om te plannen wat ze moest doen, nu ze terug was in Washington, terwijl Denton zich slaperig afvroeg waar hij in vredesnaam was. Voor zijn idee voelde het metalige zonlicht dat door de ramen stroomde, aan als hete naalden die in zijn hersenen prikten, pertinent een onaangenaam gevoel.

'Het was leuk om met je te werken, Denton,' zei Margaret, terwijl ze haar tas uit het bagagerek pakte.

'Het was leuk... o verdomme!' zei Denton, eindelijk wakker, en hij keek op naar Chisholm. 'Hoe laat is het?'

'Halfzes,' zei Chisholm. 'Waarom?'

339

'Word je afgehaald?'

'Nee. Sanders heeft gisteravond een auto voor me op de parkeerplaats van het vliegveld achtergelaten. Ga me nou niet vertellen dat je niets hebt geregeld.'

Denton haalde zijn schouders op. 'Vind je het erg om me een lift te geven?'

'Waar woon je?' vroeg Chisholm, niet erg enthousiast.

'Fairfax. Alsjeblieft?'

Chisholm dacht even na, realiseerde zich toen dat het nog vroeg was en ze de hele dag nog voor zich had. 'Oké,' zei ze, 'maar *jij* betaalt de kruier.'

Binnen een kwartier waren ze onderweg, na de douane omzeild te hebben omdat ze staatsambtenaren waren.

De rit naar Dentons huis was erg rustig. Margaret was aan het plannen wat ze moest doen om Aartsengel weer op gang te brengen en Denton, die nog niet helemaal wakker leek, zat enorm te gapen.

'Jij bent geen ochtendmens,' merkte Chisholm op.

'Totaal niet. Halfelf op kantoor is voor mij het vroegste ochtendgloren.'

Chisholm glimlachte. 'Hoe jij straffeloos alles kunt uithalen, is me een raadsel.'

Denton glimlachte alvorens zijn ogen te sluiten om nog wat verder te dutten. Opeens schudde Chisholm hem wakker.

'Denton. Is het hier?'

Ze waren op een verlaten weg in Fairfax County, bij de ingang naar een groot landgoed. In de verte, ongeveer honderd meter verderop, stond een huis in Tudor-stijl, vierkant en uitgestrekt.

'Zoals het klokje thuis tikt...' Denton gaapte, terwijl Chisholm de oprijlaan op reed, naar het huis. Ze stopte, stapte uit en liep naar de passagierskant van de auto om Denton te helpen, maar hij redde zich redelijk.

'Doe geen moeite – uitstappen is een stuk makkelijker dan instappen,' zei hij, terwijl hij rechtop ging staan en zijn wandelstok pakte. 'En wat vind je ervan?' vroeg hij, en hij wees met zijn stok naar het huis. Hij begon zijn handschoenen aan te trekken.

Chisholm draaide zich om om naar het huis te kijken. Het was erg groot, maar het voelde leeg aan. 'Ik heb moeite te geloven dat je hier woont, Denton,' zei ze, het huis bewonderend. 'Ik stelde me een of ander vrijgezellenflatje voor, geen Engels landhuis. Hoeveel CIA-geld heb je verduisterd om dit te kopen?' Met een glimlach draaide ze zich om naar Denton.

Denton hield een automatisch pistool met geluiddemper op haar gericht.

'Grappig dat je dat zegt, Margaret,' zei hij, haar recht in de ogen kijkend, wakker, alert en op de een of andere manier *geamuseerd*. 'Dat is waarvoor we hier zijn: verduisteringen – Aartsengel.'

'Wat?' was het enige dat ze kon zeggen, niet goed begrijpend wat er gebeurde.

'Ik heb het over verduisteringen, Margaret. Je had je nooit met Aartsengel moeten bemoeien. Voor je eigen bestwil.'

En toen was het allemaal zo duidelijk. Margaret Chisholm deed een stap naar voren. 'Jij schoft. Vuile rotschoft!'

'Kom niet in mijn buurt, agente Chisholm, ik ben niet van plan dezelfde fout te maken als met Gettier – blijf op afstand. Ik vind het erg om een pistool op jou te richten, maar helaas moet ik wel, in mijn toestand. Wees gewaarschuwd, ik *gebruik* dit pistool als het moet.'

Chisholm bleef staan, niet goed wetend wat te doen. Ze wist zeker dat ze Denton kon tackelen. Maar achter de geamuseerde glimlach op zijn gezicht, lag iets dat heel ernstig en dodelijk was – een zekerheid in zijn ogen dat hij haar inderdaad zou neerschieten als het nodig mocht zijn. En Chisholm wist niet zo zeker of ze dat risico kon nemen. Niet meer.

Denton raadde haar gedachten en glimlachte nog wat breder. Zonder zijn ogen van haar af te houden, hing hij de wandelstok over zijn rechterarm, de arm met het pistool, en haalde iets uit zijn overjas. Het was een stel handboeien.

'Doe deze om, graag,' zei hij, en hij gooide haar de handboeien toe.

Ze bewoog zich niet om ze op te vangen. De handboeien raakten haar borst en vielen aan haar voeten, terwijl ze haar blik geen moment van Denton afwendde. 'Waar ben je mee bezig?' vroeg ze. Haar revolver zat in haar bagage en zelfs als ze erbij zou kunnen, dan nog was hij uit elkaar gehaald. Dus moest ze een uitval doen naar Dentons pistool. Ze kon zich bukken om de handboeien op te rapen en dan een duik nemen. Tenslotte zat zijn halve been in het gips.

Alsof hij haar gedachten alweer raadde, deed Denton een stap achteruit en zei: 'Blijf waar je bent en doe die handboeien om, alsjeblieft.' Maar Chisholm bewoog zich niet.

Denton klakte met zijn tong. 'Margaret, je maakt dit erg moeilijk voor me. Ik wil niet genoodzaakt zijn je neer te schieten of te verwonden. Maar je doet die handboeien om. *Nu.* Voor je eigen veiligheid,' zei hij raadselachtig.

Chisholm zakte langzaam door haar knieën en raapte de handboeien op. Nog steeds keek ze strak naar Denton, die veel te ver weg stond om getackeld te worden, maar dicht bij genoeg om niet mis te schieten. '"Voor mijn eigen veiligheid" – voor jouw kloterige gemak, zul je bedoelen. Klerelijer. Ik dacht – ik dacht dat je iemand was die ik kon vertrouwen. Achter al die gladde lachjes en al dat gelikte gedoe. Ik dacht dat je fatsoenlijk was. Maar je bent niks, helemaal *niks*!'

Denton keek Chisholm met een lege blik aan, die geen enkele emotie of gevoel uitdrukte. 'Doe die handboeien om, Margaret. Alsjeblieft. En trek deze ook aan.' Uit dezelfde zak als die van de handboeien gooide hij haar een paar handschoenen toe, die ook bij Margarets voeten op de grond vielen. Geen van beiden verroerde zich.

Denton zuchtte. 'We kunnen hier nog de hele ochtend redetwisten of je die handboeien omdoet en die handschoenen aantrekt, maar eerlijk gezegd hebben we allebei wel wat beters te doen. Doe dus wat ik zeg. Ik wil je iets laten zien.'

Met een ironisch bedeesde blik bewoog hij achteloos zijn pistool heen en weer om haar te doen gehoorzamen. Met tegenzin klikte ze de handboeien vast.

'Strakker, alsjeblieft.'

Ze zette ze een streepje strakker.

'Strakker. Ik kan zien dat je ze af kunt krijgen. Strakker.'

Ze deed ze nog een streepje strakker, maar besefte dat ze nu te strak waren om ze af te krijgen. Haar ogen verraadden haar. Denton glimlachte en knikte opgetogen, terwijl hij zijn pistool op Chisholm gericht hield.

'Goed, zo is het beter. En nu die handschoenen, alsjeblieft.'

Chisholm pakte de handschoenen op, trok ze aan en zei: 'Ik ga je doden, Denton. Ik zweer het.'

'Je gaat me niet doden, Margaret. Je hebt de drang niet meer.'

Hij gebaarde met het pistool. 'Klop even op de voordeur, graag.'

Chisholm liep met handboeien om en handschoenen aan naar de voordeur, terwijl Denton behoedzaam weghinkte om buiten haar bereik te blijven. Terwijl ze elkaar bleven aankijken, klopte Chisholm aan. Met haar rug naar de voordeur staarde ze Denton aan, dus zag ze niet wie er opendeed tot hij vlak voor haar stond.

'Aha, Nicky. Met agente Chisholm in je kielzog,' zei Keith Lehrer, die in pyjama en ochtendjas vrolijk glimlachte. 'Kom binnen, kom binnen,' zei hij, en hij hield de deur wijdopen.

Ze waren gedrieën in Lehrers werkkamer.

'Een koude ochtend, vandaag,' zei Lehrer. Hij gooide een blok op het vuur en zorgde er angstvallig voor niet tussen Denton en Chisholm in te komen.

Ze zat in een van de leunstoelen en keek zonder met haar ogen te knipperen naar Denton met een blik die een en al razernij uitdrukte, een razernij die zo tot het uiterste gespannen was dat Denton zijn pistool geen seconde een andere kant op durfde te houden. Dus zat hij tegenover haar in de andere leunstoel en hield haar in de gaten terwijl hij tegen Lehrer sprak. 'Ik kon haar niet kwijtraken, maar ik dacht dat het leuk was om haar op een presenteerblaadje hierheen te brengen. Zij heeft Sepsis gedood. Ik kon haar niet tegenhouden.'

'Ja, dat weet ik,' zei Lehrer, die een laatste hand aan het vuur legde en om Denton heen naar zijn bureau liep. 'Rivera heeft een kopie van haar rapport gestuurd. Jammer. Schande.' Hij ging op de bureaustoel zitten. 'We hadden heel veel rendement van Sepsis kunnen hebben.'

Denton haalde een sigaret uit zijn jaszak en stak die aan. 'Ja,' zei hij tussen twee rookwolken door, terwijl hij ervoor zorgde dat die hem niet verblindden. 'Maar ik heb genoeg informatie om haar totaal in diskrediet te brengen. Weet je wel dat ze zo stom is geweest om een hoer mee te nemen naar de schuilplaats in Rome?' vroeg hij, en hij glimlachte met een opgetrokken wenkbrauw, zonder een seconde te laten doorschemeren dat hij wist wie Beckwith was geweest.

'Stom loeder,' zei Lehrer, die naar Chisholm keek alsof ze een voorwerp was. Niet omdat ze een vrouw was of omdat ze bij de FBI werkte, maar gewoon omdat ze hem voor de voeten had gelopen.

Denton nam een diepe haal van zijn sigaret die tussen twee vingers van zijn vrije hand zat. 'Die hoer alleen al is genoeg om haar te vernietigen,' zei hij tegen Lehrer, terwijl hij Chisholm bleef aanstaren. Toen fronste hij, glimlachte en vroeg zich af: 'En die hoer – die was van jou afkomstig, niet, Keith?'

Lehrer aarzelde, overvallen door Dentons vraag. 'Waarom denk je dat?' vroeg hij achteloos.

'Omdat, als ze niet van jou afkomstig was, ze het met mij had geprobeerd in plaats van met Chisholm. Ik was, hoe zal ik het zeggen? – een zekerder nummer.'

Lehrer lachte, maar zei niets en wachtte af wat Denton ging zeggen.

Denton bleef Chisholm opnemen, terwijl hij tegen Lehrer praatte. 'Goed, als Chisholm van het toneel verdwenen is, komt er geen Aartsengel-onderzoek meer,' zei hij, eindelijk met zijn troef op tafel komend.

Chisholm staarde terug naar Denton. 'Het ging de hele tijd al om Aartsengel, hè? Smerige zwijnen...'

'Hoe weet jij van Aartsengel af?' onderbrak Lehrer haar.

Denton glimlachte bij de gedachte aan het schaduwarchief in Alexandria. 'Zoals ik je al heb gezegd, Keith, ik ben een carrière-bureaucraat. Papieren, papieren en nog eens papieren komen over mijn bureau. Ik bleef maar dingen tegenkomen die betrekking hadden op iets dat Lamplicht heette. Daarna ontdekte ik dat agente Chisholm onderzoek deed naar een merkwaardig verduisteringsplan dat zij Aartsengel noemde. Lamplicht en Aartsengel waren elkaars spiegelbeeld, maar ik kon nog steeds geen relatie ontdekken tot jij me specifiek bevel gaf om vuiligheid over Chisholm op te graven. Daarna wist ik dat het om dezelfde affaire ging.'

'Je bent welkom bij onze club,' zei Lehrer rustig.

Denton glimlachte van puur geluk. De lucht in de werkkamer werd opeens klef. Nog steeds staarde hij Margaret Chisholm recht in het gezicht, maar hij zag haar niet echt.

'Om hoeveel geld gaat het?' vroeg hij.

'Zevenenvijftig miljoen en nog wat. Genoeg om wat te reizen,' antwoordde Lehrer. Hij staarde Denton aan om hem te taxeren, denkend dat Denton wel mee zou doen. Hij hoopte het. Maar toch wist hij het niet zeker.

'Hoeveel leden heeft die club?'

'Ik geloof niet dat we daarover moeten praten waar zij bij is,' zei Lehrer, die eindelijk Chisholms aanwezigheid bewust opmerkte. Maar Denton was het niet met hem eens.

'Ik vind van wel,' zei hij peinzend glimlachend. 'Op een bepaalde manier zijn we haar dat schuldig, denk ik. Ze had je bijna te pakken. Nog een week of twee, drie en Lamplicht of Aartsengel of hoe je die club maar wilt noemen, was aan het daglicht gekomen. Met zijn hoevelen zijn jullie?'

Lehrer aarzelde en zei toen: 'Alleen ik, directeur Farnham en onderdirecteur Michaelus. En jij dan nu.'

'Farnham, Michaelus, jij en ik. Een gezellig clubje van vier. Klinkt goed.'

'Daar ben ik blij om.' Lehrer glimlachte.

'Maar je moet me wel iets vertellen. Stel dat ik niets over haar had kunnen opduikelen? Wat voor troef had je dan nog?'

'Foto's.'

'Foto's?'

Lehrer ontsloot een la en haalde een bruine map te voorschijn, waaruit hij een stapel foto's pakte die hij naast Denton op tafel legde. Denton keek er vluchtig naar en zag genoeg. Hij sloeg zijn ogen ten hemel en floot, wat hem slecht afging.

'Aha. Interessant. Het haar is anders, maar zij is het wel. Wie is die ander?' vroeg hij, terwijl hij weer naar Chisholm staarde.

'Na haar scheiding is agente Chisholm... indiscreet geweest met een vrijzinnig echtpaar. Een van hen heeft ons die foto's geleverd. De FBI-puriteinen ontslaan haar op staande voet.' Lehrer pakte de foto's terug, keek ze achteloos door en leunde achterover.

Denton maakte zijn sigaret uit en stak onmiddellijk een volgende op, zonder zijn blik van Chisholm af te wenden. Chisholm huilde. Ze staarde Denton aan, zonder haar hoofd te buigen, ongeslagen, maar wel verschrikkelijk in de hoek gedreven – een onoverwinnelijke kracht die eindelijk gestopt was. Dus huilde ze. Tranen biggelden over haar wangen zonder medelijden te willen opwekken. En Denton staarde strak terug met de dode ogen van een haai. Hij zei: 'Gek dat een organisatie die door een homo is opgezet, zo de pest aan homo's heeft.'

'Rivera zal hun Aartsengel-onderzoek stopzetten,' zei Lehrer opeens en hij keek op naar Chisholm omdat hij zeker wist dat hij de spelleider was. 'Een onderzoek dat geen resultaten boekt, is de moeite niet waard, met name een onderzoek dat werd geleid door een in diskrediet geraakte agente. We dichten de lekken en alles wordt weer normaal.'

'Klootzakken,' zei Chisholm tegen Denton. 'Klerelijers, ik zal jullie doden, ik zweer je dat ik jullie allemaal zal doden.'

In haar razernij en vernedering maakte Chisholm aanstalten om op te staan en Denton iets aan te doen. En dat zou ze gedaan hebben als hij niet iets anders had gezegd.

'Denk aan je zoon, Margaret,' zei hij, voor het eerst rechtstreeks tegen haar pratend. Hij keek haar strak aan. 'Als je van die stoel opstaat, ben ik gedwongen je neer te schieten. Wat heb je liever – een beschamende afgang bij de FBI of een moederloos kind? Denk na. Een dode moeder is een stuk erger dan eentje zonder werk.'

'Ik maak je af, Denton, ik zweer het je.'

De rode tentakels kwamen weer opzetten en deze keer glimlachte Denton niet toegeeflijk. 'We zullen zien...' zei hij duister. Daarna begon hij tegen Lehrer te spreken. Zijn stem klonk helderder maar zijn blik bleef op Chisholm gericht. 'Maar dit zijn gewoon afdrukken, die kunnen worden vervalst. Heb je de negatieven ook?'

Lehrer rommelde in de bruine map en hield een blanco witte enveloppe omhoog, die niet was dichtgeplakt. Die deed hij open, keek erin en gaf de enveloppe aan Denton, die hem niet aannam.

'Kun je dit ding even vasthouden?' vroeg hij aan Lehrer, en hij maakte een gebaar met het pistool.

'Natuurlijk,' zei Lehrer en Chisholm zette zich schrap. Lehrer was niet jong en misschien was hij geen goede schutter. Dus, starend naar Denton, keek ze vanuit haar ooghoek hoe Lehrer opstond en om het bureau heen liep om het op haar gerichte pistool over te nemen.

'Probeer het niet,' zei Denton tegen haar, heel goed wetend wat ze dacht. Hij gaf het pistool aan Lehrer en het ging te vlug en ze waren te ver. Lehrer had het pistool nu op haar gericht.

'Waarom doe je geen boeien om haar voeten, zodat ze zich niet kan bewegen?' vroeg Lehrer scherpzinnig.

'Ik heb geen handboeien meer,' zei Denton achteloos, terwijl hij de negatieven doorkeek. Hij had nog wel een stel handboeien in de zak van zijn overjas zitten, maar het was spannender om Chisholm bewegingsvrijheid te geven waardoor ze een voortdurende dreiging bleef. In Dentons hoofd borrelde het van de angst en de uitdaging. Denton hield de negatieven nonchalant tegen het licht van de open haard en deed nog een armzalige poging om te fluiten.

'Nou, nou, dit is *wel* explosief materiaal. Ze kan niets ontkennen, dat staat vast.'

Hij keek naar Chisholm en toen naar Lehrer en de rotzak had de euvele moed om te glimlachen.

Zonder zijn blik van Chisholm af te wenden, zei Lehrer: 'Dus zelfs als ze was blijven leven en zelfs als je haar niet in diskrediet had kunnen brengen, had ik nog iets waarmee ik haar onder controle had.'

'Ja, zeg dat wel. Slim. Zo, geef mij maar,' zei Denton. Terwijl hij Chisholm aankeek, nam hij het pistool zo snel en handig over dat ze de kans niet had een beweging te maken. En Chisholm wist heel definitief dat ze die kans nooit zou krijgen.

'Ik had je door Gettier moeten laten afmaken,' zei ze tegen Denton.

Hij trok een bedroefd gezicht. 'Een gemene gedachte, Margaret.'

De twee mannen stonden naast elkaar op haar neer te kijken, alsof ze de baas waren. Denton glimlachte opnieuw.

'En verder had je niets?' vroeg Denton ten slotte aan Lehrer, zonder hem aan te kijken. 'Een back-up, zogezegd?'

'Alleen de foto's,' zei Lehrer vergenoegd. 'Maar die waren meer dan genoeg... Een goede agente.'

'Een *erg* goede agente – ze had je bijna te pakken,' zei Denton, en hij glimlachte sardonisch tegen Chisholm.

Maar opeens verloren zijn ogen de scherpe blik en keken door haar heen. Zijn gezicht toonde nog steeds dat wreed glimlachende masker, maar zijn stem was totaal toonloos.

'Ik doe mee, Keith,' zei hij peinzend. 'Ik doe mee aan Lamplicht. Maar alleen als je me één ding vertelt: Wat wil je in ruil?'

Lehrer antwoordde prompt. 'Niets dat ik...'

'Keith.' Denton interrumpeerde hem met een broze, metalige stem. 'Niets is gratis. Wat gaat het mij kosten om bij jullie club te komen,' vroeg hij alsof hij iets constateerde. 'Dat wil ik nu weten.'

Lehrer aarzelde nadenkend, keek naar Denton en leunde tegen de rand van het bureau. Hij wierp een blik op Chisholm en besloot haar te gebruiken. 'Daar kunnen we het over hebben als zij weg is...'

'Nee,' viel Denton hem weer in de rede, nog steeds glimlachend als een dode. 'Vertel me *nu* wat je wilt. Zeg het nu, anders kunnen we de hele zaak vergeten.'

Lehrer staarde naar Dentons profiel en keek naar het tapijt. Hij dacht na. Uiteindelijk boog hij zich voorover, maar zonder Denton aan te kijken, en hij sprak zachtjes, bijna fluisterend in Dentons oor.

'Ik wil weten wat er in het gebouw in Alexandria is,' biechtte hij op.

Denton glimlachte als een zuigeling. Hij werd gechanteerd, zo besefte hij. Dat was het spel dat Lehrer speelde. Het was een erg vriendelijk soort chantage – meer een soort pressie dan rechttoe rechtaan chantage. Maar desondanks was het chantage.

Als hij niet meedeed, zou Lehrer het schaduwarchief verraden. Dat was Lehrers troef. Denton en Atta-boy zouden waarschijnlijk worden gearresteerd en er was een goede kans dat het schaduwarchief zogenaamd werd opgeheven om ergens anders weer te verschijnen, deze keer onder controle van Lehrer. Daar stond hij en zette Lehrer de pin op de neus met het indirecte dreigement dat hij Lamplicht op zou blazen, om te ontdekken dat Lehrer *hem* bij zijn ballen had. Denton vond het ongelooflijk ironisch: *hij* heette de koning van de afpersers te zijn. Heel goed gespeeld van Lehrer. Heel slim. 'Dus... ik doe mee met jou, Farnham en Michaelus. En als tegenprestatie wil jij toegang tot het gebouw in Alexandria. Zit het zo?'

'Ja.'

'Alleen jij, of Farnham en Michaelus ook?'

'Alleen ik,' bekende hij.

'Dus zij weten niets af van Alexandria?'

Daarop zei Lehrer niets en dat hoefde hij ook niet. Niemand anders had er lucht van gekregen. Als dat zo was, zouden *zij* Denton benaderen in plaats van Lehrer.

Denton glimlachte. Het leven was meer dan goed – het was bijna perfect, verdomme. Hij wist wat het aanbod was en hij wist wat het ging kosten en hij wist waar de pressie vandaan kwam. Hij

348

glimlachte breed en ongedwongen en had al zijn beslissingen op-eens genomen, terwijl Lehrer op antwoord wachtte. Denton ging geheel op in zijn geluk.

Het wachten, de geruisloze seconden die wegtikten, begonnen op Lehrers zenuwen te werken. Hij wendde zijn hoofd af om zijn werkkamer rond te kijken en zijn blik viel onvermijdelijk op de ge-broken Chisholm.

Ze zat naar Denton te staren met een blik alsof ze niets had ge-hoord en huilde nog steeds geluidloos met wijdopen ogen. Maar ze was niet gebroken, zag Lehrer. Ze was slechts een gekooid, ge-vaarlijk dier, een dier dat de eerste de beste kans zou aangrijpen. Lehrer keek naar de handboeien die haar vasthielden en merkte voor het eerst op dat ze handschoenen droeg. Hij wendde zich tot Denton om zijn ongerustheid over Dentons antwoord weg te stoppen onder zijn achteloze verwondering.

'Nicholas,' vroeg hij, 'waarom draagt ze handschoenen?'

De vraag rukte Denton uit zijn overpeinzingen. Hij glimlachte zijn tanden bloot en keek Chisholm strak aan met een blik die de duivel zelf bang zou maken.

'De handschoenen? Die heeft ze aan om geen vingerafdrukken achter te laten als ze de boel komen opruimen.'

Bij die woorden draaide Denton het pistool naar Lehrer en richtte het vlak voor diens ogen, ver voordat Chisholm of Lehrer zelf wisten wat er gebeurde, veel te laat voor Lehrer. Denton haal-de de trekker over. Het geluid was nauwelijks meer dan een kuch, de kogel drong rechtstreeks door Lehrers oog in zijn hersenen en installeerde zich achter in de schedel met genoeg kracht om de huid te doorboren. Door het gat spoten bloed en stukjes hersen-weefsel naar buiten. Heel even bleef Lehrer staan, reeds dood, maar de rest van zijn lichaam wist nog niet dat het dood was. Ein-delijk werd de informatie doorgegeven en Keith Lehrer zakte door zijn benen, waardoor hij langs het bureau gleed tot hij op het tapijt kwam te zitten, net zo dood als Teddy Roosevelt.

'*Jezus!*' Chisholm hapte naar adem en stond in een reflex op om naar de dode man te staren. Ze draaide zich om en keek naar zijn moordenaar.

Denton bezag Lehrers lichaam en keek voor het eerst niet naar Margaret Chisholm. Hoewel het moeizaam ging met zijn gebro-ken been, bukte hij zich en legde het pistool in Lehrers hand.

Daarna kwam hij overeind en keek naar het resultaat.

'Keurige manier om te sterven. Geeft helemaal geen rotzooi,' zei Denton tegen niemand in het bijzonder. Hij wierp een blik op Chisholm, stak zijn hand in zijn zak en gooide haar een bos sleutels toe.

'Wat heb je gedaan?' vroeg Chisholm verbijsterd. Denton keek haar oprecht verbaasd aan.

'Wat denk je? Ik heb Lehrer doodgeschoten en nu moet ik zorgen dat het op zelfmoord lijkt. Doe je handschoenen niet uit,' maande hij. 'Het zou niet best zijn als je hier overal vingerafdrukken achterliet.'

Hij draaide zich om naar Lehrers lichaam en ging weer met het pistool aan de slag. Zijn gips maakte het moeilijk om te bukken. Maar het lukte hem en hij drukte Lehrers vingers stevig op het pistool. Beverig zette hij de veiligheidspal vast en prikte Lehrers wijsvinger tegen de trekker. Toen die bleef zitten, schoof hij de veiligheidspal weer los en stond op.

'Wat vind jij?' vroeg hij aan Chisholm, terwijl hij naar Lehrers lichaam bleef kijken.

Chisholm wist niet wat ze moest vinden. Ze staarde maar naar Denton die met het lichaam bezig was en een paar stappen achteruit deed om zijn handwerk van een afstand te bekijken. Hij moest tevreden zijn, want hij pakte de bruine map op en draaide zich om naar het vuur.

'Sorry voor het toneelspel,' zei hij, terwijl hij een voor een de foto's in het vuur begon te gooien. 'Ik moest hem gewoon even zijn grote moment laten beleven.'

Chisholm bleef maar staren, terwijl ze afwezig haar handboeien losmaakte. Bij het geluid draaide hij zich om.

'Hou je handschoenen aan. Zoals ik je al zei, ze zijn voor je eigen bescherming.'

Chisholm stond op en liep behoedzaam op Denton af. 'Wat – wat was dit allemaal?'

Hij keek haar aan, glimlachte en gooide de laatste foto in het vuur. Daarna stak hij een sigaret op en leunde tegen de schoorsteenmantel.

'Ik wist dat je Sepsis aankon. Lehrer was zijn opdrachtgever. Het opblazen van het Vaticaan was onderdeel van een waanzinnig plan om ons in oorlog met het Midden-Oosten te brengen, ge-

350

woon waanzinnig. Eigenlijk was het een heel slim plan, erg ambitieus, maar wel krankzinnig. Te krankzinnig voor mij. Dus liet ik je een eind maken aan Sepsis. Maar het was uitgesloten dat je in de buurt van Aartsengel kon komen. Ik moest Aartsengel zelf uitschakelen.'

Het waren Dentons kalmte en nonchalance die haar in verwarring brachten. Het leek wel alsof hij geen adrenaline kende, geen opwinding of angst. Alleen een vage geamuseerdheid was zichtbaar.

'Maar ik had geen idee dat Lehrer ermee te maken had. Ik wist niet eens dat er iemand van de CIA bij betrokken was. Het enige dat ik had, waren valse aankopen en valse betalingen, verder niets. Rivera zou de zaak over een paar weken hebben stopgezet.'

Denton lachte, keek omlaag en schoof met zijn tenen de laatste resten van de foto's in het vuur. 'Zonder het te weten zat je heel dichtbij. Toen Sepsis op je schoot, die keer in je bestelwagentje? Dat ging om Aartsengel, niet om de non. Je stond op het punt om je onderzoek te verleggen naar de valse handelaren. Allemaal dekmantels... die geen van allen overeind zouden blijven als ze onder de loep werden genomen. Lehrer wist dat. Als jij had doorgedrukt, en dat doe je altijd, had hij je laten doden. Nog een paar weken en er zou nog een schietpartij of een ongeluk of wat dan ook zijn voorgevallen, of misschien wel een erg tragisch ongeval op een snelweg. Het opblazen van het klooster was gewoon boffen. En het was boffen dat Rivera jou van Aartsengel afhaalde om Tegenspel te leiden. Ik weet nog steeds niet waarom hij dat heeft gedaan,' besloot hij, terwijl hij zijn blik weer naar het vuur toewendde.

Ook Chisholms ogen gleden peinzend naar de vlammen. 'Rivera dacht dat ik uitgeput was, dat ik vakantie nodig had.'

Denton lachte enorm geamuseerd. 'O, mijn hemel. Het is niet helemaal ironisch, nee – maar verrukkelijk. De mogelijkheden!'

'Denton,' vroeg Chisholm en ze keek hem aandachtig aan, 'waarom dit? Waarom deze... vernedering?'

Zijn glimlach verdween en hij staarde terug. 'Het spijt me werkelijk, Margaret. Dat meen ik. Maar ik moest erachter komen wat hij in bezit had om jou te chanteren. Lehrer hield alle dingen altijd erg geheim. Hij moest denken dat hij had gewonnen. Anders had hij me nooit verteld wat hij had om tegen je te gebruiken. Het spijt me,' zei hij. Toen glimlachte hij weer. 'En ik hoop wel dat je me niet zult doden.'

Chisholm moest glimlachen, of ze wilde of niet.

Buiten was het nog vroeg in de ochtend, nog geen zeven uur. Denton en Chisholm stonden tegen Chisholms auto geleund te praten, terwijl Denton zijn sigaret oprookte en met zijn wandelstok speelde.

'Ik denk dat ik een wandelstok blijf gebruiken. Vind je niet dat het me iets geeft van… *je ne sais quoi?* Maar ja, het kan een beetje pretentieus lijken op mijn leeftijd.'

'Wat betreft Aartsengel,' zei Chisholm onlogisch.

Denton zuchtte. 'Ja, wat betreft Aartsengel. Laten we een deal sluiten: laat Aartsengel vallen en laat mij het afhandelen. Het zal mij op geen enkele manier raken als dit openbaar wordt, maar het zal de zaken zeker gemakkelijker maken voor de FBI. Je kunt een hoop vrienden maken…'

'Waarom wilde je niet meedoen met die club?' drong Chisholm aan.

Denton bleef naar zijn wandelstok kijken en vroeg zich af wat hij deze vreemde, fascinerende vrouw zou vertellen. 'Met Aartsengel?' talmde hij, terwijl hij probeerde te bedenken wat hij zou antwoorden.

Maar Chisholm was geduldig. 'Ja,' antwoordde ze en keek toe hoe hij nadacht over wat hij ging zeggen.

'Ik had mijn redenen,' zei hij, met een duistere glimlach in het niets starend.

'En die waren?' drong ze zachtjes aan. Ze moest het weten.

Hij richtte zijn duistere glimlach op haar. 'Je kent me helemaal niet, hè?'

Chisholm moest daar wel om glimlachen. 'Nee, dat is waar.'

'Margaret, ik heb een gezin waarvoor ik moet zorgen.'

Chisholm fronste haar wenkbrauwen. 'Ik dacht dat je zei dat je niet getrouwd was.'

'Ik heb gelogen.' Denton glimlachte terug, alsof het het meest vanzelfsprekende ter wereld was. 'Waarschijnlijk geloof je het niet, maar mijn vrouw was mijn vriendinnetje van de middelbare school. Ze is heel gewoon. Ze is onderwijzeres. We hebben drie kinderen, allemaal erg doorsnee. Ons huis, je kunt het geloven of niet, heeft een wit tuinhekje. Ze weten dat ik voor de CIA werk, maar ze weten niet wat ik doe. Ik weet wat ik doe. Ik laat mensen doden, ik verwoest mensenlevens. Maar ik weet waarom ik die dingen doe – om mijn gezin en mensen zoals zij te beschermen. Niet om er rijker van te worden en zeker niet uit winstbejag. Aartsengel was... iets dat ik nooit zou doen, nooit zou *kunnen* doen.'

Een ogenblik lang keek ze hem listig aan. 'Je kunt het nooit laten om te liegen, hè?' zei ze, op haar hoede voor zijn lulkoek. Ze was er niet kwaad om, maar wachtte geduldig af. 'Daar gaat het je niet om. Misschien gedeeltelijk, maar het is niet de hoofdreden.'

Denton glimlachte spottend, wetend dat ze gelijk had en dat hij het haar niet zou vertellen, in ieder geval niet helemaal. 'Ik stel voor dat je gaat,' zei hij, maar hij verroerde zich niet.

'Bewaar je de negatieven?' vroeg Chisholm ten slotte, maar Denton scheen haar niet te begrijpen.

'Welke negatieven?' vroeg hij effen. Hij stak nog een sigaret op en haalde de enveloppe met de negatieven te voorschijn. Zorgvuldig stak hij de negatieven aan met zijn aansteker en verbrandde ze allemaal alvorens de weinige resten op de grond te laten vallen. Chisholm bukte zich om die resten op te rapen.

Denton fronste verward zijn voorhoofd. 'Wat doe je nou?'

'Dit zullen ze vinden als ze zijn dood gaan onderzoeken.'

Denton lachte. 'Zijn we bang om sporen achter te laten? Margaret, *ik* zal de baas zijn van het onderzoek naar Lehrers dood. En ze zullen niets vinden wat ik niet wil dat ze vinden.'

Chisholm kwam overeind en voelde zich schaapachtig. Toen begon het haar te dagen. Ze keek Denton aan. 'Nu Lehrer dood is, word jij onderdirecteur van de CIA. Nietwaar?'

Denton glimlachte, liep weg en hield beleefd het autoportier aan de bestuurderskant voor haar open.

'Jij doet alsof je hier bent gekomen om hem te confronteren met Aartsengel, je zegt dat hij een pistool tegen je trok, dat jullie ruzie hebben gekregen en dat hij zichzelf heeft doodgeschoten. Je gaat eindeloos wikken en wegen en uiteindelijk zul je "schoorvoetend" Lehrers baan aannemen. En of de zaak wordt afgesloten of niet, je zult Lamplicht of Aartsengel of hoe je het ook maar noemt, gebruiken als pressiemiddel op directeur Farnham en die andere onderdirecteur, hoe heet hij ook weer...'

353

'Michaelus, onderdirecteur van Geheime Financiën, het Speciale Directoraat, zoals het heet.'

'Michaelus, precies. Jij gaat de baas spelen over de CIA vanuit de veiligheid van je bureaucratenkantoor.' Chisholm had een voet in de auto, maar wilde nog steeds niet vertrekken. 'Jij gaat de baas spelen over de CIA, zolang je maar wilt.'

Denton glimlachte tegen haar. Hij mocht haar. 'Rij voorzichtig, Margaret. Het was een genoegen om met je samen te werken.'

Bij die woorden draaide hij zich om en liep terug naar het huis.

'Denton?' riep ze. Hij draaide zich om om haar aan te kijken.

'Ja?'

'Bedankt. Bedankt voor… Bedankt.'

Hij glimlachte zijn haaienlach. 'Ik heb je al een keer verteld, Margaret, dat ik geen diensten bewijs. Ik verzamel schulden. Je zou er verstandig aan doen dat goed in je oren te knopen, agente Chisholm.'

Hij draaide zich om en hobbelde terug naar het huis. Chisholm stapte in en reed weg.

LAATSTE GEBEDEN

Maar daar eindigde het niet. Zo eenvoudig eindigde het niet.

Chisholm reed in die vroege ochtend naar huis, maar de ochtendspits maakte de ringweg al bijna onberijdbaar. Dus was het acht uur tegen de tijd dat ze bij haar huis stopte.

Ze stapte uit en staarde naar haar huis, een klein keurig huis, als vele andere huizen aan beide kanten van de straat. Ze liet haar bagage in de kofferbak – en die van Denton ook, zo realiseerde ze zich – en liep in haar eentje het huis binnen.

Binnen was er niets veranderd. Er waren geen gremlins binnengekomen om de dingen netter of schoner, of smeriger of lelijker te maken. Het was hetzelfde huis, bijna dat van een vreemde. Ze deed de ramen open en liet een bries binnen die de muffigheid uit het huis moest verdrijven terwijl zij haar bagage binnenbracht.

Ze pakte alles uit en legde alles op zijn plaats. Daarna ging ze douchen terwijl de wasmachine haar reiskleren waste. Tegen negen uur was ze schoon en klaar en keek rond of er dingen in huis te doen waren.

Maar er was niets te doen. Er waren geen valluiken meer waar ze haar hoofd in kon verstoppen. En dus bleef Margaret in de keuken staan om in het koude lege huis rond te kijken en te wachten tot iemand haar nodig had.

Vlak na Margaret Chisholms vertrek realiseerde ook Denton zich dat hij zijn bagage in haar auto had laten liggen, maar het deed er niet toe. Hij zou het door iemand van kantoor laten ophalen. Waar hij zich *wel* druk over maakte, was dat hij bij een telefoon moest zien te komen.

In Lehrers huis overlegde Denton of hij het telefoontje moest plegen, terwijl hij Amalia Bersi's nummer draaide om haar te laten zorgen dat iedereen op Langley in rep en roer was over Lehrers 'zelfmoord'. Hij wilde dat het gebouw op zijn grondvesten zou schudden en hij wist dat Amalia hem niet zou teleurstellen.

Terwijl hij wachtte op het forensische team van de CIA, vroeg Denton zich af of hij het moest riskeren dat telefoontje te plegen, en besloot ten slotte om het te doen. Hij kon Matthew Wilson of Atta-boy altijd nog de telefoonlijsten laten bijwerken als het nodig was.

Het duurde even voordat de verbinding tot stand kwam en terwijl hij daarop wachtte, keek hij naar het lichaam dat naast hem op de grond lag en dacht aan de redenen voor zijn daad, de redenen die hij voor Margaret Chisholm verborgen had gehouden. 'Je ziet er goed uit, Keith,' zei hij opgewekt tegen het lijk. 'Een stuk beter dan Paula Baker, minderwaardig stuk vreten.'

'Hallo?' zei een stem in het Italiaans.

'Hallo?' zei Denton in het Engels. 'Met mij. Het is gebeurd. Zoals we vermoedden, zat van begin af aan Lehrer erachter – alles. Hij is geen factor meer... Dat kunt u beter niet weten... Ja, dat zal ik doen... Juist. Goed. Ik spreek u binnenkort. Voorzichtig aan... Dank u, u ook. Tot ziens, aartsbisschop Neri.'

Denton hing op. Hij glimlachte tegen Lehrers lijk en stak een sigaret op. Het was echt erg dat niemand hem geloofde als hij de waarheid vertelde. Zuster Alice had hem wel degelijk een voorproefje van de hel gegeven met al die weekendarresten en de manier waarop ze almaar op zijn knokkels had geslagen met de uitroep: 'Roken? *Roken!* Is dat iets voor een *goede* katholieke jongen?' God, hij miste dat oude mens. Al was het een mensenleven geleden en al was hij een volwassen man, toch zag Nicholas Denton zichzelf nog steeds als een goede katholieke jongen. Een goede katholieke jongen die weet dat wraak altijd de beste reden is.

Ze bidt. Ze heeft redenen om de waarheden in haar binnenste te geloven – ze heeft kennis. En toch bidt ze.

Ze bidt voor de ziel van het kind dat ze ooit in haar armen had kunnen houden. Ze bidt voor de ziel van haar mentor, de man die ze heeft vermoord. Ze bidt voor al haar zusters, voor de politiemensen en voor de inspecteur, voor de onschuldigen en voor de gevallenen, voor hun moordenaar, voor kardinaal Barberi – God hebbe zijn ziel. Ze bidt voor alle doden.

Maar het is moeilijk. Ze probeert het, maar de doden vervagen. Nu wenden haar gebeden zich tot de levenden. Ze kan niet anders. Ze weet zeker dat er verlossing is, zo niet voor haarzelf dan voor anderen. Ze weet dat God hun ziel kent en hen een deel van Hem zal laten zijn. Maar toch bidt ze.

Ze bad terwijl ze over de kasseien van het plein liep en alle moeite deed om voor de doden te bidden. Maar midden op het plein stuitte ze op zes studenten, jonge mannen en vrouwen. Ze speelden op Afrikaanse trommels voor een aalmoes en voor ze het wist, had ze de doden vergeten en bleef naar de levenden staan kijken.

Ze glimlachten tegen haar, hun enige toeschouwer, en sloegen op hun trommels. Ze moest weg, maar ze bleef staan kijken en voelde zich door hen omringd, terwijl ze gestadig als een kloppend hart doorspeelden. Ze wilde haar ogen dichtdoen en daar voor eeuwig blijven, maar dat kon ze niet. Dus gaf ze hun wat geld, wenste hun geluk en liep verder.

Maar het ritme van de trommels wilde niet verdwijnen. Het klonk steeds verder, dat wel, maar het stierf niet helemaal weg. Het geluid van de dreunende trommels bleef haar bij en speelde onophoudelijk door haar hoofd. Een ingewikkeld maar gestadig ritme, een mystiek ritme. Een duister buitensporig geluid.

En met de ochtend zingen de engelenkoren
Die ik lang geleden heb bemind en nu verloren.

400

P